国家出版基金项目
NATIONAL PUBLICATION FOUNDATION

"十四五"国家重点出版物出版规划项目

长江大保护与高质量发展研究系列丛书

长江保护与绿色发展研究院
江苏长江保护与高质量发展研究基地 ◎ 组织编写

文化卷
CULTURAL VOLUME

河海大学出版社
HOHAI UNIVERSITY PRESS
·南京·

图书在版编目(CIP)数据

长江大保护与高质量发展研究系列丛书．文化卷 / 长江保护与绿色发展研究院，江苏长江保护与高质量发展研究基地组织编写．-- 南京 ：河海大学出版社，2024．11．-- ISBN 978-7-5630-9550-6

Ⅰ．X321．25；F127．5

中国国家版本馆 CIP 数据核字第 2024CB5022 号

书　　名　长江大保护与高质量发展研究系列丛书．文化卷
CHANGJIANG DABAOHU YU GAOZHILIANG FAZHAN YANJIU XILIE CONGSHU. WENHUA JUAN
书　　号　ISBN 978-7-5630-9550-6
策划编辑　朱婵玲
责任编辑　曾雪梅　高晓珍
特约校对　孙　婷
装帧设计　林云松风
出版发行　河海大学出版社
地　　址　南京市西康路 1 号(邮编:210098)
电　　话　(025)83737852(总编室)
(025)83722833(营销部)
经　　销　江苏省新华发行集团有限公司
排　　版　南京布克文化发展有限公司
印　　刷　南京工大印务有限公司
开　　本　787 毫米×1092 毫米　1/16
印　　张　15．25
字　　数　275 千字
版　　次　2024 年 11 月第 1 版
印　　次　2024 年 11 月第 1 次印刷
定　　价　80．00 元

《长江大保护与高质量发展研究系列丛书》编委会

总序

进入21世纪以来，中国经济已由高速增长阶段转向高质量发展阶段，正处于转变发展方式、优化经济结构、转换增长动力的攻关期，由粗放型增长向高质量、绿色增长转变成为实现可持续发展的必然选择。长江是中华民族的母亲河之一，横跨东、中、西部，联通南北，成为中华民族发展的重要支撑。推动长江经济带高质量发展是以习近平同志为核心的党中央作出的重大决策，是关系国家发展全局的重大战略。共抓长江大保护，构建长江新发展格局，推动长江经济带高质量发展，是国家经济社会发展的重要组成部分，是功在当代、惠泽长远的重大决策部署，对实现“两个一百年”奋斗目标、实现中华民族伟大复兴的中国梦具有重要意义。

2014年9月，国务院印发了《关于依托黄金水道推动长江经济带发展的指导意见》，将长江经济带发展上升为国家战略。2016年9月，《长江经济带发展规划纲要》正式印发，确立了“一轴、两翼、三极、多点”的发展新格局。2016年1月，在重庆召开的推动长江经济带发展座谈会上，习近平总书记提出“共抓大保护、不搞大开发”的新理念。2017年10月，党的十九大报告又将“以共抓大保护、不搞大开发为导向推动长江经济带发展”纳入新时代实施区域协调发展战略的重要内容。2018 年 4 月，习近平总书记在武汉召开的深入推动长江经济带发展座谈会上强调，加强改革创新、战略统筹、规划引导，以长江经济带发展推动经济高质量发展。2020 年 11 月，习近平总书记在南京召开的全面推动长江经济带发展座谈会上进一步强调，要谱写生态优先绿色发展新篇章，打造区域协调发展新样板，构筑高水平对外开放新高地，塑造创新驱动发展新优势，绘就山水人城和谐相融新画卷，使长江经济带成为我国生态优先绿色发展主战场、畅通国内国际双循环主动脉、引领经济高质量发展主力军。2020 年 12 月，十三届全国人大常委会第二十四次会议表决通过《中华人民共和国长江保护法》，明确提出建立长江流域协调机制和区域协作机制，增强长江保护和发展的系统性、整体性、协同性，“共抓大保护、不搞大开发”正式写入我国法律。2021 年 11 月，《中共中央 国务院关于深入打好污染防治攻坚战的意见》印发实施，明确要求持续打好长江保护修复攻坚战，为新时期长江保护修复工作指明了方向。

围绕贯彻落实习近平总书记系列重要讲话精神和党中央、国务院关于推动长江经济带发展战略部署，2019 年 6 月，在教育部、水利部、江苏省、三峡集团的关心支持下，河海大学与南京水利科学研究院主动服务国家重大战略，发挥政产学研各方面优势，共同组建“长江保护与绿色发展研究院”。研究院聚焦国家重大战略需求，深度对接院所企业科技创新资源，整合优势创新力量，以保障长江水安全和补齐长江大保护领域重大问题短板为导向，以重大科技项目为引领，以高水平创新平台为支撑，通过建立共担科技项目、共建研发平台、共促成果转化、共用科技人才、共享科技资源，形成多元开放、优势互补、集成高效的融合发展新机制，建设一个从宏观战略到微观治理、从规划布局到技术实施、从商业模式到科技金融等全面综合的新型研究机构，为长江大保护和长江经济带发展提供有力的科技支撑和智力保障，为中国乃至全球大江大河治理保护提供智慧和方案。此外，河海大学充分发挥水利学科优势、经管文法多学科发展特色，主动融入和服务长江经济带发展，成立了江苏长江保护与高质量发展研究基地。该基地于 2019 年入选江苏省决策咨询研究基地，作为长江保护与绿色发展研究院的智库载体和平台，积极成为助力长江大保护和江苏长江经济带高质量发展的新型智库。

《长江大保护与高质量发展研究系列丛书》是由长江保护与绿色发展研究院、江苏长江保护与高质量发展研究基地推出的智库产品。丛书分为综合卷、经济卷、社会卷、生态卷、法治卷、政策卷和文化卷七部分，其中：综合卷系统梳理了长江经济带社会经济、科技创新和绿色低碳高质量发展总况、存在问题及对策建议；经济卷主要分析了长江经济带经济高质量发展的政策环境及面临的挑战，在对长江经济带经济发展质量进行测度评价的基础上，对典型地区的产业高质量发展实践进行了考察；社会卷立足于长江经济带生态文明建设过程中的社会形势，从社区生态文明建设、民间环保组织实践及环境政务建设三方面展开调查研究；生态卷基于长江流域生态健康评价，重点阐述了长江生态环境的现状与存在问题、长江流域生态环境保护的实践与成效以及长江流域生态环境的修复与治理对策；法治卷讨论了《中华人民共和国长江保护法》的制定背景与制度创新、法治困境及推动长江经济带高质量发展的法治建议，分析了长江大保护与高质量发展中的典型法治案例；政策卷重点介绍了长江保护政策的变迁历程、实施现状及地方探索，对长江水资源开发利用政策、水生态保护修复政策、产业绿色发展政策的实施效果进行了评价；文化卷阐述长江水利、移民、灌溉、抗洪、航运、桥梁文化的发展历程，以及长江文化的弘扬和传承之路。

呈现在读者眼前的这套丛书，是我们长江保护与高质量发展研究系列成果的一部分。我们期望这一系列的探索，能够为政府、企业、科研院所、高校的相关研究提供深入而系统的基础支持；能够成为观察长江经济社会发展新成就、新理论、新走向的重要理论高地；能够推动学界、市场与政策制定者们更加关注长江保护与绿色发展；能够为落实“长江大保护”国家战略提供智慧支持。

长江保护与绿色发展研究院（生态文明建设与流域保护研究院）
江苏长江保护与高质量发展研究基地

目录 CONTENTS

第一章　长江水利文化 …………………………………………………… / 1
1.1　长江水利工程概览　/ 2
1.1.1　世界文化遗产都江堰　/ 2
1.1.2　大国重器三峡枢纽　/ 6
1.1.3　“江淮明珠”江都水利枢纽　/ 11
1.1.4　世纪工程南水北调　/ 15
1.2　长江水利文化述评　/ 18
1.2.1　水利物质文化　/ 18
1.2.2　水利制度文化　/ 21
1.2.3　水利精神文化　/ 24
1.3　中外水利文化比较　/ 26
1.3.1　水利生态文化对比　/ 26
1.3.2　水利科技文化对比　/ 29
1.3.3　水利产业文化对比　/ 31
第二章　长江移民文化 …………………………………………………… / 35
2.1　长江移民类型分析　/ 36
2.1.1　工程移民　/ 36
2.1.2　生态移民　/ 41
2.1.3　扶贫移民　/ 44
2.2　长江移民文化交融　/ 46
2.2.1　恋地情结文化　/ 47
2.2.2　孤岛自生文化　/ 49

2.2.3 共生共建文化 / 53
2.3 中外移民文化对比 / 56
2.3.1 移民文化内涵对比 / 56
2.3.2 移民文化外延对比 / 58
2.3.3 移民文化作品对比 / 63
第三章 长江灌溉文化 …… / 73
3.1 长江灌溉工程遗产 / 74
3.1.1 追本溯源 / 74
3.1.2 华夏砥柱 / 79
3.1.3 流芳后世 / 86
3.2 长江灌溉文化传承 / 90
3.2.1 民祀水神 / 90
3.2.2 乡邦互济 / 95
3.2.3 家国情怀 / 98
3.3 中外灌溉文化对比 / 100
3.3.1 生态智慧对比 / 100
3.3.2 灌溉信仰对比 / 104
3.3.3 衍生文化对比 / 106
第四章 长江抗洪文化 …… / 111
4.1 长江洪水治理历史 / 112
4.1.1 古代洪水治理历史 / 112
4.1.2 近代洪水治理历史 / 114
4.1.3 现代洪水治理历史 / 117
4.2 长江洪水治理文化 / 120
4.2.1 治水安邦文化 / 120
4.2.2 同舟共济文化 / 126
4.2.3 群策群力文化 / 130
4.3 中外抗洪文化对比 / 131
4.3.1 洪水神话传说对比 / 131
4.3.2 洪水治理文化对比 / 137
4.3.3 洪水文学作品对比 / 140
第五章 长江航运文化 …… / 145
5.1 长江航运文化的发展历程 / 146
5.1.1 大河之歌 / 148
5.1.2 码头百态 / 152

5.1.3　运河风华　/ 161
5.2　长江航运文化的传播　/ 165
5.2.1　长江航运文化的物质载体　/ 165
5.2.2　长江航运文化的发展环境　/ 170
5.2.3　长江航运文化的精神传承　/ 175
5.3　中外航运文化对比　/ 177
5.3.1　中外航运制度文化对比　/ 177
5.3.2　中外船工文化对比　/ 183
5.3.3　中外港口文化对比　/ 186
第六章　长江桥梁文化……………………………………………… / 193
6.1　长江桥梁发展史　/ 194
6.1.1　长江上游桥梁　/ 194
6.1.2　长江中游桥梁　/ 197
6.1.3　长江下游桥梁　/ 200
6.2　长江桥梁文化概览　/ 205
6.2.1　图腾文化　/ 206
6.2.2　民族精神　/ 212
6.2.3　工匠文化　/ 214
6.3　中外桥梁文化对比　/ 217
6.3.1　桥梁建造艺术对比　/ 217
6.3.2　桥梁民俗文化对比　/ 220
6.3.3　桥梁工业文化对比　/ 222
结语　/ 227
后记　/ 229

01

第一章

长江水利文化

水利是国之大计，是社会稳定发展的保障。中国在历史上是水旱灾害发生频繁、水资源分布不均的国家，水利兴国的重要性更加凸显。作为母亲河的长江在养育了中华民族的同时，也展现出凶猛危险的一面，江水进入广袤无垠的平原之后，便如同脱缰野马，在大地上肆虐。兴修长江水利一直是国家治理的重要内容。中华人民共和国自1949年成立以来，始终坚持对长江的科学治理，不仅有效缓解了困扰人民的旱涝灾害，还保障了人民用水安全，促进了经济社会的发展。

许许多多平凡而又伟大的水利人不畏困难，奋战在水利建设的第一线，为了利在千秋的水利事业默默奉献。他们遵循水利科学的客观规律，开展了艰苦卓绝的水利实践，更是在新时代践行“忠诚、干净、担当，科学、求实、创新”的水利精神，展现了水利人的精神风貌。

长江水利文化以其众多历史悠久、异彩纷呈的文化形态而独树一帜，从大禹治水到南水北调，从世界文化遗产都江堰到大国重器三峡枢纽，无不展现长江水利文化的风采。长江丰富的水利文化资源构成了一条文化发展的“黄金带”，成为中华民族引以为豪的绚丽文化宝库。长江水利文化对中国的影响，渗透于经济结构、社会发展、宗教信仰以及风俗习惯之中，成为中华文明演进的动力之源。

1.1　长江水利工程概览

长江流域面积广大，地势变化多样。温暖的气候也带来了充沛的降水，肥沃的土壤养育了一方人民。但与此同时，洪涝、干旱、泥石流等自然灾害也频繁发生。自古以来，智慧勇敢的中华儿女在长江流域疏浚河道、连通运河、筑建大坝，修建了许多闻名世界的水利工程，确保了江河安澜。长江上、中、下游的都江堰、三峡枢纽、江都枢纽，正是中华水利史上的杰出工程，反映了中华民族源远流长的水利文化和开拓进取的水利精神。

1.1.1　世界文化遗产都江堰

勤劳智慧的中华儿女在两千多年前修建的都江堰，具有抗洪、灌溉、水运等多重效益，时至今日也可以称得上是规模巨大的水利工程。这项工程不仅历久不废，而且已经发展成为中国目前最大的水利灌溉网之一。都江堰也凭借着悠久的历史、科学的设计、丰富的文化遗产等特点，在国内外广受赞誉。

2018年，都江堰水利工程成功申报“世界灌溉工程遗产”。

(1) 修造背景

成都平原在古代经常遭受旱涝灾害的侵袭，其主要原因是附近的岷江。岷江是长江上游一条十分重要的支流，它发源于川甘交界的岷山，分为东西两处源头汇合于松潘县的川主寺。然后继续向南流淌，经过四川省的几处县市之后，最终在宜宾市汇入滚滚长江。岷江的右岸山势陡峭，落差较大，主要水源也都来自这里，而且降水又集中在雨季，造成了岷江水流湍急，涨势迅猛，洪涝灾害频发。

成都平原地势不均，坡度较大。在古代，岷江一旦暴发水患，成都平原就会被滔天的洪水淹没，变成一片汪洋；一逢旱灾，又是一片荒芜，民不聊生。岷江水患长期困扰着四川西部，严重影响当地的农业生产和人民生活，更严重阻碍古蜀国的生存与发展。此外，都江堰的修建也是特定历史背景下的产物。战国时期，诸侯国之间爆发了大大小小的战争，中华大地满目疮痍，人民饱受战乱之苦，渴望统一，渴望和平。商鞅变法之后，秦国连续出现了许多贤明君主和足智多谋的大臣，他们齐心协力、奋发图强，秦国的国力也因此蒸蒸日上。秦国意识到巴蜀地区在统一大业中的重要战略地位，正如秦国名将司马错所言“得蜀则得楚，楚亡则天下并矣”。因此，战国末期，秦昭王委任上知天文、下知地理的李冰为蜀国郡守，从源头治理岷江水患，促进农业发展，为秦国的统一大业奠定经济基础。

(2) 修造过程

李冰上任后，主持修建都江堰的工作。他亲自前往都江堰进行实地考察，然后决定打通玉垒山来引水。然而当时火药还没有问世，不能直接将山体炸开。李冰巧妙地运用热胀冷缩的原理，先用大火炙烤岩石，再泼上冷水，使岩石爆裂。这个极具创造性的方法大大提高了施工效率。经过不懈努力，李冰率领众人在山体中凿出了一条宽20米、高40米、长80米的山口。其效果也是立竿见影，既可以分流，又可以灌溉农田。然而江东地势过高，宝瓶口难以蓄水。于是，李冰又率众在上流和江心修建分水堰。他们用光滑的鹅卵石填满圆柱形的竹笼，再将竹笼投入江心，逐渐堆成细长的小岛。因为这座江心的小岛形状和鱼嘴相似，所以也被当地民众称为鱼嘴分水堤。江水流经鱼嘴分水堤，就会被自动分为两股：一股偏里，为内江；另一股则偏外，为外江。李冰还在宝瓶口前修建了水渠，以保证宝瓶口获取稳定水源，继而灌溉整片成都平原；外江则继续跟循原流，浩荡向前。

为了提高分水效率以及加强抗洪排险的能力，李冰又修建了一条200米长的泄洪道。它横在分水堰和离堆之间，可以将多余的江水引入外江，以保证内江免受洪灾的侵袭。李冰还在这条泄洪道前设计了一个弯道，江水流到此处后，会因惯性自动绕弯前行，形成环流。同时，一旦洪水暴发、江水漫过堰顶，洪水中夹杂的泥沙也会绕过堰体流入外江。这样一来，即使是面对浑浊的岷江，内江和宝瓶口也不会有泥沙淤积的问题。分水堰也正因如此，得名"飞沙堰"。为了实时观察、测量内江的水位，及时作出调整，李冰又命人雕刻了三座石制人像，放置在内江水中。

鱼嘴分水堤、飞沙堰、宝瓶口这三大工程之间互相配合、协调运作，都江堰渠首工程枢纽也得以形成。而且这三大工程还与渠首的地形、河流的水文和水力学特性相配，形成了一个道法自然的工程典范，从而实现了都江堰供应水源、排洪滤沙、交通航运等多方面的工程效益。下文具体介绍这三大工程。

鱼嘴分水堤：鱼嘴分水堤是都江堰的第一道分水工程，由鱼嘴和分水堤组成。该工程位于岷江中心，它利用水流的自然力量，自动把江水分成内江和外江。其中内江是人工建造的引水渠，外江则依然是岷江的干流。分水堤是沿鱼嘴工程两侧构筑的长堤，长约500米，呈月牙形，沿内江一侧形成弧形弯道，岷江的表层水流很容易向左改变流向，进入内江；而夹带有泥沙碎石的底层水流则不易改变流向，进入外江。因此，鱼嘴分水堤不仅分水、引水，还具有自动滤沙的神奇功效。鱼嘴因地形地势及河道的水温特性而设置，在不同的季节

图 1-1　都江堰①

① 图片来源：https://baike.baidu.com/pic/%E9%83%BD%E6%B1%9F%E5%A0%B0/122963/1/77094b36acaf2eddb3cb26f3801001e9390193f5? fr=lemma&ct=single#aid=1&pic=77094b36acaf2eddb3cb26f3801001e9390193f5.

分流不同的水量进入外江，即冬春枯水期时，外江和内江分水占比分别为总水量的四成和六成；夏秋丰水期时，比例则相反，为六成和四成，这样一来，既保证了成都平原的供水安全，又十分有利于汛期的排涝。随着历史的发展和岷江河道的多次变迁，鱼嘴分水堤也多次改变位置，但其结构和功能却一直延续至今。

飞沙堰：飞沙堰紧接鱼嘴分水堤的尾部，是李冰设计的都江堰所独有的排洪和滤沙工程。飞沙堰宽约200米，看上去虽不起眼，但其作用却着实显著。当宝瓶口进水量超过一定标准时，多余的水就会从飞沙堰溢流出去。水量越大，飞沙堰的溢洪能力就越强。而且飞沙堰并不牢固，如果水流过大，就会发生决堤，此时洪水会冲破飞沙堰进入外江，而不会侵扰内江，排洪的作用也能发挥到最大限度。在溢洪的同时，漫过飞沙堰的流水还能带走沙石，起到排沙和改善水质的作用。当内江水位低于飞沙堰的堤高、宝瓶口进水量不足时，飞沙堰就转变功能开始引水，江水至此形成环流，再流进内江；既保证了有足够的水量流过宝瓶口，又可以再次过滤并及时排出沙石，避免沙石沉积造成宝瓶口堵塞。关于都江堰的早期记载中没有飞沙堰，它可能相较于其他两大工程出现较晚，但是它的作用却不可忽视。同时代修筑的郑国渠乃至世界其他文明建造的水利工程最终都因为泥沙堵塞而荒废，但都江堰却能一直保持运转两千多年，飞沙堰起到了关键作用。

宝瓶口：宝瓶口是都江堰最主要的工程，大体相当于如今水利工程中的节制闸。李冰在实地考察之后，发现玉垒山的山脊伸入岷江水流。他决定要在山体上造出一个引水口，用来控制内江的进水量。这个引水口因为外形与瓶口相像，而且作用奇特，所以名叫宝瓶口。开凿山脊所产生的废弃石块，李冰也没有丢弃，而是就近堆在旁边。因为是从山体上开凿下来的，石块与曾为一体的山脊分离开来，故名离堆。宝瓶口是内江的咽喉要地，严格控制着内江的进水量，是使成都平原成为天府之国的关键设施。在宝瓶口之后，还分布着众多大小不一的沟渠。内江的流水经过宝瓶口的节制之后，顺着地势自动流入这些沟渠，从而形成了遍布成都平原的自流灌溉网络。

(3) 水利功能

引水灌溉和防洪排险是都江堰工程的两大主要作用，此外它也具有水运和为成都平原供水的作用，而这些功能能够得以实现，都依托于科学巧妙的设计。都江堰三大主体工程依托精妙的设计实现了无坝引水、自动排沙、自动分水防洪等功能。都江堰创造性地将岷江一分为二，在引水入成都平原、灌溉良田万顷的同时，还缓解了汛期压力，起到防洪排险作用。一经建成，都江堰便将岷江变害为利，使成都平原真正成了“天府之国”，推动了整个巴蜀地区的经济和社会发展。

无坝引水：在世界范围内，都江堰的无坝引水设计都十分罕见，其中蕴含的智慧更是令人赞叹。都江堰采取的是分流引水的设计，没有修建水坝。其原因主要有两点：第一是岷山常年积雪，且众多河流汇入岷江，水资源充足，不需要再修建大坝来蓄水；第二是修建大坝会不可避免地遇到泥沙沉积的问题，而且岷江涨势凶猛，一旦大坝维护不佳便会出现严重问题。所以李冰创造性地选择了无坝引水，利用巧妙的设计分水引流。鱼嘴分水堤作为渠首，直接将来势汹汹的岷江一分为二，而后面的各种设计又把内江和外江再进行细致划分，最终形成大大小小的河流、水道，涓涓细流就这样流入了万顷农田。据统计，都江堰形成的大小水道有500余条，总长度超过1 000千米，古人的大智慧都蕴藏在这项工程之中，时至今日都有值得我们学习的地方。

自动排沙：两千多年来，都江堰有效运转从未间断，自动排沙在其中起着关键性作用。根据相关专家测算的结果，岷江每年夹杂的泥沙超过1 000万吨，甚至还有很多石块，泥沙沉积的问题十分严重。李冰清楚地认识到这一问题，于是修建了飞沙堰，创造性地利用水流的力量实现自动排沙，保障了都江堰工程历经两千多年依然功效如初。

自动分水防洪：三大主体工程互相配合，实现了自动分水和有效防洪。岷江在经过鱼嘴分水堤时进行首次分水，而且可以根据丰水期和枯水期自动调节内外江的流量。这主要得益于李冰的独特设计，内江水道窄而深，外江水道则宽而浅，只有这样，才能实现这一功能。第二次分水发生在飞沙堰，飞沙堰的高度很低，所以内江水流一旦过大，就会从飞沙堰溢流，从而避免洪水侵袭农田。宝瓶口独特的回旋水道也可以起到第三次分水的作用。经过三级分水调节之后，成都平原广袤农田的灌溉用水得到了保障，同时岷江也不再洪水肆虐。

1.1.2 大国重器三峡枢纽

三峡水利枢纽工程，是中国自上到下齐心协力修建的大型综合水利枢纽，位于长江中上游西陵峡内的宜昌市夷陵区三斗坪。下游附近已修建完成的葛洲坝水电站，与三峡相互配合，形成了梯级调度电站。依托举国之力修建的三峡水利枢纽工程规模巨大，创造了一系列工程记录。它不仅是中国兴建的最大的工程项目，也是世界范围内独一无二的大工程。

(1) 提出设想

1919年，孙中山发表了《建国方略：实业计划》。在这份宏伟计划中，他提出要充分利用好三峡地区丰富的水力资源，在这里兴建一座具有综合效益的大型水利工程，利用源源不断的江水发电，支撑全国的经济发展。20 世纪 30 年代，国民政府聚齐相关专业的技术人员，组建了一支考察队前往三峡，调研水力发电的可行性，并发表了报告。报告肯定了三峡地区蕴藏的丰富水力资源，并且制定了两处大坝的修建方案，分别是葛洲坝与黄陵庙。

1944 年，美国垦务局工程和研究中心总工程师萨凡奇应邀前往三峡，进行实地考察。他根据自身多年的水利工程设计经验，制订了三峡工程设计修建的初步计划。两年之后，国民政府正式与美国垦务局签订合约、展开合作。但由于战争的缘故，1947 年 5 月，三峡项目被迫中止，相关技术人员也被国民政府送回美国。尽管面临着种种困难，但是中国时刻没有忘记建设三峡工程的伟大设想。

(2) 设计方案

中华人民共和国成立之初，长江流域洪水泛滥，各处大坝面临溃堤的风险。党中央和国务院开始重视长江中下游的洪涝问题，召开了研讨会并成立了长江水利委员会。1954 年汛期，长江流域再次暴发洪水，受灾地区损失惨重。这次洪水再一次发出警告：长江中下游的水患灾害亟待解决，必须得到全国上下的重视。

从 1955 年开始，政府就领导相关部门和技术人员，对长江流域展开科学规划，并着手考察三峡工程的可行性。同年 3 月，中国和苏联就修建三峡工程达成了合作，签订了合作条约，约定由苏联提供技术援助。首批苏联专家 6 月到达武汉开展工作，中国方面的技术人员也分批次先后进入三峡地区。年底，周恩来总理肯定了三峡水利枢纽的重要意义，指出三峡工程可以调蓄水资源，还可以保护下游。一年之后，周恩来总理在全国电力会议上再次号召水利人为建设三峡水利枢纽工程而奋斗。

1959 年 5 月，有关部门召开会议。会议期间决定选用三斗坪作为三峡工程的修建地址。但由于当时国内经济困难，再加上国际关系的风云变幻，三峡工程的建设步伐被迫暂停。同年 8 月，苏联方面取消了技术合作，撤回所有在中国的苏联专家。三峡水利枢纽工程只能再次暂停修建。

10 年之后，中共中央作出决定，先修建葛洲坝工程。葛洲坝在三峡下游，将作为三峡水利枢纽工程的一部分。葛洲坝修建完成后，一方面可以缓解华东地区用电紧张的问题，另一方面还可以为三峡水利枢纽工程的建设做技术储备。

(3) 民主决策

1979 年，中华人民共和国水利部(以下简称水利部)向国务院重新递交报告，建议修建三峡水利枢纽工程，并建议中央尽早作出决策。为此，邓小平前往重庆视察，并听取了相关设计规划的汇报。

之后的10年中，中共中央和国务院广泛听取民意及专家意见，确保三峡工程的民主决策。邓小平指出，中国政府将认真考虑三峡工程的建设，这是关乎几代人的大事。只有当三峡工程能带来综合效益，并且将负面影响降到最低时，才可以开工建设。

1991年8月，三峡水利枢纽工程审查委员会将三峡工程的可行性报告递交第七届全国人民代表大会审议。1992年4月3日，第七届全国人大第五次会议通过了相关决议。三峡水利枢纽工程正式列入国家建设规划，择期动工。

(4) 修建过程

1994年，经过重重论证及反复设计之后，三峡水利枢纽工程终于正式破土动工。又经过十余年的艰苦施工，于2009年全面完工。三峡水利枢纽工程在建设过程中遇到了诸多问题，主要集中在技术、移民和环境方面。尽管面临重重困难，但在全国人民的共同努力下，三峡水利枢纽工程终于竣工，保障了长江安全，造福了中华大地。三峡工程分为三期。

一期工程(1994—1998年)：一期工程的施工地点选在三斗坪。三斗坪是一座矗立在江中的小岛，自然地将长江分成了大江与后河。大江宽900米，后河宽300米，这十分有利于对河床进行分期导流。根据设计方案，施工开始后，大江将被截流，江水和来往船只将从明渠通过。先期的准备工程有：坝区的征地与移民、平整施工场地、建设交通工程、建造基础设施系统。而一期工程的主要任务是：修建土石围堰，形成一期基坑。等待抽干江水之后，挖至岩层，然后用混凝土修筑导流通航明渠。与此同时，江水和来往船只仍然从大江干流通行。明渠和临时船闸施工完成后，四周的土石围堰被拆除，随后进行第一次截流，即大江截流。大江截流告捷后，三峡水利枢纽工程的一期工程建设顺利完成。

二期工程(1998—2003年)：前期工程与一期工程相似，先是在枯水期内完成土石围堰，然后抽干江水，再开挖至岩层，浇筑混凝土。同时，在左岸修建永久船闸，其间江水和来往船只可以从导流明渠内通过，此外临时修建的船闸也可以通航。然后进行导流明渠截流，这是三峡工程的第二次截流。截流成功后，快速浇筑混凝土，将围堰高度提升至140米，江水从底部的导流孔中流出，临时船闸仍然运行。2003年6月，二期工程顺利完工，三峡水库开始蓄水。水位蓄至135米后，拆除临时船闸，永久船闸正式开始通航。10月，首批水轮机组开始发电。

三期工程(2004—2009 年):三期工程主要完成各坝段的混凝土浇筑、相关金属部件安装,以及电站机组安装、输变电工程完善。同时,与永久船闸相配套的垂直升船机也成功配装,三期土石围堰拆除后,完成泄洪坝段导流底孔的封堵。

(5) 主要功能

三峡工程主要有三个方面的作用:防洪、发电、航运。①防洪:三峡工程最核心的作用是防洪。自古以来,长江上游及其多条支流经常暴发洪水,每次特大洪水汹涌来袭的时候,为了确保武汉和下游城市的安全,宜昌下游的长江河段都要采取分洪措施。无情的洪水席卷大地,无数乡村和农田被淹。三峡水利枢纽工程建成之后,三峡水库所提供的巨大调蓄能力可以保障荆江地区即使面对百年一遇的特大洪水也可安全无虞,同时也有利于治理洞庭湖和加强荆江堤防。②发电:在中国计划实施的西电东送工程中,三峡水利枢纽工程是中线工程的发电中枢。华中、华东、华南这三大人口稠密、工业发达的地区都得到了三峡水电的输送,缓解了中国电力紧张的压力。截至 2020 年,三峡工程

图 1-2　三峡大坝和三峡五级船闸①

---

① 图片来源:https://baike.baidu.com/pic/%E4%B8%89%E5%B3%A1%E8%88%B9%E9%97%B8/3098339/1/2e2eb9389b504fc22cca0f91e7dde71191ef6d89?fr=lemma&ct=single#aid=1&pic=2e2eb9389b504fc22cca0f91e7dde71191ef6d89.

累计发电超过 1 000 亿千瓦·时。③航运:三峡水利枢纽工程蓄水之前,川江单向年运量很低,万吨级船舶也难以到达重庆的港口。三峡大坝建成后,库区蓄水逐渐抬高了水位,改善了三峡地区的通航条件。截至 2023 年 6 月 18 日通航 20 周年,三峡的五级船闸累计货运量已达 19.1 亿吨。

(6) 工程意义及影响

举世闻名的三峡水利枢纽工程是世界上设计最复杂、建设规模最大的水利工程,其论证时间长度和施工难度也是前所未有的,它代表了中国水利的最高水平,是中国治理、开发长江的重点工程。工程意义巨大,影响深远。

在经济方面,三峡水利枢纽工程在电力、航运、水资源利用、灌溉方面具有重要意义。

第一,三峡工程的水力发电推动了中国经济的发展。三峡枢纽的发电量带来了可观的经济效益,保障了电力的供应,每年挽回数亿元因停电所造成的经济损失,有力促进了受益地区的经济发展。同时,三峡工程层层落实发电效益,促进受益区经济发展,从战略上直接推动中国经济的快速发展。

第二,三峡工程促进了长江航运的发展。从上海的吴淞口到重庆的朝天门,超大型货轮和大型船队可以畅行无阻,重庆港已经真正成为长江上游最大的综合运输港口。长江上驳船触礁、逆流航行的危险大大减小,运输量得以增加,万吨级船队的转运也得以减少。长江"黄金水道"名副其实。

第三,三峡工程有助于国家水资源的战略储备。世界各国争相建设特大型水库,最重要的战略目的就是缓解淡水资源短缺情况。中国淡水资源总量居世界第四,但因为人口众多且分布不均,人均水资源占有量只有世界人均的四分之一,更有上百个城市严重缺水。三峡水库建成之后,控制流域面积约 100 万平方千米,控制着长江上游的水量。除发电、航运、供水外,这些淡水资源尚未得到充分开发利用,但已建成一个巨大的"淡水库",储备了丰富的淡水资源。

第四,三峡工程有助于推动长江中下游农业的发展。长江中下游地区虽然雨量充沛,但在全球变暖的影响下,冬春干旱情况较为严重。自古以来,长江中下游平原就是中国的天然粮仓,收获的粮食可以通过水路直接运抵首都,全国三分之一人口的口粮需求都可以满足;然而,近年来,干旱威胁着天然粮仓,灌溉用水不能再仅仅依靠降水。虽然国家尚未将蓄水纳入建设规划,但三峡水库的蓄水为灌溉提供了取之不尽的淡水资源,其强大的灌溉能力是显而易见的。

在文化方面,三峡水利枢纽工程蕴藏着各种精妙的技术和尖端科技,并且融合了三峡地区的独特文化，形成了独树一帜的文化景观。

三峡工程凝聚着伟大精神。三峡工程建设使人类对于水资源的开发利用达到了顶峰，代表着世界的最高水平。为了建成三峡工程，成千上万名水利人在背后默默付出，没日没夜地辛苦建设，三峡工程凝聚了他们吃苦耐劳、艰苦奋斗的精神。

三峡坝区的旅游文化资源极其丰富。优美的自然风光和神秘的巴楚文化交相辉映，自然景观与人文景观在库区相融合。秀美的自然风光与磅礴的三峡工程更是在这里激情碰撞，形成了独具特色的旅游风潮。三峡坝区还拥有得天独厚的地理优势。世界上很多著名的水利工程在建成之后都成了景区，但大部分都空有大坝、没有峡谷，而三峡却二者兼有，具有独特的壮丽景观。

在生态方面，三峡水利枢纽工程推动了长江上游的生态屏障建设，积极修复库区生态系统，谱写出人与自然和谐共生的新篇章。

第一，三峡工程促进了国家生态建设。三峡库区完成蓄水之后，各种地理要素重新组合，建设生态屏障的任务刻不容缓。退耕还林、兴建自然保护区等生态补偿工程已在库区范围内悉数开展。目前，库区广泛种植树林，水土流失情况逐步改善。修复三峡库区生态，改善了长江流域的生态环境，促进了大型水利工程的生态建设，构筑起强大的生态安全屏障。

第二，三峡库区改善了自然环境。三峡库区通过蓄水调节了气候，还改善了水质。它不仅调节了长江径流量，还改善了城市热环境。同时，三峡工程还可通过蓄水来拦截泥沙，显著改善库区水质和长江中下游枯水期的水质。

1.1.3 “江淮明珠”江都水利枢纽

江都水利枢纽被誉为“江淮明珠”，南面紧靠长江，北面则连接淮河。工程选址在江苏省的扬州市，把守着新通扬运河和淮河的交汇处。在江苏省内，江都水利枢纽是江水北调工程的龙头。而它在全国范围内的作用则更加显著，是南水北调东线工程的源头，源源不断地向北输送江水。

江都水利枢纽建设规模宏大，总共建有四座大型电力抽水站，以及功效各异的十二座水闸。整个工程设计科学，带来的综合效益更是十分显著，在跨区域调水、航运、抗洪排涝、发电等方面发挥了巨大作用。它是第一座由中国人自主设计制造的大型泵站枢纽，其后期的管理和维护工作也堪称治水的典范。

2020年11月13日，习近平总书记考察了江都水利枢纽，这颗“江淮明珠”不仅是中国建设规模最大的电力排灌工程，还是亚洲范围内规模最大的泵站枢纽。这是建设管理者们不断开拓创新、大胆实践探索的成果，彰显了奋勇争先的创新精神。

(1) 历史背景

江苏最早从春秋时期就开始抽引长江水，当时修建的邗沟就是例证之一。当代，为了充分利用当地水资源，江都水利枢纽工程应运而生。其设计修建的初衷是将长江水引入淮河，从而实现江水北调。

1960年1月，苏北引江工程和50 000千瓦抽水机站的规划方案通过了审批。中华人民共和国水利电力部(以下简称水电部)同意修建滨江站，随后于年底开工，计划装机12 500千瓦。后来，通过研究相关地区的灌溉、水质、积淤等情况，决定将原滨江站整体搬迁至江都县(现扬州市江都区)西南地区，改名为江都抽水站。1961年12月，在经过科学设计和规划之后，江都水利枢纽工程正式开工建设。

然而因为淮河中上游水利工程兴建过多，导致淮河水道不断变化，下游的缺水问题越来越突出。1966年，整整一年内淮河连续断流达到了221天。洪泽湖无水灌入、干涸见底；里下河地区水位降低，水质更是急剧恶化；入海港口也因缺水导致泥沙沉积、积淤严重。为解决苏北地区农田灌溉、冲淤护港等棘手问题，江苏省水电局计划在已建的江都抽水站一、二、三站共抽水250立方米每秒的基础上，再增加60%，大大提高江都水利枢纽的抽水能力。

2002年，规划已久的南水北调工程终于全面启动。江都水利枢纽凭借其重要的地理位置和强大的抽排水能力，当之无愧地成了南水北调工程的“领头羊”。

(2) 主体工程

江都水利枢纽工程设计建设规模宏大，各部分设施相互配套，带来了难以估量的综合效益。其主体设施主要包括四座大型抽水站、十二座节制闸、五座船闸、两处地下涵洞。此外还有两条输水道、变电站、高压输变电线路等配套设施。

(3) 抽水机站

四座抽水机站共配置了33台机组，总装机容量55 800千瓦。全部机组同时开机，每秒可提引江水508.2吨，自流引江水550吨，抽排水能力可见一斑。相邻的抽水机站都用公路桥连接起来，方便维护和管理。其中第一、第二抽水机站采用堤身式结构，进水流道设计为肘形水道，而出水流道则设计为虹吸式弯道。与第一、第二抽水机站不同的是，第三、第四抽水机站采用堤后式结构，进水流道为半肘形弯道；出水流道和第一、第二抽水机站相同，为虹吸式出水弯道。

图 1-3 江都水利枢纽①

江都第一抽水机站，是中国自力更生首次兴建的第一座大型电力抽水机站，具有开创时代的重要意义。而江都第四抽水机站建设规模最大，装配了七台抽水机组，总功率最高，抽水能力也最强，作为江都水利枢纽工程的主力站自然是名副其实。经历了四年的建设之后，第四抽水机站于 1977 年顺利完工。这标志着在全亚洲范围内，无论是抽排水能力还是工程建设规模，江都水利枢纽都是当之无愧的第一。

(4) 节制闸

为了与江都水利枢纽形成配套，精准调控水流量，江苏省还建设了十二座节制闸，包括江都西闸、江都东闸、江都送水闸、宜陵闸等。

自 20 世纪 50 年代起，这十二座节制闸先后建成于江都水利枢纽的周围区域，起着至关重要的作用。各个节制闸通过闸门调控各级河道的水位，实现了江都水利枢纽的抽调水功能。江水在大小河道流淌，在保障各地区灌溉用水的同时，还可以防洪排涝，有效减少洪水侵袭所造成的损失。此外，利用调水

---

① 图片来源：https://article.xuexi.cn/articles/index.html?art_id=17737178908453758408&item_id=17737178908453758408&study_style_id=feeds_opaque&pid=&ptype=−1&source=share&share_to=wx_single.

功能，还可以清理河道淤泥，改善水质。

（5）船闸

除了抽排水功能，江都水利枢纽还兼具航运功能。为此，江苏省还修建了五座船闸以便航运。这五座船闸分别是江都船闸、芒稻船闸、邵伯船闸、宜陵船闸和五里窑船闸。建成后，宜陵船闸和五里窑船闸直接由江都水利枢纽管理处进行管理和维护。

五座船闸的主要功能其实也包括调节水位，与节制闸大体类似。在通扬运河的江都高地缺水干旱时，船闸抬高，以便将水运输过去进行灌溉；在洪水泛滥的时候，则将多余水流排进运河，以保证河道的正常通航。

（6）涵洞

与江都水利枢纽相配套的还有两座涵洞——土山洞和宜陵地下涵洞。土山洞位于芒稻河与通扬运河的交汇处，主要作用是引高水河水入通扬运河，以灌溉农田以及控制运河通航的水位。宜陵地下涵洞的选址十分特殊，位于宜陵镇西新通扬运河河底。这座涵洞的主要作用是排解新旧通扬运河的引水冲突。涵洞建成之后，通扬运河也得以引邵伯湖水，灌溉和航运功能也恢复了正常。

（7）综合效益

江都水利枢纽工程一经建成，就发挥了巨大的作用，产生了不可估量的综合效益，成为江苏地区乃至全国范围内最为重要的水利工程之一。农田得到了灌溉，洪水得以及时排放，供水得到了保障，盐碱地也完成改造。江都水利枢纽为经济和社会的持续发展作出了巨大贡献，改善了一方水土，造福了一方人民。

第一，在灌溉方面，枢纽发挥的灌溉效益十分巨大。江都水利枢纽建成之前，扬州、盐城等 19 个县市属于里下河流域。当地的地形特点是周边高，中部低。灌溉用水大部分取自淮河，抽引效率和利用率都很低。江都水利枢纽建成后，大大小小的各级水道遍布里下河流域，自流灌溉面积达到了 946 万亩①；运河两岸地区和苏北海拔 2.5 米以上农田，也可以引长江水进行灌溉；徐淮地区灌溉面积也成倍增加。

第二，在排涝方面，枢纽发挥了巨大的防洪排涝功能。里下河地区原先直接排入大海，但由于线路过长，海拔差异较小，排水效率低下。江都枢纽建成后，一旦洪水来袭，江都四座大型抽水机站都可以迅速将其排入长江，洪水的危害性大大降低。1980 年，苏北地区暴发洪水，降雨量比常年多三四成，水位

---

① 亩：面积单位，1 亩≈666.67 平方米。

涨势迅猛，淮河流量超过 5 000 立方米每秒，长江下游全线都超过警戒水位，江都水利枢纽工程发挥强大的排水功能，及时抽排水近 400 亿立方米，比 1965 年排水的速度快了 5 倍。这不但使广大流域内的农田、城市得到了保护，免于洪灾的侵袭，同时稳定的供水也使苏北地区的农业生产得到了坚实保障。

第三，在供水方面，枢纽解决了苏北用水难的问题。连云港虽然是江苏省内最重要的港口之一，但也避免不了缺水的尴尬局面。二十世纪五六十年代，该市甚至利用陆路运输淡水来为城市居民提供生活用水，这种方法不仅成本高昂，而且也难以满足庞大的用水需求。江都水利枢纽一经建成，就宣告陆路运水时代的终结，江都枢纽可以源源不断地向连云港抽调江水，连云港用水难的问题终于成为过去式。

第四，在改造盐碱地方面，枢纽变荒地为万顷良田。苏北地区原本有着约 1 000 万亩的盐碱地，尤其是废黄河两岸的县市以及沿海的垦区，含盐量约千分之七，最高可至千分之十五，在这种环境下农作物难以生存，农业发展极其受限。江都水利枢纽工程建成之后，为以上地区提供了淡水资源，改善、改造了绝大部分的盐碱地。

1.1.4 世纪工程南水北调

（1）工程背景

1952 年 10 月，毛泽东同志在视察黄河时提出："南方水多，北方水少，如有可能，借点水来也是可以的。"这是南水北调宏伟构想的首次提出。1953 年 2 月，毛泽东同志坐船游览东湖，视察汉水两岸，在去往南京的途中，他再次提道："南方水多，北方水少，能不能从南方借点水给北方？"他强调，南水北调工程意义重大，工作必须提上日程。1959 年，中国科学院、水电部召开了"西部地区南水北调考察研究工作会议"，确定南水北调的指导方针为："蓄调兼施，综合利用，统筹兼顾，南北两利，以有济无，以多补少，使水尽其用，地尽其利。"这一方针的提出为后续南水北调工程的实施指明了方向。2002 年，国务院正式批复《南水北调工程总体规划》，拉开了南水北调工程的建设序幕。南水北调工程的实施为缓解中国北方水资源严重短缺状况、优化水资源配置等作出了巨大贡献，对经济的可持续发展和水资源的合理分配作出了整体性把控。

（2）总体规划

从 1952 年南水北调构想的首次提出到 2002 年正式投入实施，50 多年来在党和国家领导人的指导下，水利水电工作者通过勘测调查、分析研究，对比了不同的规划方案，最终在长江下游、中游和上游划分了三个调水区，形成了以东、中、西三条线路为主，长江、淮河、黄河、海河四条河流为首的“四横三纵”的多起点调水线路，构成了“南北调配，东西互济”的总体格局，形成了跨越中国的大水网，真正实现了跨流域调水。

（3）建设过程

据《南水北调东线工程规划》，东线工程通过江苏省扬州市江都水利枢纽从长江下游干流提水，通过京杭大运河逐级北送，向黄淮海平原东部和胶东地区以及京津冀地区提供生产生活用水。南水北调东线工程实施分三期，从2002年12月开始正式实施。

一期工程以扬州为起点，通过13级泵站提水抵达山东东平湖，沿黄河底部穿越抵达德州，向苏皖鲁近亿人提供生活用水，同时补给沿线地区工业和环境用水，兼顾农业、航运和其他用水。二期工程增加向河北、天津供水，在一期工程的基础上扩大北调规模。在一期工程的基础上，二期工程的技术更加成熟。此外，二期工程考虑到生态问题，充分利用现有河道输水，最大限度降低对生态的影响。三期工程在长江—洪泽湖区间增加运西输水线，扩大胶东地区输水干线西段240千米河道。

南水北调中线工程是从长江最大支流汉江中上游的丹江口水库调水，经长江和淮河流域，沿华北平原中西部边缘开挖渠道，通过隧道穿过黄河，沿京广铁路西侧北上自流到北京的输水工程。2010年3月，中国现代最大的人工运河——南水北调中线引江济汉工程正式破土动工。到2014年12月，中线工程正式通水，真正实现了“遣长江之水，润燕赵万物”。中线工程的供水范围包括唐白河平原和黄淮海平原，重点解决河南、河北、天津、北京及沿线20多个大中城市的用水问题。

西线调水工程将从四川境内长江上游支流雅砻江、大渡河等长江水系调水，至黄河上游青、甘、宁、内蒙古、陕、晋等地，是补充黄河上游水资源不足、解决我国西北地区干旱缺水、促进黄河治理开发的重大战略工程。西线工程引水干线将采用长距离隧道自流方案，专家预测，西线调水可以从根本上改变西北的沙漠化和生态环境问题，减少沙尘和沙尘暴的发生，使西北土壤由干旱变湿润，解决西北地区干旱缺水的问题。

2020年末，西线工程规划方案比选论证报告已报送中华人民共和国国家发展和改革委员会（以下简称国家发展改革委）。据中国科学院院士王光谦介绍，水利部门通过长期的勘察和研究，目前已形成“上线”和“下线”两条线路设想，两条线路将以引水洞涵为主，自流到黄河上游。此外，在《南水北调西线工程调水方案研究》一文中，作者通过对西线调水工程的不同阶段的分析，指出西线一期工程在经济和技术方面是可行的，为西线工程的开工提供理论依据。

（4）工程意义

南水北调工程可以通过改善水资源条件促进潜在生产力形成现实的经济增长，提高国内生产总值。官方数据显示，截至2020年底南水北调工程已累计向北方调水400多亿立方米，为我国北方地区GDP的增长提供了水资源支撑。南水北调东中线一期工程建设期间，工程投资平均每年拉动我国GDP增长率提高约0.12个百分点，工程投资对经济增长的影响进一步扩大。

此外，工程的实施也有效地推动了各地区产业发展。河南省中北部具有全国最大的铁路网络，具有巨大的交通运输能力。但受限于水资源短缺，当地的经济发展潜力并没有充分发挥。实施南水北调工程后，平均每年调入河南的水量为45亿立方米，促进了当地生产力的发展，GDP等指标也呈上升趋势。

南水北调工程有利于改善北方生活用水的质量和供水格局，提高居民饮用水质量，有效解决地下水超采造成的水质问题。此外，南水北调工程也有利于回补华北地区地下水，保护当地湿地和生态多样性。2019年3月，中华人民共和国水利部、财政部、国家发展改革委、农业农村部联合印发《华北地区地下水超采综合治理行动方案》，要求系统推进华北地区地下水超采治理，逐步实现地下水采补平衡，降低流域和区域水资源开发强度。通过调水还可以满足北方农业清洁水灌溉的需求，减轻耕地污染，改善土壤状况，有利于北方地区环境保护和治理。

南水北调工程的实施对扶持沿线贫困地区脱贫具有重大意义。《中共中央国务院关于打赢脱贫攻坚战的决定》中明确提出要"实施农村饮水安全巩固提升工程，全面解决贫困人口饮水安全问题"。南水北调工程的受水区与贫困县集中区域有很大重合，调查显示，因水资源缺乏而导致的贫困县占所有贫困县的70％。因此，南水北调工程的实施在很大程度上解决了贫困县居民的生活用水和农业用水问题，进一步解决了人民的温饱问题。

河北省水利厅副厅长边文辉称，利用南水北调东线一期工程通水的机遇，自2016年起，南水北调的受水区已开始实施农村生活水源置换工程。截至2019年底，已有836万农村群众吃上长江水，促进了"两不愁，三保障"中饮水问题考核指标的完成。

伟大的时代造就伟大的工程，伟大的工程凝聚伟大的精神。南水北调作为一项历时半个多世纪，贯穿中国南北的战略性工程，蕴含着深刻的精神内涵和时代价值。

南水北调工程的实施体现了党和国家领导人对人民的殷切关怀，从项目的科学谋划到正式投入实施，体现了党全心全意为人民服务的宗旨。截至2020年底，工程累计调水量400多亿立方米，大大改善了受水区人民的用水质量，充分彰显了人民至上、造福人民的价值取向。

从工程前期勘测、调研到最终建成通水的过程中，一代代南水北调人继承和发扬我们党艰苦奋斗的优良传统，展示了水利人的责任与担当，他们当中涌现出一大批榜样人物。南水北调不仅完善了中国特色的调水工程技术体系，创造了世界上规模最大的泵站群，同时也凝结出伟大的南水北调精神，这种精神是实现中华民族伟大复兴的动力。

1.2 长江水利文化述评

1.2.1 水利物质文化

水利工程蕴含着丰富的文化内涵。水利工程建筑之所以能够历经多年依然发挥巨大的作用，它们本身具备的深刻丰富的文化内涵是重要因素。

(1) 都江堰物质文化

都江堰的修建起源于特定的历史背景。在中国封建社会时期，农业经济占主导地位，人民依赖土地生活，与土地关系密切，因此各朝各代十分重视对土地的管理，继而对与土地息息相关的水利工程更是重视。都江堰位于四川省成都平原。现在的成都平原气候温和、经济繁荣、物产富饶、民生稳定。然而在古代，该平原地区河网密集且多降暴雨，加之泄洪能力不足，人们常常饱受洪涝灾害之苦。每当洪水泛滥，成都平原就变成一片汪洋，造成百姓农田颗粒无收，因而洪涝灾害成为阻碍当地经济发展、民生稳定的一大因素。在这样的历史背景下，当时秦国统治者秦昭王任命长于治水的李冰为蜀郡太守，要求他彻底治理成都平原地区水患问题，以保护当地百姓的生命、财产安全，维护社会稳定，进而巩固对巴蜀的统治，这对于秦国后来统一六国起到了积极的作用。

李冰到达成都平原后，便着手进行大规模的治水工作。在经过实地考察之后，李冰注意到成都平原上的岷江水势迅猛，两岸多被高耸的山体围绕。岷江中下游流经平原地区时，常常会因为水势浩大而冲毁堤岸。江水泛滥，淹没耕地，摧毁房屋，严重威胁到当地百姓的生命、财产安全。根据当地的水文情况、地理环境等具体因素，李冰决定修建都江堰。

起初，为了分流江水水量，把一部分江水引向东部地区，从而减少西部干流水量，李冰便规划凿穿玉垒山。由于当时科技手段不发达，凿穿玉垒山只能依靠人力用锤子捶打。但是经过几天的实践发现，这种方法根本行不通。后来李冰听取了当地农民的建议，先用烈火烧岩石，在岩石烧得正旺的时候浇以冷水，使其自动爆裂开来，最终成功地在玉垒山凿出了一个宽20米、高40米、长80米的山口。因为山口形似瓶口，所以将其命名为宝瓶口。宝瓶口成功修建后，江水成功分流，一部分江水流向东部，有效地减少了西部江水水量，因而也降低了成都平原发生洪涝灾害的频率。此外，经宝瓶口顺流而下的江水灌溉了下游地区的农田，缓解了旱季时居民用水、农田用水缺少的问题，保证了农民生活及农业稳定，促进了成都平原的经济发展。

宝瓶口起到了分流和灌溉的作用，这是都江堰成功的第一步。然而，由于岷江所处地理位置东部地势较高，因此大量的江水还是会流入西边。为了保证有足够的水流经宝瓶口，以便更好地发挥引水作用，李冰开始在宝瓶口前方修筑分水堰，取名鱼嘴分水堤。鱼嘴分水堤把岷江分成内江和外江，西边是外江，东边是内江。在冬、春季的时候，岷江水流量通常较小，内江江道窄深，而外江江道宽浅，这一特殊的地势会使60%的水量自动流入内江，从而保证了成都平原旱季的农耕用水和农民生活用水。而在夏、秋季降雨量增多时，岷江水位有所升高，60%的江水又会自动流向外江。内外江水量的分流，也有效地降低了洪涝灾害发生的风险。

为了避免顺江而下的大量泥沙堆积在宝瓶口，致使宝瓶口失去作用，李冰又修建了飞沙堰。一开始，李冰想通过向江水中抛石头的方法筑堰。经过几番实践发现，由于重量过轻且体积较小，石头很容易就被底部湍急的江水冲散，这样一来工程根基不稳，根本不可能建堰，因此不得已放弃了这个方法。李冰继而又想到了可以把石块装入竹笼中再投入江水中，这样一来体积和重量都增大了，自然也就能够经受住湍急水流的冲击，由此筑成了飞沙堰。宝瓶口、鱼嘴分水堤和飞沙堰这三大部分构成了都江堰。都江堰的建成，既有效地降低了洪涝灾害发生的频率，也为成都平原解决了旱季缺水问题，在一定程度上为促进民生稳定、发展农业经济、巩固秦国统治起到了积极作用。

李冰成功建造了都江堰，为当地百姓创造了幸福生活，深受人民敬仰，因此民间也流传着许多关于他的传说。相传，高景关下有一座龙神庙，庙中的龙神要求村民每年都要向他祭祀一位童女，村民如若不从，龙神便会兴风作浪，用河水淹没良田，使村民丧失性命、农田颗粒无收，对此村民们敢怒不敢言，每天生活在水深火热之中。李冰知道之后，发誓："吾决不让这等妖孽残害百姓！"话毕，李冰便佩带斩龙剑，只身前往高景关下。到达龙神庙后，只见庙内浊气密布、阴气重重，恶龙头顶屋顶，面目狰狞，盘旋在庙内。恶龙一眼见到李冰，一摆龙头，张开血盆大口，向李冰扑来。李冰毫不畏惧，手握斩龙剑与恶龙大战了三天三夜。李冰越战越勇，最终一剑劈死了恶龙。从此，高景关下百姓又过上了安静、幸福的生活。李冰勇战恶龙的传说也在当地代代流传了下来。

都江堰的建设过程充分体现了物质文化内涵。李冰是利用岷江所处的特殊地形、水势，建造鱼嘴分水堤，实现了无坝引水。相对于建设大坝而言，鱼嘴分水堤工程简单，且对岷江河道和周围环境的影响要小得多。飞沙堰的排沙功能则是利用了离心作用。当岷江江水漫过飞沙堰流入外江，流经弯道时，江水形成环流，产生漩涡。而漩涡产生的离心力，会将江水中的淤泥、沙石推向外江，所以能够有效地避免过多的泥沙堆积在宝瓶口。此外，成都平原多产竹子，并且岷江中的鹅卵石不计其数，故而用来筑堰的竹笼和石块均取材于当地，做到了因地制宜。都江堰水利工程在建造过程中充分利用了各种自然资源，变害为利、变废为宝，这体现了我国古代文明中“天人合一”的哲学思想。人与自然本是一体，休戚与共，一荣俱荣，一损俱损。所以人类在改造自然为自己谋便利的同时，必须要以尊重自然、顺应自然为前提。

千百年来，都江堰一直都在发挥其防洪、灌溉、引水等功能，实现了巨大的综合效益。这不仅与该工程的规划之完善、构造之科学、建造之严格有着莫大的关系，值得我们去深入研究、借鉴；而且其本身所蕴藏的丰富文化内涵和凝聚着的古代人民的智慧同样起到了决定性作用，有着深远的教育意义。

(2) 江都水利枢纽物质文化

中国水资源丰富，但分布不均。南多北少，东多西少。以江苏地区为例，长江以南地区水资源丰富，长江以北地区水资源相对较少，旱季缺水，汛期则饱受洪水灾害之苦，经济发展遭受严重阻碍。中华人民共和国成立之初，毛泽东同志在视察黄河时提出了南水北调的伟大设想，即把水资源丰富地区的水输送到缺水地区，促进南北方均衡发展。江都水利枢纽的建设正是源于这一设想。江都水利枢纽现位于江苏省扬州市，南濒长江，北连淮河，是南水北调东线工程的源头。江都水利枢纽工程始于 1961 年，于 1977 年全部竣工，实现了灌溉、排涝、供水、改善生态环境等多个功能的效益最大化。江都水利枢纽工程规模宏大，四座大型电力抽水站是该工程的主体部分。其中第一抽水机站，是中国首次自主兴建的大型电力抽水机站，这在中国水利工程史上具有划时代的意义。第四抽水机站则是该水利工程的主力机站。

长江孕育了丰富的人文、民俗、宗教等地域文化。为了体现长江水韵文化，吸引更多的游客，可在沿江建立水文化景观，如水上景观、湿地公园等。在规划沿江水利风景区时，可以将水文化资源和当地独特的民俗文化融入设计理念，使景区成为当地的金字招牌。以饮食文化为例，景区可结合当地的饮食特色，设置饮食文化专区，将当地的各种美食呈现在游客面前，使游客在观光旅游的过程中，尝遍当地美食，以此不断扩大水利风景区的对外影响力与感召力。因此，与建造都江堰有所不同的是，在建造江都水利枢纽的同时，也着手打造江都水利枢纽风景区，形成以生态为主题的国家水利风景区。该风景区四面环水、自然植被丰富、江河水景秀美。在规划和建设过程中，严格遵守自然保护、生态保护的原则。对于景区内原有的自然资源，采用保护在先、利用在后的理念。与此同时，采取诸多措施尽可能降低建造过程中对水资源、大气、植被等环境造成的污染和破坏，以改善景区总体环境质量为根本，实现生态可持续发展。此外，还在景区内规划植被，不仅增加了景区自然古朴的特色，还在一定程度上净化了水质，为游客提供了亲近大自然、体会亲切感和归属感的场所，这彰显了以人为本的文化内涵。江都水利枢纽风景区的建成同时有助于进行水情教育，增强人民的节约水资源、保护水生态的思想意识，使人民自觉投身于保护环境和节约水源的活动。欧美发达国家的水利文化区往往借助独特的自然水资源，构建具有各国特色的水景观。而中国的水利文化产业发展则注重生态廊道建设，例如，江淮生态大长廊以京杭运河为主要干线，以南水北调的输水线路为辅线，构造出一个环境优美、生态宜居的长廊。同时，对该地区的生物多样性和植物多样性加以严格保护，将“七河八岛”打造成整个扬州的生态中心，建设成一个复合型的城市生态廊道。

江都水利枢纽工程在农田灌溉、疏散洪水、保障供水、改造盐碱地等方面发挥了重要作用，产生了不可估量的综合效益，为江苏乃至全国的经济社会可持续发展提供支撑。江都水利枢纽的建设注重以人为本、协调可持续发展，体现在工程建设、环境建设、生态旅游等多方面。从小的方面来说，江都水利枢纽保障了华北地区人民的生产生活用水，从而实现了农业稳定高产，为经济和社会的绿色发展奠定了重要基础；从大的方面来说，江都水利枢纽科学地调剂了水资源，畅通了南北经济循环的生命线，促进了南北方均衡发展、可持续发展，为国民经济发展和民生稳定作出了巨大贡献。

1.2.2 水利制度文化

水利制度文化可以被简单地定义为“水利行业或水利事业建设中，由一定法律形式、组织方式和管理模式构成的显性文化”。它在水利文化结构中处于中层位置，可以被看作形式化、具体化和实物化的水利文化。它需要以一定的物质载体作为支撑和表现，反映了人们的水利意识和观念态度。在社会历史发展长河中，各种制度的发展进步足以成为水利文化发展进步的外在表达。水利制度文化作为从物质文化上升到精神文化的阶梯，既呼应和展示了水利物质文化，也在机制内涵上塑造和弘扬了水利精神文化。它建立在物质文化的底色之上，但又高于简单的物质建设。如何合理处理水利活动中人与人、人与生态环境、人与社会群体、人与制度体系的关系，成为水利制度文化主要讨论的问题。

（1）制度文化内涵

水利制度是人们在从事水事活动时约定俗成或商议制定的规章条例，通过明确责任承担主体、赋予权利和履行义务等方式来规范水利活动参与者和受众的行为，协调各项参与要素之间的关系。从组成结构来看，水利制度可粗略地分为两个层面：一是国家层面的关于水利的制度安排，即水利法规；二是水利部门或行业自身层面的内部制度安排和设计，可分为三大类：机构设置、管理制度和工作制度。

具体而言，水利制度，尤其是长江流域水利制度主要从以下几方面体现。

① 水利法规制度。水利法律、法规具有所有法律共有的国家强制性特征，体现国家意志对水利活动的强制要求，从宏观意义上引领水利制度文化大方向和认同感。同时，中国特色社会主义水利法规制度的敲定与落实也对水利制度文化的定型产生深远影响。

为了加快推进长江流域的生态环境保护和修复，以保持我国最广阔、最重要的流域生态可持续发展，《中华人民共和国长江保护法》（以下简称《长江保护法》）历经多方商讨和多次考察斟酌后，应运而生。此法律的出台将生态安全作为重要考量对象，崇尚人与自然相互尊重、和平共生的生态理念，使生态事业建设同中华民族伟大复兴事业齐头并进，实现中华民族永续发展的伟大愿望。

② 水利组织与管理制度。水利组织与管理制度是指在从事水利活动的单位和主体层面上对其人员构成、运作流程和管理条例作出的一系列规定。由于不同流域的水利企事业单位、水资源分布状况以及针对其建设的水利工程管理方式各有特色，相关的组织与管理制度也丰富多样。水利组织可以为后续的管理奠定基础。水利组织的优化是提高管理效能的重要基础。如果水利组织结构专业程度低，冗余繁杂，不能支持相关项目有效运作和流动，那么无论付出多少努力在管理上进行调整，也是事倍功半，难以取得预期效果。相反，建立在相关科学技术依据上的组织内部结构，不仅可以削减管理工作所耗费的精力，还可以使企业有效可靠地提高管理水平和应变能力。因此，水利组

织与管理制度效能直接与组织结构质量及其各部分之间的相互作用挂钩，并对管理职能的履行产生深远影响。

水利事业的中枢机构——水利部长江水利委员会，持续贯彻全国水资源工作会议精神，召集业内各机关部门和委属单位传达落实会议精神，围绕“实施长江流域最严格的水资源管理制度”的必要性、目的和方法开展了专题讨论。[①] 讨论得出其必要性在于长江流域水资源管理现状一直存在或多或少的问题，故讨论的目的是探讨长江流域水资源管理的目标和任务，并结合当前和今后的水资源管理工作，提出实施最严格水资源管理制度的宏观架构。其中，水务局等单位曾以座谈会的形式讨论控制“三条红线”的具体措施以及长江流域最严格的水资源管理制度的落实方案，在此基础上构建起此制度的大致轮廓，其内容包括总体目标、管理要点和要开展的主要工作。其中，管理要点是根据流域水资源配置方案或总量限制指标，严格把控省际断面水量和水质；根据用水量定额，检查用水户的用水效率；根据水功能区预计存在的污染物总量，控制入河污染物排放量。

③ 水利行为准则。水利行为准则是指水利工作者在进行水利相关的生产活动中所形成的关于生产经营、技术交流、人际关系的合理的行事规范。这种规范在行为层面上体现了水利观念和制度。水利人群体的行为风格能够反映出整个行业的价值取向和思想高度。水利行为准则以水利法规制度、水利组织与管理制度为保障。

(2) 制度文化培育

水利文化的培育可以从以下三方面着手。首先，建立并完善水法规，发挥指引、教育、评价和强制作用。例如，为了加强长江流域保护和治理，实现绿色可持续发展和人与自然和谐共生，2020 年中国颁布了《长江保护法》，对资源保护、水污染防治、生态环境修复、法律责任主体等进行规定。长江是中华民族的母亲河，颁布《长江保护法》对于保障生态安全、推进长江流域绿色发展、稳定经济健康发展乃至实现中华民族永续发展具有重要意义。在《长江保护法》的指导下，武汉市实施长江“十年禁渔”，通过常态化巡查、严厉查办非法捕鱼行为等措施，并与市场展开合作，形成了“水上不捕、市场不卖、餐馆不做、群众不吃”的氛围。白沙洲水域正在形成稳定的“微笑天使”长江江豚群体的栖息地，这表明长江生态健康正在逐步改善。其次，通过一些宣传手段，鼓励社会

① 李真. 长江流域最严格水资源管理制度总体框架形成[EB/OL]. (2009-04-14)[2022-03-15]. http://www.chinawater.com.cn/newscenter/ly/cj/200904/t20090414_44651.html.

公众积极参与水利文化建设，培育公众保护水资源、珍惜水资源的意识，通过必要的宣传手段，如电视、广播、报纸、杂志、网络宣传、标语宣传等，增强民众自觉保护水资源的责任意识。例如，中国水利部设立的“中国水周”节日，通过制定宣传语、举办主题活动等方式，提高全社会的水忧患意识，促进水资源的开发、利用、保护和可持续发展。最后，重视水利制度的核心价值观。核心价值观作为主流价值共识，对于水利行业坚持理想信念、坚守价值追求、凝聚人民力量，以及对于水利事业的继承和发展，都具有重大意义。

1.2.3 水利精神文化

(1) 水利人的奋斗精神

沧海横流，时代前进的脚步从未停下。随着中国特色社会主义进入新时代，水利改革和发展也进入新阶段，面临着新任务、新要求和新挑战，治水主要矛盾也发生了深刻变化。水利部指出，治水矛盾已经从人民群众对避水之害、承水之利的需求与水利工程技术经验不足的矛盾，转化为人民群众对优质水资源和可持续发展水环境的需求与水利行业统筹管理能力不足的矛盾。为此，要加快转变治水思路。在这一过程中，明确新时代水利精神内涵的重要性和必要性凸显出来，水利精神能为更好地促进新时期水利发展提供精神支撑。①

2019 年，《水利部关于印发新时代水利精神的通知》将新时代水利精神总结为“忠诚、干净、担当，科学、求实、创新”六个词语。② 新时代水利精神表现形式简洁有力、语言通俗明了、内容翔实丰富、民族文化特质突出、意义充实隽永，代表了新时代中国水利人的昂扬气质和精神风貌，更是水利发展蓝图的特质显现。

第一，“忠诚、干净、担当”彰显了水利人必备的人格气质。“忠诚”要求水利人忠于党、忠于祖国、忠于人民、忠于水利事业，主动承担起新时代水利事业发展的重任，为水资源健康可持续发展作出应有的贡献。“干净”是对水利人道德提出的要求。“上善若水，水善利万物而不争”是中华民族所遵循的道德信念之一。因此，水利人应从自身出发，严于律己，追求高尚的品德，并在反腐倡廉工作中作出贡献。“担当”是水利人的本职品格。水利事业充满艰辛与挑战，

---

① 对新时代水利精神的认识[EB/OL]. (2019-06-27)[2022-03-15]. https://www.sohu.com/a/323425356_651611.

② 水利部. 水利部关于印发新时代水利精神的通知[EB/OL]. (2019-02-18)[2022-03-15]. https://www.gov.cn/xinwen/2019-02/18/content_5366524.htm.

敢于担当、勇于担当是新时代水利人的必备品格。新时代水利人应主动参与到水利改革发展进程中，发挥主体作用，撑起属于这个时代的蔚蓝天空。

第二，“科学、求实、创新”是水利人独特的做事原则。“科学”是水利事业发展的本质特征。水利学是一个历久弥新的科学系统，治水首先要端正态度，尊重科学原理，用现有理论武装头脑。新时代水利人更要将理论与实际相结合，将尊重科学规律和因地制宜发挥治水能动性相结合，不断提高水利工作的专业化水平。“求实”是水利事业发展的作风要求。“空谈误国，实干兴邦”是中国人民从历史经验教训中总结出的重要结论。新时代水利工作力求真抓实干，坚定为人民群众办实事、谋福祉的工作信念。“创新”是水利事业发展的动力源泉。水利行业新问题会随时代脚步逐渐涌现，提出新解决方案则是完成改革的突破口。新时期，要鼓励水利工作打破固有成绩与思维的桎梏，全面推进思想创新、体制创新、形式创新等，为更好地应对新时期治水难题作准备。

（2）民族精神

伟大的事业需要伟大的精神。建设和维护功在当代、利在千秋的水利设施工程，既然是伟大的事业，自然也离不开伟大的民族精神。

习近平总书记曾对伟大民族精神作出阐述，即伟大创造精神、伟大奋斗精神、伟大团结精神和伟大梦想精神。而中国在水利事业上所取得的成就，鲜明地体现了这四个伟大精神。

成都平原曾经被称为“泽国”，这是由于该平原河网密集，暴雨来临时泄洪能力不足，往往容易暴发洪水。当地百姓深受洪水迫害，生命安全受到威胁，农田也常常颗粒无收，经济发展因此受阻。李冰担任蜀郡太守后，立志要彻底解决成都平原的洪水和干旱问题。他以当地人民幸福生活为己任，创造性地提出构建分水堰、竹笼鹅卵石筑堰等一系列设想，最终通过多次实践和不懈努力，建成了集防洪、灌溉、供水等功能于一身，具备综合效益的水利工程——都江堰。另外，中国除了水资源分布不均匀外，煤炭资源分布也不均匀。中国虽然是世界上煤炭资源最丰富的国家之一，储量大、煤种齐全，然而地理分布不均衡，总体上来说就是西多东少、北多南少。中国经济发达地区多集中在东南沿海地区，用电量多，资源却十分匮乏，这种不均衡性客观上也催生出了“西电东送”这一设想。“西电东送”中具有代表性的工程就是位于贵州省的沙沱水电站。沙沱水电站建成之后，有效地缓解了中国东部城市的用电紧张情况。此外，建设沙沱水电站在让西部地区的资源优势转变为经济发展动力的同时，也为当地人民创造出了大量的就业机会，一定程度上促进了经济的发展和民生的稳定。“西电东送”项目合理分配资源、优化能源结构，促进了经济社会的可持续发展。无论是都江堰，还是“西电东送”、沙沱水电站，这些水利工程从无到设想、从设想到实现的过程，都是在伟大创造精神和伟大梦想精神的激励下实现的。

江都水利枢纽建造历时16年，占地面积160公顷；都江堰占地面积220公顷；“西电东送”项目仅在2001年到2010年的十年间，总投资就已超过5 200亿元；沙沱水电站从开工到发电耗时7年，工程总投资107亿元。这些数据反映出建设水利设施历时之久、投资之巨、规模之大、建造之难，从中我们不难看出伟大团结精神和伟大奋斗精神在发挥着精神支柱的作用。没有这些精神的支持，就不能成功地建成这些水利设施。

1.3 中外水利文化比较

1.3.1 水利生态文化对比

本部分内容着眼于中外水利文化比较，论述人类在改造自然的过程中展现出来的以人为本的文化共性，以及中美不同的自然观。整体而言，中国人秉承天人合一的自然观，而西方则展现出利用科技手段来发掘水利资源的动力。

（1）以人为本

人与自然的关系密不可分。自然深深地影响着人类的生存方式，人类也在逐步改造自然以便更好地生存，其中，修建水利工程就是改造自然最典型的方式之一。自古至今，大量的文学作品描绘了自然的美丽壮阔或秀美清雅，也记录了自然灾害的影响。

环保主义思潮在20世纪得到了迅猛发展，人们对科技发展与环境保护之间的矛盾忧心忡忡。这在文学作品中有着广泛的反映。中外水利文学均描绘了生命安全与自然保护之间的矛盾，呈现了人与自然之间的复杂关系。人们既希望保护自然，并与其长久共存，又必须改造自然，发展水利工程。不同的是，中国人以对自然的敬畏之心来主导水利工程发展，而西方则强调水利发展背后的科技因素。

中国作家李伯宁通过对《水困古城》中人物的论述，呈现出一位水利老人对人、水利工程与自然的关系的独特思考①。另一位中国作家刘继明在《梦之坝》②中，展示了两个三峡：一是李白、杜甫等诗人眼中的三峡，这是一个被赋予浪漫主义色彩的壮丽自然；另一个是真正的三峡，航运艰险，洪涝灾害频繁发生，死亡人数难以计数。文学作品中的三峡大坝展现了中国人民在水利建设、航运发展、能源战略上的伟大成就，以及在现代水利工程建设过程中的智慧和策略。

美国作家约瑟夫在他的作品《胡佛水坝》③中详细描述了美国人民与自然的斗争和对尊严的追寻，反映了美国水利文学对生命的意义的持续追求。科罗拉多河在过去也常常暴发洪水、干旱灾害，威胁河流两岸地区人民的生活。每年春夏时节，融化的雪水流入科罗拉多河，导致河流两岸低洼地区河水泛滥，造成巨大经济损失和人员伤亡；到了秋冬时节，降雨量少，灌溉用水量大，河流干涸导致水资源短缺，影响人们的正常生活。饱受科罗拉多河洪水和干旱灾害之苦的人们急切地期盼能够制服科罗拉多河。作品描述了科罗拉多河的泛滥摧毁了人们梦想的“天堂”，以及工程发展对人类生活信心的影响。作品也描述了脆弱群体参与河流治理和开发的过程，强调了全社会参与环境治理的重要性和必要性。

(2) 人水关系

在人与自然的关系上，中美水利文学都突出了以人为本的价值取向，强调水利设施建设的必然性。不过，两国水利文学却展现出人对待河流的不同态度。《巨像：胡佛水坝与美国世纪的制造》承认，现在科罗拉多河不再是黑峡谷的主人，而是人类的仆人，这表明美国水利文学把现代科学技术看作是环境治理的关键因素。《胡佛水坝》描述了人们看到完工的胡佛水坝时的感受，认为胡佛水坝为人们提供了无限可能和充足信心。相反，中国则突出天人合一的精神，强调人类社会发展的规律应符合自然规律。中国古人甚至认为，自然规律就是自我完善的标准。比如，古人崇尚“上善若水”。

文学作品中所展现的观点与作者所处的社会背景和文化传统密切相关，中美水利文学分别表现出人类对自然的敬畏和征服自然的强烈信心，有其历史文化方面的原因。胡佛水坝建成之后，在防洪、灌溉、供水、发电、航运、旅游等方面发挥了巨大作用，并且孕育了新兴城市拉斯维加斯，堪称“拉斯维加斯

---

① 李伯宁. 水困古城[M]. 北京：中国水利水电出版社，2001.

② 刘继明. 梦之坝[M]. 昆明：云南人民出版社，2004.

③ 约瑟夫·E·史蒂文斯. 胡佛水坝[M]. 王尚胜，马诚，李俊辉，等，译. 沈阳：辽宁大学出版社，1993.

之母”。胡佛水坝的修建原因和效益不仅体现了以人为本的理念，也表现出美国人迫切想要征服自然的心理特征。胡佛大坝历时 4 年多完成，工期提前了两年多，劳工最多时超过 5 000 名，最终建成当时世界上最高的拱形坝和最大的混凝土结构工程。

图 1-4　胡佛水坝①

从中国最大的水利工程三峡水电站与美国最大的水利工程胡佛水坝的建设过程中可以窥见中美水利工程文化的异同之处。首先，两者均体现出以人为本的观念。长江发源于世界屋脊上的唐古拉山脉，全长 6 300 多千米，水能资源、水力资源丰富，在航运、资源、发电等方面发挥了巨大经济效益，被称为“黄金水道”。然而，长江流域降雨时空分配不均，洪涝旱灾频发，对人民的生命健康和财产安全造成了严重威胁，这在客观上对修建水利工程提出了要求。孙中山先生曾提出在长江上游修建水闸，以便蓄水、航运、开发水力资源等。中华人民共和国成立之初，长江流域洪水泛滥，各处大坝面临溃堤的风险，严重威胁着人民生命、财产安全。1954 年汛期，长江流域再次暴发洪水，受灾地区损失惨重。这次洪水再一次发出警告：长江水患灾害亟待解决，必须得到全

---

① 图片来源：https://th. bing. com/th/id/R8ae073de30ca987f4b8a6a6738bb39fb? rik＝x% 2bkIUuBKSsuLvA&riu＝http% 3a% 2f% 2fyouimg1. c-ctrip. com% 2ftarget% 2f100807000000 2c7tj8BB5. jpg&ehk＝v2o6CbrPcfuCgpi% 2f1DevjzoozaAMRlDCYeCaI8UrsTU% 3d&risl＝&pid＝ImgRaw.

国上下的重视。从 1955 年开始，三峡工程的科研与规划工作全面开展。三峡工程于 1994 年开始修建，于 2009 年全部完工。

中国人民在修建大坝的过程中遇到诸多挑战和困难，包括技术问题、移民问题、生态问题、资金问题、交通问题、文物保护问题等。在全国人民的共同努力下，这些困难被一一克服。三峡大坝竣工后，在发电、防洪、航运、水资源开发与利用、生态建设等方面发挥了巨大的社会效益和经济效益。此外，在建设三峡大坝过程中，中国人民坚持着尊重自然的理念，高度重视生态与环境保护，促进人与自然和谐共生。例如，充分利用人口迁移后留下的生态空间，建设生态保护区。

1.3.2 水利科技文化对比

(1) 科技元素

在中外水利发展史上，科技元素扮演着不同的角色。中国古代水利科技发展更注重传承，尊重文化与传统。在中国古代社会，人们把驯服河流的梦想寄托在河神等诸神身上。这种梦想来自人类对洪水的恐惧、对干旱的担心。在古代，“祭天”是一种重大仪式。每年，统治者都会以“天子”的身份，通过“祭天”，表达对自然的敬畏、感恩之情，并祈祷上天保佑来年风调雨顺、丰衣足食。随着科学技术的发展，中国古人终于熟悉了水资源利用的科学方法，建造了伟大的治水工程。不过，中国古人在接受科技元素的同时，也要求自己顺应自然，认为违背自然规律便会遭到自然的报复。美国是一个年轻的移民国家，科技不仅支撑起美国发展的信心，也展现了其综合实力。在《胡佛水坝》中，约瑟夫认为美国的科学进步对世界水利工程发展具有重要推动作用，这也表明技术在推动人与自然和谐相处方面具有重要作用。

在现代社会，科技元素对中外水利发展产生了同等重要的影响，中外都极其重视水利科技的发展。水利科学与工程问题产生于人类社会生存与发展的要求，目的在于认识自然规律，通过各种工程技术措施人为控制与调配自然水资源，从而达到预防与治理水旱灾害、开发与保护水资源的目的。随着经济社会持续快速健康发展，水利事业不断取得新成就，但也存在一些亟待解决的矛盾和问题。当今我国面临着严峻的水安全问题：水资源短缺、水污染问题严重、水灾害威胁加剧以及水生态退化。在科学与技术的层面上，还面临着诸多亟待突破的主要瓶颈。我们必须从国情水情出发，形成若干原创性、引领性的研究成果，研发出水利现代化最需最急的若干高新技术，打造若干核心知识产权和高附加值技术产品。

促进科技发展、保障水资源安全是一项重大而迫切的任务。当前，我国水利领域的重心工作：在水旱灾害防御领域，主要围绕洪水的形成演变规律、气候变化环境下特大洪涝干旱危险性识别及应对策略进行研究，并进行防洪抗旱预报预警预演预案技术体系的研究和开发；在水利工程的建设运行领域，主要围绕水利工程全生命周期的性能演化机理进行研究，并对复杂情况下高坝大库的建设关键技术进行研究和开发。

(2) 工程美学

古今中外，人们在追求水利设施实用性的同时，也注重其美观性。水利工程不仅体现了水利科学技术发展，也体现了人们对美的追求。西方社会强调人是自然的主人，重视现实世界和人的个性，崇尚人文主义，其水利设施中也呈现出人文主义的美学特性。西方建筑重视形式逻辑在美学中的地位，崇尚通过清晰的几何形体创造美。加尔水道桥位于法国尼姆，是古罗马时期为供应城市生活用水而建设的输水道，于 1985 年列入世界文化遗产名录，法国加尔水道桥的设计艺术体现了逻辑性和几何性。

图 1-5　加尔水道桥①

与西方的水利设施不同，中国水利设施展现了独特的东方特质。安徽省黄山市黟县的宏村被誉为“画中之村”，村内水系自然流淌，水系附近的建筑呈现鲜明的徽派建筑风格，两者相映成趣、相得益彰，形成了一幅清新灵动的画面，展现了人与水和谐相处的传统哲学特质。村庄依水而生，布局合理，是一

① 图片来源：https://th. bing. com/th/id/Rfb313d5d56aa208b41cc06facaed6666? rik = Tatf6zOSZG53bA&riu=http%3a%2f%2fwww. oufa－travel. com%2fjsComponent%2fueditor%2fueditorjsp%2fgforceupload%2f20170505%2f49461493971458782. jpg&ehk=f5Ibim4V0ZnGme5l5WyeLwD7Max4MqvxfAPAvI9Z5dg%3d&risl=&pid=ImgRaw.

个既科学又有情趣的生活场域。

西方的现代水利设施具有独特的科技特质，运用科技来营造水工建筑和环境的协调一致性。泰晤士河防洪闸将闸门藏于河床，将闸门的垂直起落变成转动，既有助于通航，又不遮蔽水面空间，这在水工美学的设计上采取了消去法，即将闸门在环境中隐身，不遮挡人们视线，使水上空间显得干净、空灵。但多数闸门在环境中无法隐去并且会隔断视线，因而对这部分采用突出法，使其成为环境中的景观或地标式建筑，从而抓住人们的眼球。

图 1-6　宏村①

中国的现代水利工程在美学上则重视与地方文化相结合。九江龙开故道和龙开新渠工程中运用了一系列水工美学设计方法，以“自然-生态-美学”理念为整个故道的设计基调，营建了九大景观节点。工程在大节点中贯穿着各种小场景，形成“大景套小景”的格局，各处景点都结合了当地的一些历史文化来体现设计主题。整个工程将水、城市、生态、文化融为一体，为当地人民创造了一个安全、优美、休闲、亲水的生态环境。

1.3.3　水利产业文化对比

（1）水利产业文化内涵比较

河流与湖泊为人类提供了丰富的物质支持。饮用、灌溉、航运等无不反映

① 图片来源：https://th.bing.com/th/id/R4e492daa8cc772137091aab5dc741c66?rik=y4uriwIRPs9HPQ&pid=ImgRaw.

了水在社会进步中的重要作用。中国水利产业文化传承是充实和丰富水利风景区精神内涵与文化内涵的方向指引。以京杭大运河为例，大运河是水文化贯通局部地区的经典工程案例，促进了南北文化的交融，至今仍发挥重大作用。

美国水利产业文化发展所体现的价值呈现了不同利益群体的冲突与协调。在商业利益主导水资源决策的情况下，产业活动可能会损害公共资源安全。因此，美国开始重视不同利益群体在水利产业中的参与性，建立决策咨询与交流框架，提升了水资源决策的科学性。例如，成立于2009年的美国新墨西哥州的水文化研究所（Water-Culture Institute），强调文化冲突与管理在水利产业可持续发展中的重要作用，突出水利产业文化的可持续发展理念。西方水利产业文化也运用本土智慧和文化传统，开展水产业管理有关的研究，强调了道德价值体系与不同利益群体广泛参与的重要作用。

（2）流域国家文化公园建设的比较

发达国家的流域国家文化公园通常由专门的国家文化公园设计研究团队进行规划与设计。公园一般通过岸线空间的功能衔接，展现时代发展的印记和文明演进的价值，尤其是彰显人与自然和谐共生的智慧，让生态岸线、生产岸线、生活岸线等不同的地理空间形态相互配合。例如，美国科罗拉多河流域国家公园群拥有11个不同类型的主题国家公园（涵盖生态、文化、旅游、地质等主题），每年收入达1.4万亿美元。钓鱼、激流划船、背包旅行、野生动物观赏、徒步旅行等项目，最近几年为美国贡献了约260亿美元的收入。美国查尔斯河历史文化公园，基于景观和建筑设计，每个部分都保持着鲜明的特色，每个部分都提供各种活动，包括划船、骑自行车、野餐、音乐会表演等。奥地利多瑙-奥恩国家公园以多瑙河与周围景观的交织为基础，河岸、林地和湿地交错分布。低地森林、湿地植被和草地草甸培育了一个适合各种野生动物生存的生态环境。

我国建设长江国家文化公园是国家关于文化发展与生态保护的重大决策。未来的长江国家文化公园将有利于全面提升长江文化交流的空间，丰富完善国家文化公园体系，做大做强中华文化重要标志，延续历史文脉、坚定文化自信，进一步提升中华文化标识的传播度和影响力，向世界呈现绚烂多彩的中华文明。

长江国家文化公园的规划与建设不能限于一隅，而应在相对广阔的空间里，通过串联不同岸线空间的代表性叙事，展现长江文化的历史丰富性和时代发展性。可以将优美的生态岸线总揽于公园的叙事中，串起长江岸线的文化与生态“项链”，融通文旅、跨越两岸，以长江文化的宏阔气势引领世人向往。长江国家文化公园的建设范围涵盖全国13个省(区、市),这与西方流域国家公园只重视单体设计、较少进行全流域的规划与设计有所不同。

长江文化是一种以长江流域特殊的自然地理和人文地理优势,以及生产力发展水平为基础的,具有认同性、归趋性的文化体系,是长江流域文化特性和文化集结的总和。当前,我们要充分利用沿江开发开放所带来的日新月异的管理变革和正在经历的百年未有之大变局,捕捉长江经济带建设中涌现的新问题和新机会,解读国家战略,宣传国家政策,构建长江文化乃至中国文化的对外生态话语体系。强化政治意识,让公园建设体现海上丝绸之路文化和长江文化的交互关系,为国家"一带一路"倡议提供有力注解,为国家和社会提供思想指引与价值选择。

02

第二章

长江移民文化

中国自古就存在大规模的移民活动。1949 年以来，中国工程移民已有 8 000 万人，其中三峡、小浪底、南水北调工程移民为全球所瞩目，长江流域易地扶贫移民、生态移民等工程影响巨大，长江流域的移民正在成为国人关注的群体。

随着长江流域经济与社会的快速发展，流域内的跨地区、城乡之间的人口流动将日趋频繁。长江移民产生了丰富的文化形态。对长江移民文化进行深入研究，有利于促进流域内文化的相互理解和认同，加快移民融入当地社会的步伐，推动长江流域经济带的发展。长江移民文化具有独特的“顾全大局、舍己为公、万众一心、艰苦创业”的移民精神以及“开放性、兼容性、先导性”等新时代特征，长江流域各地移民的生活形态和建筑形式等文化内容经过长期的历史沉淀，已演变为一种文化符号，深深烙刻于各地民风民俗之中。

2.1　长江移民类型分析

在人类社会发展进程中，人口迁移活动从未间断过。由于经济、文化发展方面的差别，特别是自然灾害、战争等因素的影响，长江流域移民规模不断扩大，移民速度也在不断加快，因此移民类型逐渐多样、复杂。本章将长江移民划分为三种类型，即工程移民、生态移民和扶贫移民，分别展开论述。

2.1.1　工程移民

工程移民是指工程建设所引起的人口迁移活动，由修建水库、建设水电站、修建铁路等引发的移民活动都可以称作工程移民。工程移民又属于非志愿移民。“非志愿”是指在水库建设将淹没土地房屋等情况下，一定范围内的环境会受到影响，原居住地丧失居住条件，居民不得不搬离故土，舍弃自己祖祖辈辈生活、居住过的家园，前往新的地方。这类移民具有强制性，而且都是有规划的整体居民搬离。搬迁活动必须与工程相协调，按计划进行，所以在移民安置过程中，工程的进度、所需时间都是受限制的。

（1）三峡水利枢纽移民

长江三峡水利枢纽工程建于 1994 年，是中国历史上最大的水利工程项目，也是世界范围内建设规模最大的水电站。1992 年，三峡水电站建设获批，选址在长江中上游，于 2009 年全部完成建设。三峡水利枢纽工程是一个极其庞大而复杂的系统性工程，建成后，可以为长江及沿线提供十多种功能，为长江流域及沿岸地区居民的生产发展提供极大的便利。

图 2-1　三峡外迁移民欢送大会[①]

水利工程的兴建必然伴随着移民，三峡工程也不例外。这次移民规模巨大，是中国历史上工程移民之最，移民人数之多不仅在中国历史上，而且在世界水利水电工程建设史上也是前所未有。根据工程规划，三峡水电站建成后，蓄水位达到 175 米，那时，工程周边地区将被大量淹没，有 110 余万居民将不得不搬离家园，这一数量是此前世界最大的水利工程——伊泰普水电站移民的 28 倍。

为保证三峡工程建设顺利进行，同时也为保护三峡库区生态环境，政府在三峡库区开展移民工作，从 1992 年至 2009 年，前后共持续 17 年。长江三峡工程的建设使大量陆地被淹没，涉及 19 个区县，主要位于湖北省和重庆市，被淹没土地总面积达 632 平方千米，房屋面积为 3 473.15 万平方米，有 847 500 人生活在移民迁移线以下。三峡水库移民规模庞大，涉及人口众多，移民安置工作的难度和复杂性可想而知，因此也受到中央极大重视和各界密切关注。1993 年，三峡库区移民工作正式开始，工程分为 4 个阶段，依次实施，到 2009 年底，移民搬迁任务顺利完成，累计搬迁移民 129.64 万人。[②] 至此，三峡移民搬迁安置规划任务基本完成，移民总体得到妥善安置。

---

① 图片来源：https://m.sohu.com/a/277732061_158209.

② 数据来源：齐美苗，兰荣蓉，李文军. 三峡工程移民安置规划工作总结与启示[J]. 人民长江，2015(19)：63.

图 2-2　三峡外迁移民①

图 2-3　三峡移民外迁②

千百年来，“安土重迁”思想始终深深扎根在广大中国人民心中，思乡情结也萦绕在每一个远离故土的游子心头。然而，为了国家的发展，三峡库区人民克服困难，离开祖祖辈辈生活的故土，前往陌生的地方重新定居、扎根。雄伟的三峡大坝，将永远铭记着他们的名字，因三峡工程而受益的全国各地人民，

① 图片来源：http://roll. sohu. com/20120417/n340783544. shtml.

② 图片来源：https://www. sohu. com/a/77300541_428067.

也将永远记住他们含泪挥别家园的无私奉献精神。2002年中央电视台评选“感动中国”年度人物，百万三峡移民获得特别大奖。至今，第一批搬迁的三峡移民已经在迁入地生活了20多年。

经过十几年有计划、有步骤的系统性、开发性移民，以及中国政府、各地人民的大力支持，三峡库区移民搬迁及安置任务完成情况较好。三峡工程自动工兴建至蓄水发电期间共投资约910亿元，其中有三分之一拨付给移民搬迁工作使用，拨付金额共计约330亿元。三峡移民工程的宏观效果非常显著，周密、合理的移民搬迁规划为三峡工程移民搬迁安置任务的如期、全面完成，从技术、资金、政策等各方面提供了保障。三峡工程移民为三峡水利枢纽工程的建设以及三峡库区的生态、环境保护作出了巨大的牺牲和贡献，搬迁工作的顺利进行也为库区百万移民的未来生活描绘了一幅美好的蓝图。

(2) 丹江口水库移民

1952年，国家第一次提出从南方“借点水”的想法，作为南水北调项目前期工程之一的丹江口大坝于1958年正式破土动工。丹江口水库是当时中国最大的水利项目之一，但由于技术、资金、制度、经验等支持条件的不足，水库的建设也曾遭遇种种挫折。幸而在那个困难的年代，国家和全国人民都能团结一心，努力克服困难，最终顺利完成丹江口水库的建设工作。库区的移民搬迁安置工作是此次工程的重要组成部分之一，所以，移民搬迁中获得的经验教训也是影响整个工程建设的重要因素。

图2-4　运送移民的客车驶离丹江口水库[①]

① 图片来源：http://www.gov.cn:8080/jrzg/2010—06/29/content_1641301.htm.

图 2-5　运送丹江口水库移民车的渡轮[①]

丹江口水利枢纽工程建设分为两期。大坝的第一期建设开始于 1958 年，完成于 1973 年底。大坝建成时，高 162 米，蓄水位为 157 米，库容为 174.5 亿立方米。此次工程建设淹没湖北省、河南省 3 座县城，动迁移民约 38.2 万人。[②] 2005 年，丹江口大坝二期工程开始。按照计划，需把大坝加高 14.6 米，正常蓄水位也相应地提高约 13 米。9 月 26 日，工程正式开工。工程建设完成后，淅川县淹没面积增加 143.9 平方千米。随之而来的是 1958 年兴建丹江口大坝之后的第二次移民，从 2009 年 8 月到 2011 年工程建设的这两年间，共有 16.2 万淅川人进行了搬迁。丹江口水库移民是所有水利工程移民中历时最久、过程最曲折的一次。

移民工作，顾名思义，核心和重点是“民”，所以丹江口水库移民安置工作始终坚持“以人为本”的指导思想，坚持最大化、全面化安置移民。移民工作前期采取“补偿”的方式，对迁移人口因工程搬迁所受损失进行相应的补偿，搬迁后再采取政策扶持方式，为移民发放建房困难补助，确保移民生活能够普遍达到或者超过在原住地的生活水平。另外，为探索新时期移民安置新方法，2008 年 11 月，河南省启动了丹江口库区移民安置试点工作，共搬迁移民超过一万

① 图片来源：http://www.gov.cn:8080/jrzg/2010—06/29/content_1641301.htm.

② 张薇.丹江口水库河南库区移民对安置区原居民的影响研究[D].北京：华北电力大学，2015:1.

人。同时,省委、省政府又提出了丹江口库区移民安置新目标,以期尽快改善人民生活,促进经济恢复和发展。原计划任务期限为四年,即2013年底完成试点移民搬迁,新的目标提出后,不仅要求顺利完成搬迁,而且要提前两年,即在2011年完成目标。

大规模移民搬迁活动给移民及迁入地居民的日常生活、人际关系等方面都带来诸多影响与改变,也深刻地影响着地区政治、经济、文化的发展。由于当时国力薄弱,且缺乏相关经验,丹江口水库移民迁置中出现了种种问题,为移民工作带来不小的挑战,但同时也为未来移民工作提供了大量可借鉴的经验与教训。当丹江口水库库区的移民在政策的指引下,纷纷顺利搬迁新居、开启新生活时,当人们喝上来自汉江爽口的清水时,丹江口水库移民这个群体的无私奉献和南水北调中线工程的建设也真正实现了其价值与意义。

2.1.2 生态移民

为了修复某个地区的生态环境状况,主动调节自身与环境和资源之间的关系而展开的人口迁移活动,叫作生态移民。生态移民主要发生在生态环境较为脆弱的地区,如三江源地区。在生态环境恶化的地区,人们无法正常进行劳作、生活,国家采取一系列政策,将人们搬迁到生存条件更好的地区,一方面帮助贫困地区居民过上更好的生活,另一方面帮助恢复、重建自然景观和生态系统。

(1) 三江源地区生态移民

三江源地区是中国最大的生态功能区,其生态环境变化直接关系到三江流域乃至全国的生态安全。三江源地处青藏高原,是中国长江、黄河和澜沧江的发源地。该地区有着大面积的湿地生态系统,地域辽阔,水草丰美,水资源充足,野生动植物种群多样化,是世界高海拔地区中生物多样性最集中的地区之一,素有"江河源""中华水塔"之称。

近年来,温室效应增强,全球气候变暖,伴随着人类对环境的破坏活动增加,三江源地区的生态环境也在不断恶化。三江源地区江河、湖泊和湿地面积不断萎缩;滥垦乱伐现象未能得到有效控制,导致森林遭到大量砍伐,绿化面积逐年减少,土地沙化、水土流失、荒漠化问题日益突出。失去适宜的生存环境,加上人类的盗猎行为,野生动植物深受其害,生物多样性遭到破坏。三江源地区已经不再是野生动物的理想栖息地,不再是罕见植物物种的"藏身地",部分地区的条件甚至恶劣到难以为人类提供基本的生存条件。①

---

① 解彩霞.三江源生态移民的社会适应研究[D].兰州:兰州大学,2009:2.

图 2-6　三江源风景①

多种因素共同导致了三江源地区的环境条件恶化，其中影响最大的要数人与自然之间的矛盾。三江源地区总人口数达 65 万，其中藏族人口占绝大多数，约 90%。畜牧业是藏族传统生产方式，因此三江源地区的藏族人民主要依靠农牧业生产维持生计。在这个地区，人多地少，人们利用草地进行放牧、生产，长期的过度放牧导致草原退化，土壤涵养水源能力下降，水源枯竭。有关资料显示，三江源地区有大量的草地发生退化，尽管各区域退化程度有所不同，但总体情况较差，草原沙化总面积已达 253 万公顷，且每年仍在扩大。②

要想有效缓解三江源地区人与自然之间的矛盾，改善生存、发展条件，生态移民是必要措施。目前，三江源地区自然条件不甚理想，且该地区生态系统脆弱而敏感，一旦遭到破坏就很难恢复。人与自然是一体的，两者相互影响，三江源地区生态环境的恶化也必然会制约该地区的可持续发展。因此，对该地区生态环境实行科学保护、合理建设，刻不容缓。为加强三江源自然保护区的环境保护和生态建设，我国政府作出相关规划，其中就包括生态移民。

生态移民也是实现三江源地区经济社会与自然环境协调发展的必然选择。通过易地搬迁，人们从条件恶劣且生态脆弱的地区迁到条件较好的地区，从而在根本上解决了生存上遇到的问题，改善了生活条件，为脱贫打下基础。

---

① 图片来源：https://www.sohu.com/a/190695488_165465.

② 数据来源：盛国滨.论“三江源”地区生态移民与可持续发展[J].青海民族学院学报，2006(1):109-112.

实践表明,把生态保护与移民结合起来,才能降低生态保护的成本,减少行动过程中的矛盾与问题,提高效率,顺利实现经济发展与环境保护"双赢"。

图 2-7　三江源生态工程推进小城镇建设①

(2) 三峡水利枢纽生态移民

三峡工程不仅可以缓解长江中下游地区洪水灾害,降低雨季安全隐患,而且可以提升长江航运能力,进而转化为经济效益,促进沿岸地区经济发展。但是,三峡工程的建设必然对生态环境产生影响,如果不能妥善解决,就会对库区生态环境产生极大的负面影响。

三峡工程所在库区是典型的人多地少的山区,该地区总人口有约 2 937 万人,但土地面积却只有 13 万平方千米。三峡库区大部分属于经济落后的山区,在农村人口增长的同时经济并没有同步增长,相反,这些地区资源贫瘠,人均可耕地不足,导致森林砍伐、土地开垦过度,水土流失严重,山区生态环境日益恶化。为了保证三峡库区生态环境安全,恢复遭到严重破坏的生态系统,改善库区人民生存条件,进行生态移民是必要举措。

在移民人口安置方面,国家将 5 种不同安置模式相结合,并投入资金对移民进行全面、妥善的安置。移民完成搬迁后,国家还给予科技帮扶,帮助其改善生活条件,安稳致富。另外,在移民过程中,国家始终尊重生态环境,遵循经济规律,把资源利用与资源保护相结合,把生产发展与生态建设紧密结合,坚

---

① 图片来源:http://news.hexun.com/2008—09—12/108791942.html.

持走可持续发展道路。

生态移民，一方面是为生态，另一方面是为人民。在生态方面，三峡水库生态移民是顺应自然、保护自然的做法，能保证三峡水库水资源环境安全；在人民生活方面，三峡库区移民工作将居民搬迁到生产、生活条件较好的地区，给其提供补助和帮扶。三峡库区生态移民对于解决三峡库区人口超载问题，改善自然环境，提高库区居民生活水平和生活质量，促进三峡库区移民、经济、社会、环境可持续发展等问题都有着重大意义。①

2.1.3 扶贫移民

生态环境脆弱、自然灾害或战乱频发等地区往往无法为当地居民提供基本的生存保障，人们只好搬离原来的居住地，到生存条件更好的地方去重建家园，以实现人的生存和发展，根除致贫因素，这就是扶贫移民。在原住地生活困难、难以维持生计的贫困人口都是扶贫移民的对象。搬迁是手段，减贫是目的。虽然中国经济社会发展已十分迅速，但仍有一些偏远的贫困地区，自然条件恶劣，基础设施建设、基本公共服务提供不足，居民生产生活的成本过高，因此需要进行扶贫移民，将人们搬迁到生活成本低、生活质量高的地区。

(1) 古代贫困导致的移民

移民活动从古代开始就普遍存在，一直持续到现代，从来没有间断过。因贫困而发生的移民活动，我国古代早已有之。古代多战乱、生产力水平低，人们在战争和自然灾害面前毫无还手之力，为了躲避战乱，寻求生存和发展，只好移民到其他相对安全、生活条件更好的地区，所以古代发生的人口迁移活动大部分属于贫困导致的移民。

“江西填湖广，湖广填四川”指明清时期的一次大规模移民活动。明朝建立之初，由于战乱，许多地方遭受饥荒，人民生活艰难。明太祖朱元璋时期，朝廷组织大量人口从江西境内出发，统一迁往湖南长沙地区。一时间，长江上、陆地上随处可见拖家带口赶路的移民。这一次移民被称为“江西填湖广”。到明末清初时期，由于长期受到战火、自然灾害等因素的影响，巴蜀地区生态环境遭到破坏并迅速恶化，人口急剧减少，地广人稀。为了尽快重建巴蜀地区，恢复经济、社会运转，清朝各级官府纷纷采取各种措施，鼓励人们向巴蜀地区移民，并对移民发放一定的奖励，提供优惠政策。从1671到1776年，这场移民活动长达106年。此次人口迁移活动移民数量多、时间跨度大，是我国历史上

---

① 梁福庆. 中国长江三峡工程库区生态移民思考及对策[J]. 水利学报，2007(S1)：521-525.

人口迁徙的典范。移民对迁入地的社会、文化、经济等各方面发展都产生了较为深刻的影响,为中国西南的川、渝地区人口注入了“新鲜血液”,使人口结构得以优化。

图 2-8　江西填湖广①

(2) 近现代扶贫移民

扶贫移民工程可以有效解决我国的贫困问题,极大改善人民生活条件,是扶贫开发的一个重要组成部分。自 1980 年以来,中国经济、科技、社会都在高速发展,人民的生活水平不断提高。但彼时仍然有上千万人没有解决温饱问题,生活在贫困中。在这些人口中,很大一部分都生活在中西部地区。为帮助居住在贫困地区的人口改善生存条件,尽快脱贫,国家在二十世纪八十年代初期就开始计划实施易地扶贫搬迁,在西北的陕西、内蒙古、宁夏和西南云贵的部分区域进行试点。国家对扶贫移民的经济支持不断提高,社会各界纷纷响应,投资来源不断扩大,金额也逐渐增加。从 2001 到 2015 年,扶贫搬迁活动累计接受政府 363 亿元补助。易地扶贫搬迁得到了政府及各界的大力支持,地方政府投入和其他资金成为主要资金来源。②

江西省是经济欠发达省份之一,省内许多地区地质灾害频发,生存条件恶劣,在偏远山区仍有许多村民居住生活,其生产、发展严重受阻。因此,采取各项扶贫移民措施,帮助贫困地区群体脱贫、改善经济条件是江西促进经济发展

---

① 图片来源:http://baijiahao.baidu.com/s? id=1685149912535715070&wfr=spider&for=pc

② 数据来源:檀学文.中国移民扶贫 70 年变迁研究[J].中国农村经济,2019(8):2-19.

的一个重要举措。[①] 宁都县位于江西省赣州市北部，地处赣江源头。在扶贫移民工程上，宁都县将优化人口布局、保护生态环境、统筹城乡示范区建设等与生态移民、山区扶贫搬迁等移民工作相配合，坚持完善扶贫移民工作，有效改善贫困群众的生活条件。到2012年，宁都县移民工作收尾，全县共完成移民1 967人。宁都县扶贫移民工作解决了人民贫困问题，促进了该地区的城镇化建设和经济发展。

重庆高山扶贫移民也是扶贫移民工程中一个很好的例子。由于重庆特殊的地理环境，有部分群众生活在海拔较高的高寒边远山区和危险地带，生存条件恶劣，生活贫困。2006年，基于可持续发展的目标，重庆开始走上探索高山地区扶贫搬迁的道路。2013年，重庆政府将高山生态扶贫搬迁列入首要任务清单，计划到2015年启动实施扶贫搬迁，预计对50万人口进行搬迁。[②] 重庆市将扶贫与生态保护作为双重目标，对生活在生态环境恶化、地质灾害严重地区的居民实施扶贫搬迁，采用资金扶持、土地补贴等措施，探索出了一条有效的高山生态扶贫搬迁之路，有效地推进了全市的高山扶贫搬迁工作。重庆原本生活在贫困山区的群众通过易地扶贫搬迁，告别了缺乏生产条件、劳作艰辛的山区，生活状况得到极大改善。同时，重庆山区生态环境承载压力有所缓解，搬迁地居民基本实现了脱贫致富，重庆也实现了生态保护与帮贫扶贫的双重目标。

长江移民史仿佛是一幅气韵生动的画作，长江流域移民的过程，不只是地区经济发展、人民生活改善、国家工程顺利实施的过程，也是长江文化逐渐繁盛的过程。随着地理位置、生活环境发生变化，移民群众与移入地环境融合发展，生活习惯乃至习俗也会发生一定变化，自然导致了文化的变迁、多种文化的融合发展和许多新兴文化的产生与演变。通过长江流域移民发展情况，我们可以了解长江移民文化的演变及发展历程，体会移民文化的魅力。

2.2 长江移民文化交融

文化是相对于经济、政治而言的人类全部的精神活动及其产品，是整个人类社会与历史的沉淀物。“移民”这一人类活动也产生了与其相应的移民文

---

① 郑瑞强.江西扶贫移民典型模式与关键问题[J].社会福利(理论版)，2015(7)：22-25.

② 数据来源：宋豪，何伟.生态文明视域下的扶贫搬迁效益研究——重庆高山生态扶贫搬迁的探索与实践[J].重庆行政(公共论坛)，2014(5)：22-24.

化。人口的空间流动伴随着文化的流动，移民迁出地与迁入地的文化碰撞、交融，促成了相应文化体系的形成。

不同地区的移民活动因自然地理、经济、文化等因素的差异，形成的移民文化也各有其特点。本章节立足于长江流域内的移民活动，介绍该流域独具一格的移民文化体系，即长江移民新文化。该文化体系包括移民活动初、中、后期出现的一些移民文化现象与特点，从而论证移民是复数“文化”的创造者、继承者、传播者和改造者。同时，该群体自身也具有天然的创造性、开拓性、多元性以及包容性等独特属性。

第一阶段是“恋地情结”。“恋地情结”是对土地眷恋的一种心理情结。此情结贯穿移民活动始终，有两个具体表现：其一是移民活动早期，移民对故土留恋之情最甚，由此导致的“搬不走”现象是移民工程的一大难题。其二是移民活动后期，部分移民群体受“叶落归根”传统思想的影响，形成自发返乡的“回流”现象。

第二阶段是“孤岛文化”。“孤岛文化”现象源于移民初入他文化（与自身所源自和熟悉的文化不同的文化）区时，因生产生活方式、风俗习惯的差异和“异乡人”的自我身份定位等因素而产生的疏离感。这一文化现象减缓了移民对迁入区的适应进程，扰乱了迁入区原居民的正常生活秩序，阻碍了两种文化交流与融合，总体来看，不利于移民活动后期迁入区的良性发展。但于“孤岛”群体而言，“孤岛文化”下的移民内群体关系网络能给予其物质生活的帮助和精神世界的慰藉，在某种意义上具有一定的积极作用。

第三阶段是“共建共生”。共建共生的必要条件是移民角色的转化及归属感的建立。在迁入地政府与居民的帮助与关怀下，移民成功完成“移民”到“居民”的角色转化后，对当地产生“归属感”，两种文化由此开始相融共生，“村落文化”应运而生。移民为了满足自身的物质和精神的双重需求，开始探寻自身的可持续发展，“都市景观文化”以及“旅游文化”等新兴文化逐渐发展起来。

2.2.1　恋地情结文化

恋地情结意指对身处环境的情感依附，即一个人在精神、情绪和认知上维系于某地的纽带。“恋地情结”这一词的所有权属于美国诗人 W. H. 奥登(Auden)，他于 1948 年在一篇推介英国诗人约翰·贝杰曼(John Betjeman)的作品中首次使用了这个词语[①]，表达的是一种对土地眷恋的心理情结，归属人

① 段义孚. 恋地情结[M]. 志丞，刘苏，译. 北京：商务印书馆，2018：402.

文主义地理学范畴。该领域第一部优秀的学术著作便是华人地理学家段义孚的《恋地情结》。该书对“恋地情结”进行了具体阐述。段义孚认为，地理学中“空间”（space）和“地方”（place）两个核心词的定义模糊，并非无法转换。地方本身应是封闭的——封闭使人感到安全；空间则是开放的、无边界的——空旷使人感觉到忧惧。人们对地方的依恋来自对地方的归属感和安全感。当人们长期处于一个空间，并对其越来越熟悉之后，那空间就会转变为地方。而人们在熟悉某个空间的过程中形成的区域文化体系也成为人地关系中的情感链接，这也是恋地情结形成的核心要素。①

“恋地情结”贯穿整个移民过程始终。自移民活动开始，就刻入移民群体骨髓，流淌于移民群体血液之中。该情结在整个移民活动进程中有两个典型阶段：一是移民活动初期，移民需要搬离家乡，完成与故土的分割。“恋地情结”在这一阶段表现得尤为突出。一方面，移民对故土依恋，有一种怀乡恋旧的情愫。他们在这片土地上努力生活、挥汗洒泪，辛勤地建造了美丽家园，这片土地承载了他们半辈子的酸甜苦辣与人生过往的记忆。另一方面，移民会因抛弃故土上的人、情、物而产生失落感。究其根源，这种失落感主要来自移民群体在迁出地原有的生产联系被迫割裂，生产生活方式及社交关系模式都因工程移民的推进被迫作出改变。除此，移民对陌生文化区未知生活的恐惧也使得早期移民群体的恋地情结尤为强烈。对于移民个体抑或整个群体来说，生产生活方式的建立都并非一蹴而就的，而是需要长期的经验积累与沉淀。照搬原有生产生活方式的不可行性与对未知生活的恐惧都加重了移民对移民工程的反感情绪与排斥态度。以上所述的正反双向多重阻力都不断发酵了移民群体的恋地情结。二是移民活动后期，隐藏于移民群体内心深处的思乡恋家之情呼之欲出，也成为“回流”现象不可忽视的因素之一。移民适应了移入地的生产生活方式，物质需求得到满足，开始追求精神富足与内心归属感。美国学者李（E. S. Lee）在《人口迁移理论》一文中指出，一次大规模的人口迁移往往都是时时伴随着与迁移方向相反的回流。② 大多数“回流”的原因与两地经济发展状况、生活环境和生产方式、迁入地居民不接纳等因素有关。除去客观因素外，对故地的依恋与中国传统观念中叶落归根思想的感性因素，也是“回流”现象不可忽视的推动力量。

---

① 段义孚. 恋地情结[M]. 志丞，刘苏，译. 北京：商务印书馆，2018.

② 李（E. S. Lee）. 人口迁移理论[J]. 人口学，1966.

2.2.2 孤岛自生文化

个体是文化的传承载体,不同区域的居民保留着属于本区域特有的文化记忆。移民往往伴随着文化的流动,移民的迁徙过程也是文化的流动过程,这一过程中会出现一种独特的文化现象,即"孤岛文化"。移民活动既是两个群体的相遇,也是两种文化的碰撞。移民到了陌生文化区,移民群体自身的文化与他文化发生碰撞,使其在生产、生活、习俗、文化等多方面发生巨大的改变。他们被迫接受、适应他文化以调和自身心理及两种文化的关系,处理和当地居民及其他移民的关系,发展新的生产生活方式。在这一阶段,两种文化的相处模式的主基调为冲突与磨合。同时,各地政府在移民安置问题上采取不同的方案,加之各迁入地在人文与地理等因素上存在差异,使得"孤岛文化"现象在各地表现程度不一。

(1)"孤岛文化"概念

"文化孤岛"或者"孤岛文化"是用地理学概念来形容某一群体在某一地域因与主流文化群体隔离居住而形成的定居点,其特点是社区内人口相对少、文化异于周边,如同一个孤处于汪洋大海之中的小岛。这一概念不仅指某一特定群体在地理位置上隔离于主流群体,更指其群体在文化与心理上与主流群体间存在差异隔阂。

著名社会学家、人类学家费孝通先生在《乡土中国》中说过:"很多离开老家漂流到别地方去的并不能像种子落入土中一般长成新村落,他们只能在其他已经形成的社区中设法插进去。"[①]这也解释了为什么移民群体初期不能完全融入他文化的汪洋之中,而只是像座孤岛一样漂浮其中。明代以来,迁入西南等少数民族地区的汉族人,包括贵州安顺的"屯堡人"、广西武宣的"伢人"、广西北部的"高山汉"等,他们所聚居的村寨正如身处他文化"海洋"中的一座座文化"孤岛",其区域文化体系稳定发展至今,仍保持着各自独特的传统文化和社会组织形式。

(2)"孤岛文化"成因

"孤岛文化"形成的因素众多。"孤岛文化"的内涵涉及地理位置、文化习俗及心理层面的概念,其形成因素也包括移民安置区的地理位置、生产方式及风俗习惯等客观因素和移民群体内心疏离心态等主观因素。

第一,移民安置区的地理位置是"孤岛文化"形成的最直观原因。非自愿

---

① 费孝通.乡土中国[M].北京:人民出版社,2008:90.

移民的安置大多由政府安排，一些地区政府部门考虑到移民会与当地居民产生矛盾和纠纷，便将移民集中安置在同一区域或村落，在这一区域内增加社区基础设施建设，提供生活福利支持。这种政府安置政策虽然在一定程度上能确保移民到达迁入地后的基本生活便利，但却减少了他们与本地人交流与相互适应的机会，无益于打破双方的隔阂。

第二，生产方式的改变是移民群体进入他文化区面临的重要难题。俗语有云“出门三五里，各处一乡风”。不同地域在历史背景、地理环境上的差异，使不同地区居民形成各具特色的生产生活方式，其中必然蕴含着深厚独特的文化内涵。对移民来说，从故土迁至陌生地区意味着要抛舍一家人几十年来积累的生活资产，改变原有生计方式，这也是移民融入新环境不得不考虑和解决的重要问题。只有在经济方面的适应性增强了，移民群体在新环境中才能逐渐恢复、提高生产和生活水平，慢慢融入安置区的社会生活和社会结构中去。

三峡移民工程实施后，百万移民分批移居上海、江苏、浙江、江西、湖南、湖北、广东、广西、四川、山东、河南等 11 个省(市、区)，移居各地的三峡人民都面临着重新选择营生手段以适应各自移入地的经济生活的困难。巫峡地区拥有独特的地理资源，旅游业蓬勃发展，很多居民也都依靠当地旅游业营生。重庆的美景自古以来为人称道，不少诗人也将巫峡绝美之景记于笔下，如杨炯的《巫峡》、李白的《宿巫山下》等。重庆巫山的李鸿兴一家，原从事旅游商业活动，后来移居湖北省松滋市东北部的涴市镇。[①] 涴市镇位于汉江平原，农业经济较发达，随着农业技术进步，该镇在农业的种植方式上已不再是粗放型，而是精耕农业，农业产量高；另外，这里居民分散，流动人口有限。在这种情况下，即使有移民克服重重障碍做起生意，但由于不同方言体系导致沟通困难，经营初期缺乏客源，往往是门可罗雀，收入甚微。这种收入无门的情况应该是造成移民身心难以融入移入地的直接原因。面对不同环境，李鸿兴一家人清楚地知道，要适应当地生活，就必须改变原有的生计方式，在搬来这里之前，一家人就已经做好了种地的打算。曾经是脑力劳动，如今要进行体力劳动，还要从头学习如何种地，对初入者来说实属不易。

第三，除了生产方式的改变，风俗习惯的差异也需要移民去适应与磨合，如语言、饮食习惯、礼仪习俗等。习俗是人们与环境互动、对社会认知的产物，是在长期的历史发展过程中形成的。所谓“一方水土，养一方人”，每个地方都

---

① 案例来源：张美.三峡移民的适应性研究——以湖北省松滋市涴市镇为例[D].北京：中央民族大学，2012.

有自己独特的文化和习俗。迁入者面对陌生区域文化体系，需要时间了解、接受，最终克服自己内心的陌生与疏离感。

有言道："十里不同音，百里不同俗。"移民要在迁入区当地进行正常生活，语言问题是要解决的首要问题。三峡移民群体中，大多数人说四川话，与多数迁入区语言分属不同方言体系。所以，因语言不畅导致沟通不顺，与当地居民产生隔阂与误会，给移民的生活带来极大不便，甚至引发一系列相关难题，如移民子女教育问题。不少移民子女到移入地之后，学习成绩严重下滑。这与有些山村地区老师依然使用方言授课的现象密不可分。此外，同龄人在校内经常使用方言进行交流，移民子女难以融入校园生活，难免形成自卑孤僻的性格。有些地方会出现一些"方言"优势，比如买菜时说普通话的会比说方言的菜价贵。语言差异给移民带来难以融入新环境的困境，很大程度上造成移民群聚。

民以食为天。不同地区和民族根据不同气候环境、民俗习惯，发展形成各具特色的饮食文化。我国在饮食特点上历来就有"南甜、北咸、东辣、西酸""南水稻，北小麦"等各种各样的说法，也有"八大菜系""十大菜系"之分。

此外，出生、婚姻、丧葬等人生礼仪习俗也存在不同差异。中国不同地区的入葬方式存在差异。重庆三峡地区的入葬风俗普遍采用"土葬"的方式，但到了江苏地区，"火葬"成为移民需要接受的仅有的入葬途径。办出生、婚姻这一类喜事的习俗，在不同地区也存在差异。在重庆农村地区，当事家庭无须发放请柬，街坊四邻和亲朋好友会主动前来表达祝贺之意；而在江苏地区则不同，主家需要事先散发请柬，而没有收到请柬的人就不会主动前去祝贺。这些风俗习惯的差异也是"孤岛文化"现象形成的又一因素。

移民内心对迁入地的疏离心态是促成孤岛文化形成的重要主观因素。移民初入他文化区，无论在生产生活方式、风俗习惯还是人际相处方面，都会与当地居民群体存在较大差异，由此产生陌生感。这种陌生疏离心态使移民身处他文化中，却固守自身文化，不与周边文化交流。这种与本地居民的疏离与隔阂之态，也让移民们在故土的号召与移民的身份下更加团结，惺惺相惜。以前只是打过照面的"老乡"在他乡也变得亲密无间，在彼此有困难的时候，也会伸出援手，移民身份与故土文化习俗将身处同种境地的移民紧紧地联系在一起。

(3)"孤岛文化"影响

移民迁入他文化区后，自身疏离感等主观因素及生产生活、风俗习惯等多种客观因素共同促成"孤岛文化"现象。这种自我封闭的"孤岛文化"现象无疑会阻碍移民团体对迁入地生活的适应与融入进程，使其更加难以融入迁入地社会公共生活，阻碍两种文化交流，陷入“不愿交流”与“无法交流”的恶性循环。

“孤岛文化”现象不仅对移民适应性活动产生延缓作用，其引发的次生现象对当地居民的正常生活秩序也产生消极影响，如“移民的非正式内群体”。根据社会学中的内群体和外群体理论，内群体成员间天然具有相互爱护、体谅与同情的情操，而内群体成员对于外群体及其成员普遍报有怀疑和偏见等负面态度。① 据此，“孤岛”团体的社会网络关系也可分为移民群体间的非正式内群体网络和以非移民群体(包括迁入区居民与当地政府人员)为主的外群体网络。当群体个体或整个移民群体面临问题时，则可能采取激进的、非理性的群体行为，该群体的过激行为主要表现为聚众闹事、恶意破坏治安。一些移民因为怕群体内部的挤压和排斥，也不得不参与其中。移民中的“内外群体的社会网络关系”严重影响迁入地的社区稳定与和谐，给当地居民的正常生活带来困扰。

同时，“孤岛文化”伴随着一定的文化冲突。人口流动不可避免地伴随着文化的流动，是文化碰撞的前提。而个体作为不同文化的承载主体，在人口流动过程中发生接触，在生计、资源等动力因素的驱动下，引发不同文化间的碰撞，即文化冲突。在移民活动中，外来移民与迁入地原居民在认同、竞争和行为规范方面的冲突都是文化冲突的具体表现。从文化发展规律来看，文化冲突是文化融合的先决条件。所以，在移民社会中，不同文化主体相互接触、碰撞，随后在主体利益推动下产生文化冲突，是一种司空见惯的文化现象。②

虽然“孤岛文化”这一文化现象会对移民群体、当地居民及两种文化的和谐共生产生消极影响，但从“孤岛”群体自身角度来看，这一内群体网络为移民个体提供精神支持。移民从熟悉的环境来到陌生地，生活孤立无援，内心孤独无依。而有着相同文化背景、来自同一故乡的人之间有着天然深厚的乡情。在生产生活中遇到困难之际，“孤岛”群体间互通有无，互帮互助，能够缓解移民在陌生地的不安焦虑，增加迁入区内移民个体的归属感和安全感，而“孤岛”群体的内部关系也成为移民重要的社会支持网络。

社会公共生活融入程度是衡量移民迁入地融入情况的一大标准。要消减“孤岛文化”对整个移民活动的负面影响，就要提高移民融入迁入地社会公共

---

① 郑杭生.社会学概论新修(第三版)[M].北京：中国人民大学出版社，2003：150.

② 莫代山，王希辉.改土归流后武陵民族地区移民的文化冲突与调控[J].三峡大学学报(人文社会科学版)，2020，42(3)：34-39.

生活的程度，主要体现在以下两点。

第一，移民政治生活与村民自治参与程度。作为“新居民”，参与当地政治生活能保证移民在迁入地的权益，是其在新环境中反映其生活困难、寻求帮助的有效途径，关系到移民自身的安居乐业及迁入地当地基层政治体系的完善与建设。

第二，移民社会关系建立状况。社会关系的建立是社会个体发展的必要条件。个人在日常生活中遇到困难与危机时，个体的社会关系都是其破解危机、维持正常生活状态的保障。除此之外，社会支持网络在一定程度上调节个体与集体的利益冲突，从而促进社会的稳定发展。

因此，迁入地政府可以从政治生活参与度和移民社会关系的建立两方面着手，出台相关帮扶政策以提高移民群体的社会公共生活融入程度，缓解“孤岛文化”给迁入区治安稳定带来的影响。

2.2.3　共生共建文化

(1) 移民角色转换和归属感

移民身份的转换是迁入地文化与居民“共建共生”的前提。移民从迁出地搬至迁入地，随着所处空间的转换，其社会属性、自我角色定位也发生转变，从原居地“主人”的社会角色转换至迁入地“异乡人”的角色。而移民身份实现由“异乡人”到迁入地“村民”转换的时刻，才是移民群体与当地居民共同创建美好家园的开始。依据角色理论的四个阶段可知，角色认知是前提，角色服从是被动接受，角色内化是关键。因此，只有经过内化的角色行为才具有稳定、持续的特性。基于该理论，在移民进程中，移民个体只有实现从“移民”角色到“村民”角色的真正转换，才能指导其对安置地“共建共生”的角色行为。

非自愿移民由政府主导的性质，决定了各地政府牵头的众多安抚支持措施在移民角色转换、归属感产生过程中意义重大。移民在适应新环境时对政府产生信任与依赖，这种信任与依赖让政府成为移民和当地人之间的“桥梁”。首先，一些安置地政府通过建立移民社会网络关系来提升移民群体对安置区的归属感，如在生产生活方面，在村干部的牵头下，居民与移民形成“一对一”或“多对一”帮扶小组。当地居民传授给移民当地的生产技术，作为其“生活向导”，在各个方面帮他们牵线搭桥，使他们逐渐融入当地生活。[①] 在两个群体相

---

① 王善坤. 三峡外迁移民社会融入问题研究——以江苏为例[D]. 南京：南京师范大学，2006：35.

处过程中，移民身上热情淳朴的性格特点也为当地居民所喜爱，他们生活处境的不易也得到当地居民的体恤。移民和居民之间逐渐形成了一定的社会互动关系，个体重新建立起社会支持网络。

除此之外，安置地政府也落实了移民帮扶政策。当地建立健全移民民情沟通渠道以便移民反映、解决生活困难，鼓励支持移民参与政治生活和村民自治以加速融入当地生活，推动移民自身角色定位的转变。

移民归属感主要表现在心理认同和行为倾向两个方面。迁入区居民的态度在很大程度上决定移民对当地的初印象与心理认同度，是移民归属感的一大方面。心理认同进而引导移民行为倾向。移民在受到当地居民的热情帮助后，也做出一系列友善反馈以示感谢，从而提升移民归属感。移民在与当地居民一来二往的日常交往中，增加了对当地的心理认同，进而显现出相应的行为倾向。但是不可否认，在移民初入他文化区时，在移民与迁入地居民双方的关系天平中，迁入地居民毋庸置疑拥有着更多的关系优势，在双方关系中起主导作用。移民作为关系弱势方，更多的是被动接受帮助的一方。

（2）村落文化

我国著名学者费孝通先生曾说，“中国社会是乡土性的”，而“中国乡土社区的单位是村落”。[①] 村落是农民基本的生活空间，是乡土中国最基本的组成单位。村落空间不仅是维持当地村民群体内部经济联系的地理环境，还是村民语言文化、价值观念、风俗习惯、社会心理等共同意识形成和发展的人文环境。

村落文化是在当前中国农村地区存在的具有自身特色的文化形态。这一文化体系是由具有本土特色的风俗人情、礼仪习惯等构成的传统。李银河将其概括为“村落中的一套行为规范及价值观念”。[②] 村落文化不仅是民族风尚的根系命脉，其中也蕴含丰富的民族文化精华[③]，中华民族的传统美德也浸透其中。由此可见，村落文化是村落这一聚居空间能够稳定存在、村民群体能够生存和发展的关键。

“村落文化”是移民适应性进程后期形成的一种独具特色的文化形式，是移民群体本文化与迁入地异文化两个文化系统相互融合发展而成的文化产物。这种村落文化特色鲜明，承载着当地居民的精神观念、审美情趣、生产生

① 费孝通. 乡土中国[M]. 北京：人民出版社，2015：1-5.

② 李银河. 论村落文化[J]. 中国社会科学，1993(5)：59-70.

③ 卢荣轩，童辉波. 试论村落文化的基本特征及历史性变革[J]. 社会主义研究，1993(1)：58-61.

活等。这种村落文化经过长期文化传承，成为一种文化符号。很多村落因其独特的地域民族文化特色引得国内外游客纷至沓来，感受村落文化的独特魅力，这些村落也因此逐渐走上旅游产业的发展道路，不仅带动了当地经济的发展，也使当地居民享受到旅游产业发展红利，生活质量也因此得到极大改善。

“村落文化”大都有着深厚的文化底蕴，当地居民作为本土村落文化的传承载体，一代一代将其传承至今。古话有云：“三里不同俗，十里改规矩。”每个地方的村落群都有其自身风格特点，正如苏北村落正统庄严、俊秀高雅，而皖南村落的建筑风格因当地居民因地制宜而灵活多变。2000 年，联合国相关组织将西递村和宏村列入世界文化遗产名录，百年村落文化由此得以保存。不知这些民居的后人有没有想到，正是他们对家园的热爱和对传统生活方式的坚守，才让其家乡文化得以维系发展。

(3) “村落文化”遗产保护及可持续发展

在“村落”这一独特空间内，文化遗产保护和可持续发展在“村落文化”发展中的地位举足轻重。村落内文化遗产资源的合理开发利用有利于促进文化区整体性可持续发展。遗产保护的具体原则为：以文化为主要依托，合理开发、利用、发展旅游资源，发展文化创意等相关可持续发展产业，坚持经济与村落文化空间内环境可持续发展双向并行。据此，村落文化体系建设可以从以下四个方面着手。

第一，自然遗产保护与利用体系。在当地政府主导下，制定相关保护政策措施对村落空间内的自然遗产资源进行保护，在开发部分旅游资源的同时考虑当地生态承载力范围，实现保护与开发并行，在促进村落内经济发展的同时，确保生态平衡，实现“村落文化区域内金山银山与绿水青山一应俱有”的理想目标。

第二，物质文化遗产保护与利用体系。物质文化遗产保护与利用的具体内容包括以下几个方面：地下埋藏文物抢救性考古发掘、地面文化遗产保护与利用、大遗址的保护与利用等。一些村落历史悠久，文化资源丰富，保留了大量珍贵的物质文化遗产。当地可根据发掘的物质文化遗产进行开发，建设一批文物迁建区和博物馆，对公众开放供其参观。同时，也可增强当地村落文化的影响力和凝聚力，使其不断深入人心。

第三，非物质文化遗产保护与利用体系。非物质文化遗产的保护与开发一直都是文化传承工作中的重要一环。对于村落文化中的非物质文化资源，要坚持“保护优先、适度开发、传承发展”的基本准则，将空间文化体系中的非物质文化遗产资源纳入文物保护的工作范畴。

第四，公共文化服务体系。一些地区对文化基础设施进行了全面建设，以当地民俗文化为主题建设当地公共文化场所与文化服务设施，如民俗图书馆、民俗博物馆及文化馆等，使公共文化服务体系基本上能覆盖全区。

这四种体系建设自成系统又互为补充，共同形成合力，为村落文化核心竞争力和可持续发展力提供强大的精神动力和文化支撑。

以上为长江移民文化中恋地情结文化、孤岛自生文化和共生共建文化三个移民进程中特有的文化特点。从文化的互通性特点来看，对其他地区移民文化的发展也同样具有借鉴意义。

2.3　中外移民文化对比

在全球化背景下，长江流域移民舍小家、顾大家，坚守家国情怀，弘扬长江文化，谱写出时代的移民之歌。本章节基于长江文化中的移民文化视角，以国内外具有代表性的移民文学作品为依托，进行中外移民文化的对比研究，旨在挖掘不同国家或地区移民文化的特征，总结出长江移民文化的新元素和特质。

2.3.1　移民文化内涵对比

文化内涵是指一个群体在一定时期内形成的相对固定的思想理念、行为方式、风俗习惯等，这些相对固定的群体整体意识反映了这一群体的价值取向与精神内核。移民文化内涵是指移民群体文化的流动、融合、积累、碰撞所产生的特殊的文化圈层，体现了文化流动的特质。中外移民文化内涵的差异主要体现在以下两个方面。

(1) 移民文化的起源

中外移民文化的起源有着本质的不同。长江以其得天独厚的地理和自然条件，孕育了良渚文化、河姆渡文化、新石器文化等多种文明，是中华文明长河中的璀璨明珠。长江流域范围内的移民活动使该流域形成特定的移民文化。长江移民文化的构建过程反映了文化的融合与包容。来自不同地区的移民聚集在这里，最终在长江流域形成多种不同的移民文化。长江流域的移民促进了迁入地、迁出地不同文化的碰撞与融合，唤醒了不同群体的文化基因，从而催生出新的文化形态。来自不同文化背景的移民不断弱化流域内部的边界壁垒，赋予了移民文化开放、包容的特征。

长江流域移民文化的构建基于中华文化的深厚影响，是长江流域移民物质文化和精神文化的总和。自古以来，长江流域的移民活动有效地促进了经济生产方式、生活方式、语言习惯、政治文化的交流与变革。正是因为长江移民的文化根源，其文化内涵才是兼容、创新、开放的。长江社会经济的包容性是长江移民文化发展的土壤，对长江移民文化产生了深刻的影响。

国外流域移民文化主要是在特定时空背景下，移民基于不同社会文化的互动和谈判而形成的多元性文化。他们对共享的情感和知识进行分类，进而实现了我者和他者的生产和转换。国外流域移民往往以共同的地域特色语言为情感纽带，形成对新家园的依赖和信任。

聂华苓与虹影都是典型的长江之子，都出生于中国长江沿岸的主要城市。在电影纪录片《三生三世聂华苓》中，聂华苓说道，刚搬去爱荷华家的时候，在书房就能看到河流。她说自己的生活并不是那么顺的，但这一切都跟"外"字有关，这个"外"字反映了这个独特的移民群体在社会结构中的边缘化和他者化。他们往往有自己独特的想法，生活在自己封闭的世界里。

虹影给女儿讲述中国、长江、重庆和她自己的故事，使长江的故事代代相传，具有继承性。她将长江逸事融入青少年儿童读物中，其在少儿奇幻文学小说《奥当女孩》中，将现实与长江巫文化发展相结合，故事的主人公桑桑即以长江为起点，开启了奇幻的世界之旅。其儿童文学代表性读物《米米朵拉》也反映了其深受长江流域巫文化的熏陶和影响。小说中还体现了重庆的立体感、长江文化的空间感，"它是一个变形的，膨胀的，超现实主义的重庆"。和聂华苓相比，虹影的长江元素是更温和的、暖色调的，正如她的名字一样，是彩虹色的。虹影不忘母亲之河——长江的养育之恩，已经与自己进行和解，与重庆和解。长江的叙事能力与神奇力量，展现了虹影自身与长江的内在互动。

(2) 移民文化的发展

大多数中国本土作家关注长江移民，特别是工程移民。工程移民是被裹挟着进入城市化和现代化进程的人群，其与土地的疏离不可避免地成为移民文化中一个时常出现的话题或主题。当自然与城市遭遇梦幻与现实的碰撞，移民本身就是最佳选择。他们不断地在新的地区续写新的故事，创造新的传说，探索新的文化，表达新的情感，赞美新的自然。长江岸边的汽笛声、号子声、轮渡和索道、老纤夫和老船工等长江元素，乃是精神表达的重要载体。

更重要的是，长江元素等记忆符号是移民文化标识，长江是作家怀念故乡的载体。"原乡"是对祖籍地的称呼，是移民原初的栖息地。在饱含历史文化厚重感和岁月沧桑感的移民的原乡里，可以触及远去的历史，可以找寻自我的来由，这些都是精神文明传承的价值符号。原乡记忆可以唤醒质朴的乡土文化、浓郁的地方风情以及醇厚的民间风物。移民文化通过故事的叙述、情感的隐喻弥合在历史空间与现实环境中。① 原乡的意义正是这种情感归属的真实存在。文字中的原乡符号，是时代的遗迹、祖籍的象征、家园的形象。真正代表原乡的符号，沿先民迁徙的足迹追溯尘封的历史，再现遥远的记忆、美丽的传说、动人的故事。

国外移民文化的融合与发展程度较低。非裔民众从南方的自然中逃向城市，却又遭受北方城市自然的敌对与拒斥。他们身处无所归依的境地，要求得生存唯有两个选择：一是从狭小的物质空间遁入想象世界；二是通过反叛来打破这种自然的桎梏。移民在其中找寻属于自己的生命状态，他们身上所带的不同特性使得他们充当着文化的承载者和诠释者，但其传播者的角色却并不鲜明。他们的文化展现出物质世界与精神世界交融的形态。

2.3.2　移民文化外延对比

本节所要描写的作家或者作品中的人物都是从国外“移进来”，来到长江流域，来进行文学书写的。一“进”一“出”其实使长江移民抛开了单向性的特点，逐渐变得更加全面和立体，构成了长江文化中“双向移民”的特征。

彼得·海斯勒，美国记者，著有中国纪实三部曲。其代表作《江城》描述了海斯勒从1996年8月到1998年6月近两年间作为“美国和平队”的志愿者在涪陵支教期间的所见、所闻及所感。

涪陵，长江边的小城，是重庆市辖区之一，地处重庆市中部、三峡库区腹地。因此，海斯勒来到中国，短暂地生活在长江之地，并非真正意义上的移民，却与长江有着不解之缘。《江城》中的第十一章以“长江”为小标题，书写了关于长江的经典传统元素，如长江航运的便捷、旅游景观三峡风光、浅水湾玩乐和嬉戏，岸边依稀可辨的砂石梁子、无篷的小艇，以及航标的灯塔，还有不同类型的长江船只：大型客轮、水翼飞船、打鱼船等。

海斯勒在涪陵是作为一个观察者，但他同时也生活在其中。《江城》一书恰如其分地表达了移民者的多身份、多角色。移民初期，他们所具备的旁观者身份大于当局者，慢慢地，度过了适应期，来到了融入期之后，他们所具备的当局者身份往往大于旁观者。所以，在移民过程中，他们身份转向的同时可能也

① 原乡何为？——移民文化的“历史场景”和“乡怀情境”[J].中国民族建筑，2017(168)：35-39.

意味着他们自身的文化等非物质层面的转变和升华。这与“当局者迷，旁观者清”的观点并不相符，因为融入者的身份体会到的往往可能比观察者更真实、更贴合、更身临其境，所以应是“当局者与旁观者皆清”。

关于移民的作品不仅呈现事件，它一定还指向历史和人性。移居者的故事总是有着丰富的阐释维度，如文化、性别、宗教、战争等，而这正是因为人本身的复杂性。海斯勒在小说中说道，“在那里的两年生活经历是一种重生：它把我变成了一个全新的人”①。小说充分体现了长江文化中的生命意义——世界中需要它的人，它都能赋予其生命的力量，给予其对生命价值的思考。

海斯勒在小说中去搜寻多种面目、多种姿态、多种性格的长江，比如“这里的长江气势磅礴”②和静谧的长江的不同之处。小说中提道：“‘中华号’驶向岸边，鸣着汽笛，一点点地靠近码头。轮船缓缓向南，慢慢地驶出了主航道。终于，轮船摆脱了长江水流的巨大牵掣，靠岸了。”其实，海斯勒自己也在航行途中上岸了，在涪陵得到了属于自己的新生。海斯勒后来还专门取了一个中文名字：何伟。这也是他个人对当地产生身份认同的象征。③

海斯勒从某种意义上印证了宗白华关于比较文学的观点：“立足中国，返本开新。”他的小说中并没有体现西方作家描写中国时经常出现的文化休克(Cultural Shock)。文化休克是指在新的文化环境中，一个人固有的看待事物的方式所受到的冲击。④ 海斯勒对长江文化的适应，其实从一定程度上反映了长江文化的被接受性与接受性，以及易适应性。

约翰·赫西，中文名韩约翰，1914 年出生于天津，十岁时随父母返回美国，著有三部与中国相关的长篇小说：《孤石》、《白莲》和《召唤》。赫西 1939 年被派往《时代》杂志的重庆分部，在重庆的生活使他对长江流域的人与景有了更具体化的认知。

当代法国哲学家勒维纳斯特别强调他者的重要性，他注重他者视角，从他者出发，关注他者最为模糊的那一面。由于长江文化的特殊性，长江元素对于别国就是比较新鲜的事物，是他者较为不明晰和陌生的地方。

彼得·海斯勒和约翰·赫西都恰好提供了一种与西方传统不同的看待中

---

① 彼得·海斯勒. 江城[M]. 李雪顺，译. 上海：上海译文出版社，2012：3.

② 彼得·海斯勒. 江城[M]. 李雪顺，译. 上海：上海译文出版社，2012：3.

③ 钱珊珊. 从空间理论分析《江城》中何伟的身份认同定位[J]. 教育教学论坛，2017(14)：79-80.

④ 庄华妮，周杏英. 外国人在中国的跨文化适应策略研究——以 Peter Hessler 的《江城》为例[J]. 海外英语，2013(7)：217-219.

国文化的方式，这是一种全面的、生态的视角，一种把基本的价值放在存在的整体性的视角，即文化平等的视角。他们丢弃了西方人的固化和刻板化印象，来书写具有和谐而平等的关系网和关系链的长江文化。

同时，他们也汲取着长江文化给予的“移民文化补给”。移民迁移不仅仅是居住的地理位置的改变，更是一种社会文化的如蒲公英似的播种。纵观历史，影响移民文化生命力的重要因素是其能否得到同质文化的持续补给，因此，并非所有的移民文化都能在迁入地存续与发展。研究发现，“移民文化补给”的方式主要有移民文化圈的辐射、迁入地主动引入、迁出地人口再迁移等，这些方式增强了移民文化的生命力，使之独立于迁入地主流文化或者发展成为迁入地的主流文化。

移民精神是移民文化的重要组成部分，它在移民搬迁和安居过程中形成，体现着移民者强烈的人文精神，是移民地区宝贵的精神财富。在中国，三峡移民精神是移民精神的突出代表，它发源于三峡大坝工程建设。长江连接东西，隔着南北，东流入海，形成一片广阔肥沃的冲积平原，吸引着大江南北的人们移民至此生存发展。而三峡，位于长江的上游地带，沿途两岸青山相对，山高而险峻。奔流的长江从此经过，水流湍急。由于长江的流量随降水发生变化，夏秋多，冬春少，每到夏汛来临，洪涝灾害时常发生。在近代社会，由于人口的不断激增，水患成了制约经济社会发展和人民安居乐业的重要因素。因此在20世纪末，中国政府决定实施三峡工程建设。而三峡地区的群众为支持国家行动背井离乡迁移到新的地区，并在生活安定后默默地为当地经济发展作出贡献。这种精神充分展现了中华儿女在国家重大行动中舍己为国、善于合作和敢于与困难作斗争等精神。

在美国，西进运动(Westward Movement)则是国家为开发西部，鼓励人民拓荒的一项长期的重大历史事件。美国西部曾经是一片荒无人烟的不毛之地，庄稼难以生长。在政府政策的鼓励之下，美国人民以及其他国家移民纷纷来到西部进行长期拓荒和工农业建设，西部面貌焕然一新。农业实现了机械化，小麦和棉花成了主要的经济作物，而丰富的矿藏又促进了工业繁荣，人文环境趋于自由而平等。西进运动过程中来自四面八方的移民展现了自强不息、互帮互助、追求平等的品质，逐渐形成了西部地区独特的移民精神和文化，也成为美国精神的重要内涵之一。本部分将中国三峡移民精神和美国西进运动移民精神进行对比，展现两国在不同文化氛围和历史情况下移民精神的差异。

首先，中国三峡移民精神与美国西进运动移民精神形成的背景是不同的。

三峡移民源于水利工程建设需要，是以经济社会发展和人民安居乐业为目的的，也充分考虑了移民的需要。而美国西进运动是美国扩张领土的运动，具有侵略性，过程中伴随着政府和军队对印第安人的血腥屠杀。

中美两国尽管历史和文化习俗不尽相同，但是单就参与建设的移民来看，其展现出来的精神风貌却有一些相似的特点。两国移民都是背井离乡，在新的土地上扎根生存。这需要移民者有强大的恒心和意志力来克服难以预料的困难，也需要有善于合作、独立自主的品质。历史是由无数的人民群众创造出来的，两国人民在移民过程中展现的人文精神，成为一道亮丽的风景。

三峡移民精神发源于三峡移民区，它继承了三峡地区传统的文化特色，又融合了时代精神。三峡儿女向来以吃苦能干、热情豪迈著称，他们将这样的品格带入了这场声势浩大的国家行动中。同时，三峡建设时期也是改革开放时期，它给人们带来了更多的机遇和挑战，激发了移民群众的奋斗意志和创业精神。它饱含了三峡儿女与全国各族人民共同创建美好生活的向往，展现了中华民族敢于创造美好未来的时代精神。① 三峡移民精神集中概括了库区人民为支持大坝建设所展现的精神，主要包括舍己为国的高尚品格、善于合作的互助精神和敢于尝试的创新精神。

第一，舍己为国的高尚品格是中华民族光荣的历史传统，始终贯穿于中华民族发展的始终，维系着整个民族的前途和命运。历史上就有杜甫“丈夫誓许国，愤惋复何有”和屈原“身既死兮神以灵，魂魄毅兮为鬼雄”的家国情怀。当三峡工程的决定公布以后，为了保证三峡工程的顺利实施，库区人民纷纷响应国家号召，整理好家当，举家搬迁，艰苦创业。他们在异乡支持当地经济建设，个人利益服从集体利益。

第二，善于合作的互助精神是一个国家软实力的重要体现，体现一个国家良好的人文氛围，在我国也是社会主义核心价值观的重要体现。在库区移民响应国家号召进行搬迁和重建家园的过程中，唯有移民之间互帮互助，团结协作，才能完成百万移民的伟大壮举。涓涓细流汇成江河，移民们万众一心，共同为三峡建设传递更多的希望。

第三，敢于尝试的创新精神是中华民族的优良品德，也是中华民族伟大复兴的强大思想动力。在三峡库区建设和移民安置的过程中，移民们坚定重建家园的信念，干部们坚守历史使命，不惧困难，披荆斩棘，涌现了许多可歌可泣

---

① 唐世刚，徐承英，周巧丽.浅析三峡移民精神在和谐移民社区构建中的作用[J].牡丹江教育学院学报，2012(3)：170-171.

的艰苦创业故事，实现了移民群众安居乐业的阶段性目标。

在美国西进运动时期，许多人带着对财富和成功的渴望来到西部进行拓荒运动。在扎根西部的过程中，他们遇到了难以预料的生存险境。唯有乐观自信、艰苦创业，才能在这片广阔的土地上扎根生存。久而久之，这里形成了独特的风土人情，孕育了“美国精神”。这样的精神既是美利坚民族对欧洲文化的继承，也是美国西部独特的地理环境和人文氛围的产物。这样的“美国精神”有着勇往直前、百折不挠，乐观向上、相信未来，互帮互助、团结一心，个人至上、独立自主等内涵。这种精神在西部拓荒的过程中得到了充分的体现，发挥了不可估量的作用，有力地促进了美国西部地区建设和经济发展。

第一，勤劳勇敢、自强不息的优良品格使得移民们得以在美国西部土地上大展身手，化荒芜为沃土。很多移民家庭来自遥远的欧洲北部，到达美国西部时财富已经所剩无几。同时，因当时西部尚未得到开发，自然条件恶劣，常有庄稼和田地遭遇霜雪的袭击。雪上加霜的是，当时铁路线稀少，难以给移民提供必要的农作工具，所以很多工具需要手工制作。然而这些困难却磨炼了移民艰苦拓荒的意志，他们只有勤恳劳作，才能在这片土地上生存下去，唯有自强，才能在这片大草原上开拓出美丽的新家园。

第二，乐观向上、相信未来的人生态度使得整个美利坚民族生机勃勃，充满朝气。移民们相信一切困难都可以克服，所以在失败、贫困面前绝不气馁。人们到达目的地需要越过阿巴拉契亚山脉、内华达山脉和落基山脉等，路途艰辛遥远，目的地没有遍地黄金，只有大片荒野。但是，他们相信贫瘠荒野可以变成千里沃野，零散的村庄可以变成繁荣的城市。正是这样乐观的精神，指引着移民们愈挫愈勇，最终成功开发西部。

第三，个人至上、独立自主的价值取向使得移民们敢于追求独立、民主和平等，善于合作。个人主义是美国人固有的思想观念。美国著名历史学家特纳在他的著名论文《边疆在美国历史上的重要性》中阐述了这样的观点：边疆的条件使居住在那里的人们创造了一种强烈的个人主义观念。① 基于这样的观念，他们认为出身的贵贱并不重要，即使身份低微，人和人之间也是平等的。同时，私人的空间和财产是神圣不可侵犯的。由于生活条件的艰苦，人与人需要互相帮助才能更好地应对生活中的困难，因此这里的人们形成了善于交际和合作的性格特点。这些特点都有利于当地商业贸易的发展。

---

① 高芳英．西部开发与美国精神[J]．史林，2001(3)：93-97.

2.3.3 移民文化作品对比

华裔作家的文学书写无论是在空间层面上形成的跨地景观，还是在身份与文化层面上形成的认同困境，最终指向的仍然是华裔移民群体内在的心理结构。华裔群体当下是何种心理体验，这种心理体验同社会的特性与整体的社会心理有何关联，成为华裔作家作品中内在的文化追问。[①]

《桑青与桃红》是聂华苓的长篇小说，被誉为“一支浪子的悲歌，一部悲壮的史诗”。《桑青与桃红》中的同一女主人公在不同时期有两个名字：桑青和桃红。故事发生在1945年至1970年。这本小说共有四部。桑青与桃红身份的转变出现在小说的第四部中，由于国内局势动荡，桑青逃往美国，变成了“桃红”，却处处被美国移民局追缉。主人公改变姓名之后说道：“你不认识我，我可认识你。我们只是借住在一个身子里。”这其实也引申出了移民华裔作家的双重身份，可能是她们自己都未意识到的另一种身份。

图2-9 《桑青与桃红》[②]

---

① 李晓红，鲍士将. 何以为家：新世纪以来台湾新移民的影像呈现与文化建构[J]. 台湾研究集刊，2019(6)：102-108.

② 图片来源：https://img3.doubanio.com/view/subject/l/public/s29433961.jpg.

《孔雀的叫喊》是虹影的代表作。在作品中，虹影似乎寻到了新的自己，找到了我们人性最真实的面貌。《孔雀的叫喊》中的背景就是长江三峡水利枢纽工程。虹影曾说过，三峡的每一个变化，或者从那里来的人，他们谈的每一件事情，都会在我心里有那种感应。所以我没法不关心那个地方。小说中的人物陈阿姨，她说道："你从哪里来，还会回哪里去。我们一辈子在良县，死了也留在这里。"从这里可以看出，在小说人物眼里，甚至在虹影眼里，工程移民只是搬几小步而已，侧面反映出人们深切的根植于土地的情怀。《孔雀的叫喊》这本小说的书名也是一个双关语，曾有一种孔雀灯，是三峡文物，现在流落海外。其实，在一定程度上，虹影就是这盏孔雀灯，但又不是，因为她比孔雀灯幸运，她找到了她心中最终的归属。

图 2-10 《孔雀的叫喊》①

《孤石》是一面双面镜，它映射着长江的种种气息，也反射出赫西本人对于长江元素的想象与思考。《孤石》在一定程度上确实存在异域情调。《孤石》是赫西的第一部中国题材小说，凝聚了他战时在长江流域采访的印象和心得。小说《孤石》描写了一个年轻的美国水利工程师（小说中的主人公

① 图片来源：https://baike.baidu.com/itom/孔雀的叫喊/6138390.

“我”)受其公司委派，到中国实地考察在长江筑坝建造水电站的可能性，并为大坝选址。在这期间，“我”遇到了很多“意外”，但也在这些冲击中不断邂逅长江上的逸闻和元素：堤坝、歌谣、号子和民间传说，充分体现了浪漫化的长江形象生产。

图 2-11 《孤石》[①]

彭小琴的作品《雀尕飞》是一曲三峡移民的赞歌。小说以三峡红叶村村主任养女韩路的人生经历为主线，讲述了三峡移民支持三峡大坝建设的往事，歌颂了移民们勇于克服困难、互帮互助的美好精神品质。这些品质包括以下几个方面。

第一，舍己为国的高尚品格。《雀尕飞》是一部可歌可泣的移民题材小说，塑造了以韩路、李土根、陈春花为代表的勤劳勇敢的三峡移民形象，将他们的人生故事娓娓道来。他们从落后的三峡红叶村走出，跟随移民的大部队走进城市生活。

第二，善于合作的互助精神。在《雀尕飞》中，热心的钢铁厂厂长孙厚德看到女主韩路的女儿多多失去了语言能力，而他们家的经济情况难以支持多多上学，便帮忙联系了一所学校并减免了多多一年的学费，又借钱给土根买电

① 图片来源：https://img9.doubanio.com/view/subject/l/public/s29675495.jpg.

摩送货以补贴家用。由于多了一份收入，土根和韩路夫妻得以支付多多的学费。

图 2-12 《雀尕飞》①

第三，敢于尝试的创新精神。《雀尕飞》中李土根和陈春花是三峡移民的典型代表，当三峡工程开始动工时，土根的父母和奶奶不愿意离开这片世世代代生存的土地，土根为响应国家的号召和支持三峡工程建设，背井离乡数十载。陈春花则是新时代有开拓精神、敢闯敢干的移民女性形象。

人无精神不立，国无精神不强，三峡大坝建设事关国家富强、民族复兴。三峡沿岸的人民群众对于三峡工程的支持，以及艰苦创业的精神，为三峡地区经济复苏注入了强大动力。当前移民社区的文化建设正处于转型阶段，须重新审视并挖掘三峡精神的人文价值。通过充分宣传三峡移民精神，让群众了解那些岁月里的动人故事，提高群众对三峡建设的理解；同时，也要在移民中弘扬三峡移民精神，提高移民在社区建设中的主人翁意识，调动居民建设美好和谐社会的积极性。这有利于社会稳定和和谐，也为建设社会主义现代化国家注入强大的思想动力。

---

① 图片来源：https://img1.doubanio.com/view/subject/l/public/s30015560.jpg.

图 2-13　移民搬迁[①]

图 2-14　三峡地区新面貌[②]

国外的移民小说则更多地反映了移民的拓荒精神。《我的安东妮亚》是美国女性主义作家薇拉·凯瑟所著的移民拓荒小说。小说描写了美国西进运动时期从欧洲大陆来的移民在内布拉斯加大草原上与严峻的自然环境作斗争的故事，描述了他们把荒原变成家园的经历。作者用细腻的现实主义笔调描绘粗犷的草原环境和朴素的日常生活，故事情节真实而动人。通过对早期移民

① 图片来源：http://hk.crntt.com.

② 图片来源：http://www.ngchina.com.cn/index.php? m=content&c=index&a=show&catid=530&id=136848.

艰难生活的刻画和移民者不屈不挠精神的呈现，作者赞美了以安东妮亚为代表的女性移民敢于拼搏、独立自强的拓荒精神，整篇小说洋溢着作者女性主义的思想观点。

图 2-15 《我的安东妮亚》[①]

第一，勤劳勇敢是西进运动移民者在西部扎根的最重要的精神品质。在《我的安东妮亚》中，薇拉·凯瑟塑造了以波希米亚移民安东妮亚为代表的女性拓荒者形象，她在西部大草原上拓荒，为自己和家人顽强地与自然作斗争。安东妮亚在少女时代跟随家人从遥远的中欧波希米亚平原跨越大洋和山脉，来到内布拉斯加大草原寻找更好的生活。她是一个敏锐、聪慧、独立的女性。在她的家庭刚刚移民到西部乡村时，他们和镇上的其他居民之间存在着语言障碍，并且作为异乡人，在购买生活必需品时付了更高的价格。更糟糕的是，他们拥有的土地也是荒芜的，难以种庄稼，没有菜园和鸡舍，房屋也没有盖好，只能暂住在山洞里。安东妮亚努力学习英语，帮助祖母料理家务，即使条件艰苦，也依然不抱怨生活。

---

① 图片来源：https://mr. baidu. com/r/gtukQzccTK? f=cp&u=d618b2f2df2ead5e.

图 2-16　西进运动移民[①]

她的父亲雪默尔达先生初来草原，难以适应当地的生活习惯，又背负着思乡之苦，于是带着痛苦在异乡结束了生命。父亲的离世让原本捉襟见肘的生活更加难以为继。安东妮亚一夜之间成熟了。她放弃了读书，和哥哥安布罗希一起操持农场。虽然内心渴望读书，但是她却倔强地对奥托说，上学是小娃娃的事情，自己的任务是帮忙把这片土地变成一个好农场。她像男子一样劳作，吆喝牲口时声音粗犷有力。“她还是那样浑身是劲，她的这种性格受了摧残却丝毫没有减退。”[②]她不像同龄的姑娘一样爱惜自己白皙的皮肤和细嫩的手臂，而是在田间、烈日下耕作，捆麦束，或是同打场的人一起干活。她甚至与男孩子比较干活的多少。在她饱经沧桑、历尽生命艰辛之后，土地给了她丰硕的回报，她也真正扎根于此，和这片土地融为一体，成为这片坚强不屈的土地的象征。

第二，互帮互助使得该书中的移民能够共享资源，营造一个欣欣向荣的移民社区。来到西部拓荒的移民除了波希米亚家庭，还有来自法国、德国、挪威等其他欧洲国家的家庭。尽管他们的文化、语言不尽相同，拥有的财富和资源同样短缺，但是他们乐于分享，互帮互助。小说中“我”的祖父母热情善良，默默支持着同样是移民者的安东妮亚家庭。雪默尔达一家人初来西部草原时，穷困潦倒、举目无亲，难以融入当地的社交圈，还被狡猾的同乡克拉纪克几乎骗光了金钱。他们语言不通，住在寒冷的山洞里，拥有的只有难以开垦的荒地。

---

① 图片来源：https://m.sohu.com/a/237424758_180263/?pvid=000115_3w_a&strategyid=00014.

② 薇拉·凯瑟.我的安东妮亚[M].周微林，译.北京：作家出版社，1998.

祖母带着孙辈主动去拜访这位新邻居，并且送给他们马铃薯、腊肉、烤面包、黄油、南瓜馅饼等食物，告诉他们当地的生活习惯和社交礼仪，还答应了雪默尔达先生的请求，教安东妮亚英语。

第三，乐观向上是美国精神的重要组成部分，是实现美国梦的精神动力。移民者面对困难永不放弃，相信勤恳的付出将收获丰硕的财富。在这部作品中，安东妮亚面对父亲的离世和愈加艰难的经济状况，并没有精神萎靡，反而变得勇敢起来，主动承担起家庭的重担，放弃学习的机会，到田地里日夜劳作。后来她来到黑鹰镇工作，受到诱骗后被抛弃，但她并没有因此丧失对生活的信心。她回到乡村，与同是波希米亚人的安东组建了一个新的家庭，生育并抚养了更多的孩子。在生活的打击之下，她反而变得生气勃勃，对生活抱有永不磨灭的信心和希望。

第四，独立自主是美国社会的主流精神导向。移民者独立勇敢地追求自己想要的生活，并且注重人人平等和隐私。在本部作品中，安东妮亚还是一个挑战世俗偏见、敢于追求自我的女性。她既不同于维多利亚时代的“房中天使”，又区别于同处美国的“南方淑女”。她坚持自己认为合理的权利，反抗男性权威。

图 2-17　西部拓荒①

① 图片来源：www. guokr. com.

在全球化背景下，移民扩大了人类生存空间，促进了人类文明传播，提高了人们的生活质量，改善了人与自然的关系，最终形成一种不同文化和睦相处、互利共赢、齐驱并进的局面。每一个移民身上都打着他们家乡的印记，他们是移出地文化的传播者。将移民文化中的优秀文化发掘并弘扬，有利于增强城市的文化底蕴，提高社会的包容性，促进居民文明素养的提高。为移民文化提供一定的传播途径和平台，如博物馆、展览会、读书会等，有利于促进居民对移民文化的理解和融合，同时也有利于开阔当地居民的眼界，打破地理空间阻隔带来的文化上的隔阂。

一个充满活力的城市应当给予多种文化元素充分发展的空间，让外来人口和本地居民作为文化的共同创造者，在这样的空间里创造出异彩纷呈的都市文化。这有利于促进地区内部本地人口与移民人口之间文化的融合和相互理解，增进区域内部居民之间的凝聚力，对减少摩擦、消解文化差异、构建社会主义和谐社会具有重要意义。因此，打造移民友好、和谐相处的文明城市，城市建设者需要了解不同的移民文化，在尊重移民文化的基础上给移民提供包容开放的人文气氛，提高移民者对移居城市的归属感和认同感。

03

第三章 长江灌溉文化

中国自古以来就是一个农业大国，农业一直是国民经济的命脉，中华民族的方方面面无一例外不带着“农”的烙印。而农业的发展离不开灌溉技术的进步。在数千年的长江治水实践中，中国人民留下了诸多灌溉工程，一些灌溉遗产至今仍发挥着巨大的社会和经济效益，对当代农业发展和生态文明建设具有重要的启示作用，是宝贵的物质及精神财富。

当前，中国统筹推进建设高标准农田、发展高效节水灌溉与产业脱贫，着力推动农业高质量发展。中国农田水利和高标准农田建设取得了显著成果，为有效防御水旱灾害、成功实现粮食和农业丰收作出了重要贡献。我国灌溉工程所反映的人与自然和谐共生的理念，为应对全球粮食安全与促进国际农业发展提供了中国经验。

同时，高科技灌溉技术也开始助推农业发展。无人机、人工智能、大数据、5G 等先进技术被不断地运用到灌溉作业中，让传统的灌溉文化焕发出勃勃生机。

3.1 长江灌溉工程遗产

3.1.1 追本溯源

中国是一个农业大国，其独特的地理优势使农耕文明得以充分发展。长江流域位于北纬 30 度附近，降水充沛，这使得长江流域成为中国的大粮仓，西有川府之国成都平原，中有“湖广熟，天下足”的湖北、湖南，东有中国最富足的江南腹地。农耕文明的进步使中华民族祖先的生活习性由迁徙转变为定居，继而出现聚落、城邑及相应的社会组织结构，为中华文明的发展奠定了基础，同时也促进了中华民族的认同与团结。

中国是世界上发现早期水稻遗址最多的国家。我国发现有稻作遗存的遗址有 200 余处，时间跨度大，空间分布范围广。① 考古学证据明确显示，长江流域是水稻最早的发源地。② 目前国内外公认的水稻早期驯化的信息均来自长江中下游，年代距今 8 000 年以上。浙江的跨湖桥、湖南的八十垱、河南的贾湖

① GONG Z T，CHEN H Z，YUAN D G，et al. The Temporal and Spatial Distribution of Ancient Rice in China and Its Implications[J]. Chinese Science Bulletin，2007，52(8)：1071-1079.

② SILVA F，STEVENS C J，WEISSKOPF A，et al. Modelling the geographical origin of rice cultivation in Asia using the rice archaeological database[J]. PloS One，2015，10(9).

等考古遗址均证明了长江中下游地区是亚洲栽培稻的起源地。①

图 3-1　成熟的水稻②

湖西遗址出土的植物种实遗存及其植物硅酸体分析结果表明，稻谷是该遗址先民的主要食物来源，生产稻米就是先民经济活动的主要内容。湖西遗址的水稻呈现粳稻小穗轴基盘形态，其离层特征表明当时的水稻栽培已经完成野生稻生产的初级栽培阶段，进入了系统栽培阶段，出现了亚种落粒性的分化。由此可见，水稻栽培的起始时间可能比原先预估的要早很多，10 000 年以前已经出现栽培稻的估计是合乎情理的。③ 近年来，科学家利用大规模基因组测序技术对数千年的水稻进化历史进行了生物信息学的追踪研究，并通过一种水稻基因“分子钟”确定了栽培稻最早的出现时间大约在距今 13 500 年到 8 200 年前，这个研究结果与长江流域出土的新石器时代最早的稻作遗存的年代基本吻合，有力地证明了长江流域是水稻起源地之一。

以浦江县上山遗址为代表的上山文化是世界稻作文化的源头。该遗址位于浙江省中部的钱塘江上游流域。考古人员对从该遗址出土的夹炭陶片进行碳 14 年代测定后发现陶片里的稻壳至少有上万年的历史，这一发现让稻作栽

---

① 郑云飞，蒋乐平，Gary W. Crawford. 稻谷遗存落粒性变化与长江下游水稻起源和驯化[J]. 南方文物，2016(3)：122-130.

② 图片来源：https://quanjing.com/imgbuy/qj9129035086.html.

③ ZHENG Y F, SUN G P, CHEN X G. Characteristics of the short rachillae of rice from archaeological sites dating to 7000 years ago[J]. Chinese Science Bulletin，2007(12)：1654-1660.

培历史上溯至1万年前。上山文化不仅在中华文明的起源和形成中占有重要地位,对于世界文明也有着独特而重要的意义。上山稻遗存中出现了稻壳与稻秆、稻叶混杂的现象,这说明上山人已经告别了使用“摇穗法”的自然采集阶段,他们把稻秆、稻叶拢在一起进行收割,这正是稻作行为的核心特征。上山人不仅有稻,还有完整的稻作行为①,这改变了人们对世界农业起源的认知。

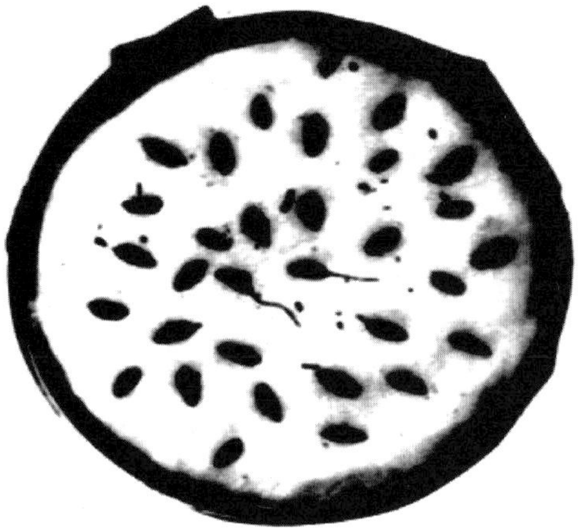

图3-2　长江流域出土的碳化稻谷②

中华先民对于水稻的驯化过程是漫长而缓慢的。长江下游地区的水稻驯化过程可以分为三个阶段:第一阶段为早期驯化阶段。该阶段包括上山文化早期至河姆渡文化早期前段,水稻的驯化进程波动而缓慢。第二阶段为加速驯化阶段。该阶段包括河姆渡文化早期后段、马家浜文化晚期至崧泽文化早期,水稻的驯化进程加快。第三阶段为稳定驯化阶段。该阶段包括良渚文化早期至广富林文化阶段,水稻被完全驯化,整个过程历时约5 000年。③

考古发现,各个时期的稻田遗存大致可分为四类,分别是利用自然低湿洼地成田、人工挖造小丘田、人工挖造大丘田、大型人工畦田。④ 而依据灌溉的手段来分类,这些早期稻田遗存大体可以分为无灌溉、小型水坑(水井)、池塘和大型沟渠设施四个阶段。

---

① 马黎.跟着上山文化,起底浙江万年稻作史[J].文化交流,2020(12):30-34.

② 图片来源:https://www.pep.com.cn/qtxk/lsysh/rjblsysh/rjlsyshwd/201008/t20100827_1456077.html.

③ 马永超.长江下游地区的水稻驯化过程——水稻扇型植硅体的证据[D].济南:山东大学,2016.

④ 郭立新,郭静云.早期稻田遗存的类型及其社会相关性[J].中国农史,2016,35(6):13-28.

第一阶段为无灌溉阶段。该阶段以八十垱古河道和草鞋山Ⅰ期小坑田为代表。此时的农业靠天吃饭，没有任何灌溉设施，水稻的生长季节与雨水季节同步。

第二阶段为小型水坑（井）的应用阶段。该阶段以城头山、草鞋山Ⅱ期东片、绰墩、赵家庄等坑井为代表。人们在其田块附近，依据地形地势，就地挖掘小型蓄水坑或取水井，并通过水沟和水口将稻田与这些坑井相连。

第三阶段为池塘开挖阶段。以草鞋山Ⅲ期西片、澄湖为代表的池塘灌溉逐渐发展起来。这些人工挖掘的大中型储水设施拥有更大的调蓄水能力，足以支持更大面积的稻田灌溉。在这一阶段，人工稻田系统的规模变大，稻作的重要性进一步凸显。

第四阶段为大型沟渠设施阶段。以茅山良渚中晚期的稻田遗存为代表的大型沟渠设施标志着中华先民已经掌握了完善成熟的稻田灌溉体系，具备了高超的治水能力。茅山良渚中晚期的灌溉体系以中部河道为中心，河道兼有水源地和航运通道的功能。独立于田块的水沟能方便地将各个田块和河道连接起来，对每一块田直接进行水位控制与管理。新出现的筑坝抬水技术也使得大部分田块实现了自流灌溉。

水稻驯化及稻作农业为长江文明的发展和繁荣提供了重要的物质和文化基础，是长江文明为人类作出的巨大开创性贡献[①]。在中华文明不同的历史阶段，祖先对于水稻的驯化都锲而不舍，其雄浑的毅力深深根植于中华民族的基因，历经千载，传承至今。

水稻的种植与培育必然带来灌溉的产生与发展。灌溉源于对雨水的利用。中华先民发现水稻在雨水的浇灌下可以茁壮成长，便萌生出了控制水资源来进行稻作生产的想法。先民由被动地顺应水资源转变为能动地控制水资源进行灌溉，在这个过程中逐渐掌握了“凿井而灌”的技术。这种技术是原始先民与自然界斗争的实践产物，是伴随着原始农业生产的发展而产生的生产方式，代表了文明社会的发展。

水是农业之命脉，而井是水之源头。考古人员于 20 世纪 70 年代初在浙江省余姚市河姆渡遗址第二文化层中发现了一座木构井。[②] 这座水井距今已有六千余年的历史，处于新石器时代早期末与晚期初之间，是中国迄今为止发现的最

---

① LARSON G, PIPERNO D R, ALLABY R G, et al. Current perspectives and the future of domestication studies[J]. Proceedings of the National Academy of Sciences of the United States of America, 2014, 111(17): 6139-6146.

② 浙江省文物管理委员会，浙江省博物馆. 河姆渡遗址第一期发掘报告[J]. 考古学报，1978(1): 39-94, 140-155.

图 3-3　河姆渡文化遗址①

早的井。考古人员随后又在浙江省嘉善县新港发掘出一座木筒类型水井。② 根据井内出土的陶片分析，其与嘉兴市雀幕桥出土的陶片近似，其时代属于良渚文化晚期。类似新港出土的木筒型水井，在江苏省昆山市的良渚文化遗存中也同样出土过三座，上海市青浦区崧泽遗址第三层中也出土过马家浜文化水井两座。③ 从这些考古发现来看，中华先民很早便知道了井对于农业灌溉的重要作用。

图 3-4　诸暨桔槔井灌工程④

① 图片来源：https://baike.baidu.com/item/%E6%B2%B3%E5%A7%86%E6%B8%A1%E6%96%87%E5%8C%96/30234.

② 陆耀华，朱瑞明. 浙江嘉善新港发现良渚文化木筒水井[J]. 文物，1984(2):94-95.

③ 张明华，宋建，游修龄. 1987 年上海青浦县崧泽遗址的发掘[J]. 考古，1992(3):204-219,289.

④ 图片来源：http://history.sohu.com/a/197462777_348961.

如果说河姆渡文化时期的先民们在一定程度上还需要顺应水资源来进行灌溉，那么到了良渚文化时期，长江先民已经可以能动地控制水源了。由于有了先进的灌溉系统，彼时的稻作农业生产已经相当成熟，稻米生产规模也十分可观。考古学家在良渚古城东北郊的茅山遗址中发现了良渚时期的水稻田遗迹。稻田土壤中含有大量炭屑，还有比较完善的灌溉系统，包括水渠、古河道、池塘、小河沟、水井等。[①] 这说明长江流域的灌溉方式已经由点状的“井”发展成了线状的“渠”，形成了规模化的灌溉系统，人们由此开始了大型灌溉设施的建设。这种由点到线，最后形成规格化、大区块的灌溉系统代表了中国古代灌溉体系的初步建立。在此基础上，春秋战国时期的灌溉工程才得以进一步发展。这些灌溉工程不仅滋养了一方水土，哺育了沿江人民，还成为中华文明的基石和华夏大地的中流砥柱。

图 3-5　良渚文化遗址[②]

3.1.2　华夏砥柱

灌溉文明的发展必然离不开大型灌溉工程的建设。中国的灌溉系统在经历了新石器时期至夏商西周的萌芽与初步开发后，在春秋战国时期得到了显

① 贾艳. 良渚先民的水稻生产[J]. 大众考古，2019(4)：20-23.

② 图片来源：http://culture.cnjiwang.com/whrx/201608/2181203.html.

著发展。从这一时期开始，先民们开始建设大型的渠灌工程，这些工程随古代农业的发展得以留存，有的历经千年仍沿用至今。这些工程对中华文明的发展和延续起到了至关重要的作用。如今随着人们逐渐意识到古代灌溉工程的重要价值，它们也被作为遗产加以保护和利用。

2012年6月28日，在澳大利亚阿德莱德举行的国际灌溉排水委员会第63届国际执行理事会上，时任主席高占义建议可以按照评选世界遗产的方法评选世界灌溉工程遗产。随着2014年第一批世界灌溉工程遗产名录产生，世界灌溉工程遗产这一概念被正式提出。世界灌溉工程遗产是国际灌溉排水委员会在全球范围内设立的世界遗产项目，旨在梳理和认知世界灌溉文明的历史演变脉络，在世界范围内挖掘、采集和收录传统灌溉工程的基本信息，了解其主要成就和支撑工程长期运行的关键特性，总结学习可持续灌溉的哲学智慧，保护传承并利用好灌溉工程遗产。[①] 这些留存至今的古代灌溉工程是人类利用有限的条件改造自然的见证，也是影响城市发展与演进的因素，亟待人们的精心保护和合理利用。

截至2024年，该名录已经评选并公布了11批世界灌溉工程遗产，其中中国灌溉工程遗产共入选38项。与其他国家相比，中国世界灌溉工程遗产几乎涵盖了所有类型的灌溉工程，我国也是灌溉工程遗产类型最丰富、分布最广泛、灌溉效益最突出的国家。在中国入选的38项灌溉工程遗产中，有21项位于长江流域，长江流域灌溉体系的丰厚底蕴和完备建设可见一斑。本节在此选取三个入选世界灌溉工程遗产的长江流域著名灌溉工程，以阐释长江流域在中国灌溉历史中的重要性。

（1）“泽润生民”东风堰

东风堰位于青衣江夹江段左岸，于清康熙元年（1662）开工建设，距今已有360余年的历史，是四川省乐山市夹江县境内一座以农业灌溉为主，兼有防洪、发电、城乡工业及生活供水、城市环境供水等功能的综合性水利工程。

川蜀地区农耕文明孕育了发达的农田水利灌溉技术。夹江境内的青衣江水量丰沛，自古以来沿江两岸就分布着众多堰渠以引水灌溉农田。东风堰之所以能跻身于世界灌溉工程遗产名录，其优势体现在它所采用的无坝引水技术。无坝引水是充分利用河流水文、河道地形和区域自然地理条件，直接在河道上引水的水利工程形式，具有工程规模较小、建筑材料就地取用的特点。该

---

① 李云鹏.从灌溉工程遗产看中国传统灌溉技术特征[J].自然与文化遗产研究，2020，5(4)：94-100.

技术使得河流的环境功能、水运功能以及地下水与地表水的天然循环机制均得以完善保持。东风堰是川蜀地区沿江无坝引水自流灌溉工程的典型代表，与都江堰具有同等科学技术价值，充分体现了古蜀人的水利智慧。①

图 3-6　四川乐山东风堰②

青衣江发源于四川省宝兴县夹金山，全长 289 千米，流域面积 12 928 平方千米，水量丰沛而稳定，使两岸成为灌溉农业发达区域。元明时期该流域逐步建成众多小型渠堰，如八小堰、市街堰等。清康熙元年青衣江水资源短缺，时任夹江县令王世魁于青衣江扎竹石笼筑坝、开渠，引水灌溉，并将下游的八小、市街等灌渠纳入工程体系。堰首引水口位于毗卢寺外，因寺得名毗卢堰。清光绪二十六年更名为龙头堰。1930 年，渠首引水口因河道下切，引水困难。时任夹江县长胡疆容将取水口由龙脑沱移至上游迎江石骨坡。1967 年再次更名为东风堰。1975 年取水口由石骨坡再次上移到迎江群星村五里渡。由此以后，东风堰得以沿用至今。

四川省乐山市东风堰不仅科学价值极高，其所蕴含的历史文化价值也不容小觑。东风堰穿千佛岩而过，汇集了丰厚的历史文化遗存和众多的自然风景名胜。千佛岩有开凿于隋代的摩崖造像 4 000 多尊，现存 2 470 余尊，神态各异，体现了与农耕文明相容的宗教文化，具有极高的历史价值和可观赏性。千

① 袁梅.世界灌溉遗产东风堰旅游开发探析[J].中共乐山市委党校学报，2016，18(1)：110-112.

② 图片来源：https://www.sohu.com/a/282772562_355537.

佛岩崖壁千仞，有众多题刻碑文等历史古迹，记载了厚重的灌溉文明和灌溉文化。

图 3-7　千佛岩①

几百年来，东风堰为夹江县农业发展、农作物增产、农民增收、县城人居环境改善、旅游景区美化作出了积极贡献，经济效益、社会效益、生态环境效益明显。该工程凭借其先进的工程技术和灌区管理成为西南地区沿江可持续性灌溉工程的卓越范例，并通过传统的无坝引水技术，实现了自流灌溉，推动了地方农业发展。地方政府的专业指导与乡村用水户协会的协同管理也保证了该项工程持续运转 360 余年。同时，工程沿线遗留的千佛岩等大量历史文化景观也见证了该灌溉工程在区域历史文化中的重要地位。这一工程展现了传统水利设施的可持续利用，以及水利与当地文化的结合，是东亚地区濒临消失的沿江灌溉农业的缩影。

(2)“华夏第一渠”长渠

位于湖北省襄阳市的长渠有着 2 300 多年的历史，被誉为“华夏第一渠”。它的修建时间比郑国渠早 33 年，比都江堰早 23 年。在我国现存的灌溉工程遗产中，长渠的历史最为悠久，被《中国水利之最》列为“我国最早的灌溉渠道”。

---

① 图片来源：http://api.tuji.1001hi.com/views/photogalleryh5.vm? p=WVNtYUdmSTQ3NEU9bDM4SnFHUjFRVm89&shareId=WVNtYUdmSTQ3NEU9cXdRckpGY3VIMlE9&category=2&date=1484405348730&from=timeline.

然而，最初修建长渠并不是为了灌溉，而是为了战争。战国时期，秦国大将白起带数万兵马攻打楚都鄢城，楚国集中数十万主力在鄢城与秦军展开决战。久攻不下的白起采取以水代兵之术，于今南漳县武安镇西的蛮河上源垒石筑坝，开凿渠道，引水倾灌鄢城，攻破鄢城，为秦国立下了大功，被秦王封为武安君，武安镇即其封地。白起用来作战的水道后来成了灌溉农田的水渠，又名“白起渠”。①

秦统一六国后，不断对长渠进行开发与治理，使得这条原本用于水攻之战渠变为引水灌田之渠。人们还将长渠的渠道与附近的一系列陂塘串联在了一起，使其灌溉面积日益扩大，渠道流经之处，皆成“膏良肥美”之地。长渠的兴建，对襄宜平原的开发及其经济、政治和文化的发展具有极其重要的作用。

根据史料记载，为了更好地进行灌溉，唐宋元各朝代对长渠进行了多次修复，其中规模较大的有五次②。①第一次：唐大历四年(769)，安史之乱后，藩镇割据，驻守襄州的山南东道节度使梁崇义为了发展农业生产，筹措军饷，复修长渠，并在武安镇修建白马庙以示纪念。②第二次：北宋咸平二年(999)，京西转运使耿望主持大修工作，在长渠周边成功种稻三百余顷。③第三次：北宋至和二年(1055)，宋朝经济文化全面繁荣。朝廷对其进行疏浚，同时配以一套蓄水、放水、用水的制度。宋神宗熙宁六年(1073)，王安石变法，曾巩任襄州州官，在巡视长渠后，为孙永主持修建长渠一事补写了《襄州宜城县长渠记》。④第四次：南宋隆兴元年(1163)，汪澈派人修复长渠，渠通后年收谷75万斛(约合2 122.5千克)。⑤第五次：元大德六年(1302)，李英奉旨用国库款项招募民工重修武安与灵溪二堰，长渠亦开始治理，数月后大功告成。

到了明代，长渠逐年湮塞，渐致完全废除。到了清代，在人口剧增的压力下，修治长渠一事才被提到官府议事日程中。嘉庆十二年(1807)、咸丰九年(1859)、光绪三十一年(1905)，宜城县令及士民曾几次请修，然因封建统治时期地域间的利害冲突，议不能决。民国二十八年(1939)，爱国将领张自忠将军电请湖北省政府复修，宜南两县士民亦多次呼吁，湖北省政府才于民国三十一年(1942)决定动土复修。工程动工后，历时五年，其间两次兴工，两度停工，加上官吏贪污肥私，结果兴渠未成。③

---

① 杨家龙.“百里长渠”古与今[J].湖北档案，2000(6):42.

② 袁丽，吕梅.华夏第一渠：襄阳长渠[J].档案记忆，2018(12):31-34.

③ 陈松平.百里长渠的两千年沧桑[J].中国农村水利水电，2015(12):12-13.

长渠建筑物及其灌区的复杂技术是水利技术史上的重大创造。首先，它始创时作为军事水工工程，兼有蓄水、引水、排放巨大动能的水量攻城等多项功能。从蓄水处开始，引渠长达百余里[①]，是有记载的水工工程中引水渠道最长的一项。而且在两军对垒中能修筑这般庞大的军事水工工程，说明其在测量技术、水工建筑技术、施工速度、施工组织及工程运用等方面，都是相当先进的。[②] 其次，长渠为我国有文字记载的最早的一座具有一定规模的长藤结瓜式灌溉工程，沟通连接了沿线的许多陂塘，有效扩大了灌溉面积。

中华人民共和国成立以来，在党和政府的领导下，古长渠又重新在新时代焕发出生机，这一部分将会在下一节详述。

(3)“江南都江堰”槎滩陂

槎滩陂古代灌溉工程坐落于江西省泰和县禾市镇桥丰村委槎滩村畔，被称为“江南都江堰”，是当地一项长期发挥疏江导流灌溉功能的古代水利工程。

据《槎滩碉石二陂山田记》记载，公元930年，家住金陵的周矩为避唐末之乱，携全家老少举家迁徙到了泰和县的螺溪镇。来到这远离纷争的乡村定居后，周矩深切体会到了当地民众缺水之苦，决心兴修水利。[③] 周矩经过多年谋划，选择在赣江水系禾水支流牛吼江上游的槎滩村畔建造陂渠。时至今日，槎滩陂建成已逾千年，虽历经无数山洪，却依旧完好无损，并且一直发挥着巨大的作用。

槎滩陂作为一项“民办”工程，其受益群体共同参与建设与维护，使其历千年而不衰。在周矩建陂几十年后，其子孙本着水利工程“不专利一家”的祖传教诲，将槎滩陂和整个渠系移交给灌区受益农户，作为社区公共资产。这一举措对槎滩陂千年不衰起到决定性作用。

槎滩陂成为社区公共资产后，由灌区受益农户共同管理。至元代，管理日益规范化。灌区周、蒋、李、萧四家大户承担起陂长职责，牵头负责陂渠的运行管理，共同签订“五彩文约”，理清了陂长和普通用水户的职责及责任追究办法，并做到公开、公正、透明。受益农户也自觉缴纳水费、积极参加陂坝抢险加固。槎滩陂的水费收取、运行管理、抢险维修做到了严格、有序，保证了陂坝和渠系的有效运行。[④]

---

① 1里=500米。

② 钟清林，黎沛虹．试论长渠的历史文化价值[J]．人民珠江，1999(5):30-31.

③ 邱云．江南“都江堰”千年槎滩陂[J]．中国农村水利水电，2015(12):28-29.

④ 胡振鹏，肖龙．千年古陂为何久盛不衰[J]．江西水利科技，2019,45(1):59-63.

图 3-8　槎滩陂风光①

图 3-9　槎滩陂纪念碑②

槎滩陂灌溉工程的建造体现了独特的科学价值。它位于典型的河谷平原地区，其筑坝选址和工程设计充分考虑了地形条件。为确保所选地质具有足

① 图片来源：http://www.jxthxm.com/c/OutmTZJJL0VmL3F0ZIVpZ2hTOWlzUT09.html.

② 图片来源：http://img3.doubanio.com/view/note/l/public/p64974161.jpg.

够的地基承载力和充足的水源以保证自流引水和排放水流，早在千年以前尚未掌握地基处理技术时，周矩在治水过程中就已经开始采用测量技术。他经过多年的精心谋划、实地考察与科学选址，最后将陂址选在河流宽阔、水流流速缓慢、河床基岩质地坚硬、抗冲性能好的位置，实现了筑陂引水灌溉。槎滩陂灌溉工程所用的建筑材料均就地取材，修建初期主要材料为木桩、竹条和泥土。这些原始的建筑材料辅以行之有效的施工工艺，使古代水利工程做到安全、环保、生态。① 明洪武年间、民国时期，人们曾用砖石材料重修槎滩陂灌溉工程。1949 年以后，修筑材料变为混凝土。

3.1.3 流芳后世

(1) 恢复古渠

在中华民族五千多年的历史长河中，祖先为后世留下了数不胜数的灌溉工程遗产。这些遗产为中华民族的可持续发展奠定了基石，对国人来说是弥足珍贵的财富。中华人民共和国成立以来，党和国家高度重视改造修复古渠的工作，不少古渠迎来了新生。最典型的例子就是湖北长渠。百里长渠历经千年风霜，历史上经历过多次修缮，然而至明朝因淤塞至于荒废，到民国时都未能重新通渠。

中华人民共和国成立后，湖北省首次水利会议决定修复长渠。男女老少齐动员，开工两个月便完成渠首滚水坝清基及 4 000 米长防洪堤的修筑任务，同时动工兴建渠系主要建筑物。1953 年 4 月 15 日，渠首工程、渠道工程、渠系建筑物全部完工。同年 5 月 1 日，湖北省水利局、长江中游工程局派出 12 名代表会同襄阳专署、南宜两县代表在渠首隆重举行通水庆典，开闸放水。② 后经多次维修、扩建、配套，该渠由最初的过水流量不足 10 立方米每秒、灌溉面积仅 8.1 万亩，发展到目前过水流量 43 立方米每秒、灌溉面积 30.3 万亩，成为南宜两县（市）老百姓的“生命渠”“幸福渠”“致富渠”。③ 长渠流经之处，连接了近 10 座大小水库和 2 700 多口堰塘，这种“长藤结瓜”的模式不仅推动了古长渠进一步发展，更有效地平衡了水资源，扩大了灌溉面积，在新中国的水利灌溉史上添上了光辉的一笔。

除了改造修复古渠，我国还积极推动古代灌溉工程遗产的申遗，希望能够

---

① 陈芳，刘颖，钟燮，等. 槎滩陂古代灌溉工程价值剖析及对当代的启示[J]. 中国农村水利水电，2018(6)：167-168，173.

② 陈松平. 百里长渠的两千年沧桑[J]. 中国农村水利水电，2015(12)：12-13.

③ 百里长渠：首个战渠变灌渠的典范[J]. 科学中国人，2019(9)：74-75.

保护珍贵遗产，让全世界都了解到中国人的智慧。在相关技术团队扎实的基础研究工作和遗产分析阐释的支持下，自 2014 年开始我国连续申报的 11 批 38 个项目成功入选，提交的第一批世界灌溉工程遗产申报文本被世界灌溉论坛和国际灌溉排水委员会作为范本进行推广。① 申遗工作不仅可以推动灌溉工程遗产的科学保护和合理利用，而且还能发挥这些遗产的综合价值，造福于中华民族。

图 3-10　修复后的长渠②

(2) 统筹兼顾

19 世纪末，钢筋混凝土被广泛应用于水利工程建设中，这一重大转折使得原本尊重自然的水利工程规划理念发生了革命性的变化，世界各地都开始兴筑高坝水库。自 1949 年以来，党和国家高度重视水利工程建设，开展了一系列大规模的现代水利工程建设，兴建起一座座高坝、大型水库水闸等，以便最大限度地控制河流、兴利除害。在这个过程中，我们党和政府统筹兼顾，既保证了灌溉工程的效益，又注重对生态环境的保护，使人与自然和谐相处。

浙江省金华市白沙溪三十六堰灌溉工程遗产支撑起了当地 1 900 多年的农业发展进程。尽管灌区规模不断扩大，人口和经济规模明显增大，生态环境

---

① 李云鹏. 世界灌溉工程遗产及其保护意义[J]. 中国水利，2020(5)：47-49，53.

② 图片来源：http://epaper.nsbd.cn/paperdata/zgnsbd/20181021/m_d0ba32762c0a78f107abdb0bb0660c6e.jpg.

却没有退化，至今仍保持着足够的活力和良好的发展势头。从生态环境保护的角度来看，灌溉工程促进了浙中生态走廊的建设，弥补了生态环境方面的不足，具有先进的科技价值、悠久的历史价值、巨大的经济效益和丰富的文化价值。近年来，金华市婺城区及相关地方乡镇党委政府一直坚持整治白沙溪，维护白沙古堰。在有关部门和当地群众的支持和配合下，千年白沙古堰完好无损，正常持续地发挥着它的历史作用。自2013年以来，婺城区对白沙溪堤防一直采取综合治理措施，白沙溪的水与沿线水库相互连通，形成了独特的分洪效应，提高了排洪能力和农田灌溉功能，改善了河流的整体环境。

图3-11　白沙溪三十六堰①

人与自然和谐相处是中华民族几千年来奉行的生存智慧，古人尊重并顺应自然规律是这些灌溉工程历千年而长存的重要因素。这些灌溉工程遗产的工程价值、建筑工艺、管理制度、治水理念以及沉淀下来的文化内涵都值得我们学习和借鉴。

(3) 发扬光大

对于古代灌溉工程遗产的合理改造可以在很大程度上弥补现代的灌溉需求缺口，省去重新建造灌溉设施所需的人力物力。在保护这些古代灌溉遗产

① 图片来源：https://swh.zjweu.edu.cn/45/77/c4589a83319/page.htm.

的同时，也可以将其发展成为符合现代农业需求的工程，令其在新时代焕发全新的生机。

古代太湖的劳动人民有着一项变涂泥为沃土的独特创造，那就是太湖的溇港圩田。他们在太湖的滩涂上开挖溇港。水土分离后，新的陆地开始出现。与此同时，一个个连接溇港的横塘也陆续开挖，陆地被分割成棋盘一样的形状。挖出的泥土堆在土地四周，形成犹如城墙般的堤坝，人们将它唤作“圩”。水行于圩外，田成于圩内，形成太湖滩涂上的溇港圩田。人们获得了大片土地，并在这里建立了新的家园。① 这种将自然地形合理利用，进而形成完整的水利工程体系的方法同样值得今人学习。现代水利灌溉规划设计应充分考虑地形、地貌和周围的自然环境，根据不同的环境选择不同的灌溉方式。同时也应遵循生态平衡原理，让灌溉工程在充分发挥灌溉、蓄水、防洪、排涝等作用的同时，以经济发展促进灌溉工程的保护，再以灌溉工程的保护带动经济发展，形成良性循环。

图 3-12　俯瞰溇港圩田②

承载厚重的历史文化的灌溉工程遗产至今仍发挥着巨大的水利效益。灌溉工程遗产的申报不仅有利于历史文化的保护，还能够巩固国家粮食安全。结合当前水利建设管理和水利文化发展需要，基于保护传承的理念，将灌溉工程遗产纳入有效管理，应当成为当前农田水利建设发展的重要工作。除此之

① 沈晶晶，马佳佳. 溇港接太湖 圩田养万户[J]. 浙江画报，2016(12)：34-39.

② 图片来源：https://www.sohu.com/a/191240765_814294.

外，这些遗产对灌区生态环境的维系也至关重要。由于遗产所在地优越的生态景观资质和独具特色的深厚历史文化，以及世界遗产的品牌效应，其旅游、特色农业以及带动乡村经济的价值将逐渐显现，其社会文化服务功能也将越来越凸显①。

灌溉是中华稻作文明不可缺少的一环。面对中华大地上祖先留下的富有智慧的灌溉工程遗产，我们在做好保护工作的同时，更应该去学习和借鉴前人的智慧，不断健全管理机制。古代灌溉工程能延续至今，不仅在于其本身完善的工程体系，更有赖于科学的管理。现代水利工程建设要走持续健康的发展道路，在考虑工程现阶段效益的同时，也要考虑到工程的长期效益，使其能够惠及子孙后代，发挥其应有的综合效益。此外，还要鼓励和调动民众积极参与工程维护，尤其是灌溉工程维护，要在工程管理中实现权责利的高度契合。在当前国家经济和社会发展形势下，科学并全面了解灌溉工程遗产的价值和特点，继承和利用这些灌溉工程遗产优秀的历史经验和因地制宜的灌溉智慧有着重要的价值，对现代水利的可持续发展、乡村遗产地的振兴和生态文明建设也有着重要的意义。

3.2 长江灌溉文化传承

3.2.1 民祀水神

(1) 水神崇拜

长江流域有着许多地域水神，其中比较著名的有湖广大禹、巴蜀李冰、江西许逊、吴越伍子胥和张夏等。这些水神大部分是由历史人物演化而来。在古代，地方人民将历史人物神化，最终塑造为一方水神，成为保护地方的神祇。各地域水神的主要功能是斩蛟除魔、治水安邦。人们在各地建造神庙加以祭祀，各个地方的水神也随着人口流动和商贸活动等流传到其他地方。

水神大概可以分为自然之神和治水之神两类。前者是原始宗教的滥觞，源于对江河湖泊及水旱灾害的敬畏。龙、牛是民俗中最常见的水神图腾，它们的象征意义明确，功能分明。龙被赋予了呼风唤雨的能力，被用以祈雨。古代即使在乡村也有龙王庙。牛则是镇水之兽。宋代以来，铜牛或铁牛开始出现

---

① 李云鹏.世界灌溉工程遗产及其保护意义[J].中国水利，2020(5)：47-49，53.

在江河湖泊的堤防上，通常为政府出资铸造。

治水之神则是由人神化而来，是人类战胜自然、兴利除害的图腾。创造治水水神是为了满足古代水利工程兴建和维护等活动的需要。在水利工程存续的历史时期，水神崇拜逐渐完成了从人到神、从物质到精神的塑造。治水的水神是古代水利的非物质文化形态，某一水神产生和完善的进程，反映出区域水利发展沿革的历史脉络，是认知区域历史文化的重要通道。①

(2) 水神大禹

神话传说反映了古代劳动人民在治水斗争中坚韧不拔的精神，其中最为著名的是大禹治水的故事。大禹凭借其治水精神和智慧，成了中华文明史上著名的治水英雄。治水英雄与人民群众二者是缺一不可的。大禹是领导者，是鲧的继承者，也是广大群众智慧、功绩的集大成者，大禹治水的地位、方法、功绩都具有传承性和全民性。而大禹能成为治水领袖，集中华治水之大成，关键在于其“导江疏河、疏堵结合”的大智方法与创新手段。

大禹由于治水的功绩，自然成为人们崇拜的水神。不仅如此，在大禹传说盛行之地还衍生出了其他水神性质的神祇，譬如三峡神女：相传西王母的小女儿瑶姬，在劈开十二条混江蛟龙以后爱上了高峰入云、江水碧绿的巫山，便在此定居，帮助夏禹开凿三峡，疏通江水。各地关于禹的传说以及相关地名也非常多，如四川北川、浙江绍兴和湖南衡山的禹穴，以及四川、重庆、湖北等地的禹王宫等。其中，巴东县九龙观极具代表性。相传大禹治水时路过这里，觉察到半山腰有活宝(即九条龙)，后来民众在此山上建庙宇，便取名为“九龙观”。由此可见大禹在人们眼中是镇龙的神，可斩杀、镇住孽龙或蛟龙。明清湖广地区，尤其是湖北水患最为严重，故湖广地区也将大禹作为当地水神。

外地的湖北会馆被称作“大禹庙”或“禹王宫”，但实际上大禹是全国祭祀的水神。大禹文化现象本质上就是中华水文化，是中国古代治水的文化符号象征，也是中华民族勤劳、智慧、不畏艰难、人定胜天的精神内涵所在。中华民族“仁、义、勇、智”的水之四德在大禹身上体现得最为明显。大禹治水救苍生于水火，是为大仁；治水多年三过家门而不入，是为大义；面对滔滔洪水无所畏惧，是为大勇；治水期间勇于创新，导江疏河，疏堵结合，治水功成名就，是为大智。②

---

① 谭徐明. 古代区域水神崇拜及其社会学价值——以都江堰水利区为例[J]. 河海大学学报(哲学社会科学版)，2009，11(1)：9-15，90.

② 黄权生，王雅雯. 长江水神崇拜钩沉[J]. 南昌工程学院学报，2020，39(5)：46-50.

图 3-13　禹的画像①

大禹治水在中华文明发展史上具有重要的意义。在治水过程中，大禹遵循艰苦奋斗、因势利导、科学治水、以人为本的理念，克服重重困难，终于取得了治水的成功。由此形成以公而忘私、民族至上、民为邦本、科学创新等理念为内涵的大禹治水精神，是中华民族精神的源头和象征。②

（3）巴蜀李冰

巴蜀地区的水神主要是李冰及其子二郎。李冰是中国杰出的水利工程学

① 图片来源：https://baike.baidu.com/item/禹/8703489? Fromtitle=大禹&fromid=204744&fr=aladdin.

② 贾兵强. 大禹治水精神及其现实意义[J]. 华北水利水电学院学报（社科版），2011，27（4）：28-31.

家，是都江堰的设计者和工程兴建的组织者。在巴蜀地区，李冰和大禹齐名，同样对治理水灾有着不可磨灭的功劳。

中外驰名的都江堰位于四川省中部岷江中游，整个工程由鱼嘴分水堤、飞沙堰和宝瓶口三个主要工程组成。它规模宏大，地点适宜，布局合理，兼有防洪、灌溉、航行三大作用，在世界水利工程史上也是罕见的奇迹。两千多年来，该工程一直发挥着巨大的排灌作用，保证了当地的农业生产。余秋雨在《文化苦旅・都江堰》中指出"要看水，万不可忘了都江堰"，可见都江堰之重要性。

祭祀李冰及其子二郎的庙宇广泛分布于西南地区。李冰有大功于西蜀，故川人尊之为"川主"，"主"通"祖"，即尊李冰为四川人民的"祖先"。李冰因其功绩之大，被四川人民奉为"衣食父母"。清朝时四川总督常明在其所撰写的《四川通志・祠庙》中是这样记载川主庙的："巴县、南川县、南充县、宜宾县、珙县皆有川主祠；冕宁县、名山县、汶川县、黔江县、杂谷厅皆有川主庙；阆中县、雅安县、遂宁县、泸州皆有二郎庙。"祭祀李冰及二郎的庙宇多被称为川主庙，也有称二郎庙、川主宫、川王宫、王爷庙及水府庙的，这些都是李冰川主信仰的祭拜场所。明清时期的四川会馆被命名为川主庙，会馆中主要供奉李冰神像。李冰在云贵川等地也被奉为水神。伴随着巴蜀人口的外迁，其他地区祭祀李冰或其子的庙宇也大多以川主庙为名。清朝末期，美国人盖洛在《中国十八省府》一书中指出："但山上最吸引人的和最有名的特征是一座庙宇，不是供奉佛祖或普通菩萨的寺庙，而是崇拜李冰之子的庙，人们尊称他为'二王'。每年五六月份，香客们从平原上或更远处成群结队地赶来祭拜他们的大恩公。"在这段话里，"二王"指的就是李冰之子。

图 3-14　出土于四川的石牛[①]

① 图片来源：https://baike.baidu.com/item/镇水神兽/4012038? fr=aladdin.

李冰的治水之法中，有一种是用犀牛来镇水，这种镇水法及后来衍生出的铁牛镇水法传播到了全国各地。汉赋大家扬雄在《蜀王本纪》中写道："江水为害，蜀守李冰作石犀五枚。二枚在府中，一枚在市桥下，二枚在水中，以厌水精。"而最早用铁器镇水，大约是在南北朝时期。当时有"蛟畏铁"的说法，蛟即作祟的水精，即造成水害的蛟龙、蛟蛇等都是惧怕铁器的。因此，铁牛、铁犀也渐渐成为镇水最常用的神物。①

（4）吴越伍子胥

伍子胥是春秋末期著名的军事家和水利学家。伍子胥率众开挖了历史上第一条人工运河——胥江。胥江的出现，既避免了吴地的水患，又便利了当地的漕运和灌溉，对当地百姓的生计发展有着十分重大的意义。胥江由伍子胥加以疏凿的说法，最早可追溯至宋代。宋代水利专家宜兴人单锷于元祐四年（1089）所著的《吴中水利书》中引用了钱公辅之说："自春秋时，吴王阖闾四年（前511）用伍子胥之谋伐楚，始创此河，以为漕运，春冬载二百石舟，而东则通太湖，西则入长江，自后相传，未始有废。"

在宋代以前，长江下游和钱塘江流域的吴越地区最主要的水神是伍子胥。钱塘江流域最大的灾害主要源于钱塘江大潮，故浙江人将水神称为潮神。伍子胥辅佐吴王，造福百姓，受到百姓的崇拜和爱戴，但他却在吴越之争中被诬陷而死。相传钱塘江潮水就是为了惩罚使用了离间计的越国。吴越地区的人们祭祀伍子胥并尊其为潮神是为了平复他被诬害而死的怒气，希望伍子胥不要迁怒于钱塘江两岸的人民。

宋代时，钱塘江水灾频发，浙江地方官张夏在治理潮患方面颇有建树。张夏令人建筑长十二里的石堤，用来防止江潮水灾，建成后，杭州人都很感恩张夏；在张夏去世前，杭州官民便在钱塘江江堤上为张夏建立了生祠。张夏去世后，该生祠演变成神祠。明清时期，以张夏为水神这一信仰在杭州地区继续加深，人们甚至将其视为当地人，称其为张老相公，张夏俨然成了当地的守护神。随着吴越人，尤其是浙江籍人向四处迁移，这一信仰也慢慢传播到了全国各地，但以东南沿海为主。②

（5）长江水神祭祀风俗

长江水神祭祀在民间仍有不同程度的流播和传承。从文化保护和传承角度而言，各地水神祭祀场所的修缮保护、水神祭祀仪式的留存、水神文献的发

① 枕星子．铁牛也能镇河妖？[J]．廉政瞭望，2020(17)：59.

② 黄权生，王雅雯．长江水神崇拜钩沉[J]．南昌工程学院学报，2020，39(5)：46-50.

掘和整理等，都是中国十分宝贵的物质和非物质文化遗产。长江水神祭祀有着极具地域特色的祭祀目的和方式，主要有以下几种。

第一，庇佑交通安全与四海通达。古代长江作为“黄金水道”，交通畅流安全最为关键，商旅与行人也希望在旅途中得到水神的庇佑，因此自古长江沿岸就有祭祀江神的文化，九省通衢的武汉则更是如此。

第二，期盼风调雨顺与洪水消退。江汉地区荆江水灾连连，长江防洪和消除水害的需求非常大，人们将风调雨顺、洪水退散的祈愿寄托于神灵，故产生了诸多水神。镇蛟神大禹便是其一，其祭祀的一大场所是三峡黄陵庙。在三峡，巫山神女助禹镇蛟的传说流传甚广，江汉大禹庙也非常多。农业生产与水密切相关，人们祭祀水神是期望风调雨顺，粮食丰产。在旱季，祭祀水神则是为了祈求降雨。

第三，凝聚地方力量和社会共识。移民迁徙也需要地方水神的护佑。在长江流域，移民活动频繁。移民组织中的会馆祭祀和供奉的往往是原籍水神。如巴蜀地区以祭祀李冰的川主庙作为四川会馆；楚地以地域水神大禹的禹王宫作为会馆；江西万寿宫以许真君作为地方神祇；而福建以天后宫作为地方会馆。故长江地域上的众多水神成为各地商贸保护的神祇，水神也成为地方文化的符号和代名词。黄陵神、江渎神、李冰、马援等各种水神，最开始都不是全国性的，都有在原诞生地逐步流播的一个过程。①

3.2.2 乡邦互济

截至 2024 年，长江流域共有 21 处世界灌溉工程遗产，这些灌溉工程历经千余年而不衰，并且时至今日依然发挥着重要作用。究其原因，除了灌溉工程本身蕴含着先人的超凡智慧，设计体现了很强的科学性之外，历史上对这些灌溉工程的科学运行和有效管理也功不可没，这些管理方式甚至对现在的灌溉工程管理也具有极大的借鉴价值。

由于古代人力、财力以及物力有所限制，封建王朝并不能顾及每一个乡村和每一处灌溉设施，无法妥善处理所有地方水务。因而，地方乡绅们开始介入与水利相关的具体事务，以弥补国家管理遗留的空缺。大大小小的村落因水而生，逐水而居，顺水而为，出于共同兴建和维护公共灌溉设施的需要，各大村落和众多家族也在长期的运行管理中互相协作、不断融合，逐渐形成了独具地方特色的宗族文化，彰显了互帮互助、无私奉献、睦邻友好的乡邦互济精神。

---

① 黄权生，王雅雯. 长江水神崇拜钩沉[J]. 南昌工程学院学报，2020，39(5)：46-50.

前文提及的周矩父子用自家财力兴建的槎滩陂便是典型的家族工程。槎滩陂主要由地方宗族势力承担岁修费用，进行日常维护及必要修复，以保证灌溉设施的正常运行。以槎滩陂为中心的周边村落也共同利用、保护公共灌溉设施。宗族之间不断碰撞、协作与融合，日渐衍生出乡邦互济的传统，并传承至今。江西泰和槎滩陂灌溉工程所孕育的乡邦互济精神主要体现在三个方面：共同协作的联合管理理念、独具特色的地方宗族观念和互帮互助的睦邻友好精神。

（1）联合管理理念

在运行管理模式上，槎滩陂先后经历了由周氏家族独管独修，到周、蒋、李、萧四大宗族共同管理，再到官方控制与地方管理相结合的管理模式。

初建时，槎滩陂是竹木结构，需要常年维护。开始阶段，周氏家族承担所有岁修费用，管理一切相关事务。周矩曾购置林山和竹山等山田，利用山中所产的桩木、春茶和竹条创收，将收入作为槎滩陂的日常维修经费。周矩之子周羡后又购买田地、池塘等，租给当地佃户，将得来的租金收入也纳入每年的岁修费用之中。槎滩陂是一项完全“民建民修”的灌溉工程，直至北宋初年，槎滩陂的水利灌溉事务均由周氏家族独自组织管理，没有官方和其他地方政治力量的参与。在周氏家族建立的管理制度之下，经费来源由周氏家族的专员进行管理。周氏家族在当地发展较早是初期家族独修的管理模式得以运行的重要因素。在其他家族还未势起之时，管理槎滩陂的任务周氏家族当仁不让，水利灌溉上的矛盾也尚未显现。

后来，大量移民迁入禾水流域，各大宗族势力逐渐崛起，形成众多家族聚居的村落，其中以蒋、胡、李、萧四族为盛。“上有三十六蒋，中有七十周，下有十八王。”这句当时广为流传的话描述的正是各大家族的分布。槎滩陂灌溉面积广，包括两个乡的大部分地方，远远不止惠及周氏家族所居住的区域。因此，受槎滩陂之益的并不仅仅是一个家族，而是两乡的广大民众。辽阔的灌溉面积和日益兴起的宗族势力都给位于中游地带的周氏家族管理槎滩陂增加了难度。后来又有罗氏家族侵占田产一事，导致陂产收入无法维持岁修费用。于是周氏家族联合蒋、李、萧三家诉诸官府，夺回陂产。自此，槎滩陂的管理由周氏家族独管独修演变为四大宗族共同管理，日常管理和维修费用也转变为流域内各宗族按田摊派和个人捐募。这种地方宗族的繁衍发展也进一步促进了流域内土地的开发和农业经济的发展。

民国时期，国民政府加强了对水利事业的控制。在1938年的重修中，槎滩陂的管理由当地民众自行组织管理的运行模式转变为“官民合修”的形式。政府与地方乡族协调，共同治理乡村，这种方式既有利于调动用水户的积极性，又能减少宗族势力间由于利益而引发的冲突与矛盾，有利于维护地方秩序。因为长期处于同一水利灌溉系统中，各宗族间的认同感和凝聚力不断增强，形成了共同维护族群利益的乡族集团。这种宗族共同协作的联合管理模式在槎滩陂的发展历史上发挥了重大作用。惠及乡邻和互帮互助的精神也逐渐成为当地宗族文化的一部分。

（2）地方宗族观念

历经千余年，以槎滩陂为中心的村落积累了深厚的历史文化内涵，尤其是传统的宗族文化中所包含的地方宗族观念。“槎滩陂水利工程周边的周家村等村落历经千年传承，仍有众多村民围绕在槎滩陂周围生产与生活，并妥善保管好见证槎滩陂千年文明的石刻和地方志、族谱、祠堂、墓葬等文化见证。”①祠堂文化、碑刻文化、牌坊匾额文化、家族墓葬文化以及各大宗族撰写的志书等，都显示出槎滩陂周边村落厚重的地方宗族观念。

槎滩陂周边村落的祠堂文化源远流长。各村落内祠堂林立，包括各姓氏的大小宗祠、祠堂和村宅交错，祠堂外观造型宏伟，内部结构独特，极具地方特色，具有极高的历史文化价值。祠堂作为祭祖场所，能够充分展示一个家族的文化风貌。槎滩陂流域内，爵誉古村的祠堂群保存较为完好，“村中曾先后建有大小宗祠近50座，包括各姓氏的总祠和各房的房祠等，历经风雨沧桑，直到今天保存完好的还有30多栋，如周氏总祠（久大堂）、康氏总祠（孝德堂）、宝诰堂、佥宪坊、成德堂、国师大夫等祠宇”②。通常，这些祠堂都是当地民众用来祭祀供奉祖先所用，村里红白喜事、金榜题名、春节团拜等大型活动也在祠堂举行。古祠堂群不但展现出先辈们的智慧，还展示了地方宗祠建筑的特色和宗族社群的变迁，是凝聚地方宗族的重要精神纽带。

古祠堂前有众多牌坊、匾额及雕刻等。造型生动的龙凤、麒麟、花朵等图案层出不穷，花鸟虫鱼形状的雕刻也比比皆是。雕刻中更是运用了凸雕、凹雕等众多雕刻手法，八仙桌、太师椅和神龛等也彰显了厚重的历史内涵。古祠堂内楹联众多，如在槎滩陂上刻的一副：“春耕秋获，闾阎免旱魃之灾；麦渐忝油，黎庶颂阳侯之德。”这些楹联、牌匾不仅记载了地方宗族先人无私奉献、造福乡里的光辉事迹，还承载着各大宗族悠远灿烂的历史，代表了当地宗族子弟首孝

---

① 黄细嘉，李凉．江西泰和槎滩陂水利工程遗产价值研究[J]．南方文物，2017(2)：261-265．

② 廖艳彬，宋红滚．“美丽乡村”视阈下的古村落文化保护与开发——以泰和县螺溪镇爵誉村为例[J]．农业考古，2015(4)：296-299．

悌、崇德善的处世观和价值观。

槎滩陂流域内还有众多地方志书，这些志书为后人探究当地宗族传统留下了丰富的文献和史料。各大家族流传下来的族谱也为窥见当地宗族社会文化变迁提供了文本资料。不论是祠堂、碑刻、牌坊、匾额还是族谱、志书，都是当地宗族观念的不断外化，是乡邦互济精神的高度凝练。

（3）睦邻友好精神

在槎滩陂建成之初，周氏家族就明确要将槎滩陂作为公共工程。槎滩陂修建的初衷就是惠及乡邻，兴建之后，该工程使得千里荒野变为良田沃土，促进了地方农业发展。周矩及周氏族人倾尽自身财力，自行筹资兴建和管理槎滩陂，为两乡九村之民众无偿提供灌溉之水，这种大公无私、甘于奉献的精神使得他们深受乡民爱戴。民国间，江西水利局局长燕方畋曾记："泰和槎滩陂创自南唐，载诸通志。迄今千有余年矣。考其平时蓄水、灌田数逾万亩，实为全邑水利工程之冠。其间历年兴修，或由善士慨捐，或由田亩摊募，从未乞助于有司，艰苦自持千载，于兹，具见当地物力之雄，万民生计之是赖也。"这些文字记录了槎滩陂如何为当地乡民带来福祉，从而成为重要的公共灌溉设施。

槎滩陂水利工程传达着互帮互助的睦邻友好精神，在此种精神的引领下，群众爱护古陂，宗族互相帮扶，这也是槎滩陂得以历经千年岁月的原因之一。地方宗族后代以虔诚恭谨之心对待槎滩陂，恪尽职守，悉心管理，尽心维护，精心修整，让槎滩陂得以延续至今，并且仍在为周边乡镇提供防洪、灌溉服务。周氏家族这种无私奉献的精神，深深地植入当地的乡邦文化之中，永远值得敬重和铭记。

3.2.3　家国情怀

（1）以江河为家

家国情怀是一个人对自己国家和人民所表现出来的深情大爱，是对国家富强、人民幸福所展现出来的理想追求，是对自己国家的一种高度认同感、归属感、责任感和使命感。"修身、齐家、治国、平天下。"古往今来，这种高尚情怀极大地鼓舞士气、凝聚力量、振奋精神，既利国利民，又利人利己。

据《孟子·滕文公上》载，"禹疏九河……八年于外，三过家门而不入"。三过家门而不入说的便是大禹。尧舜时期洪水泛滥，百姓流离失所，为了让人们能过上安定的生活，舜帝派大禹去整治洪水。大禹一去十三年，三过家门而不入。第一次经过家门时，听到他的妻子因分娩而在呻吟，还有婴儿降临的哇哇哭声，身边的人劝他进去看看，他怕耽误治水，并没有进去。第二次经过家门时，他的儿子正在他妻子的怀中向他招手，这时正是治水工程紧张的时候，他只是挥手打了下招呼，就走过去了。第三次经过家门时，儿子已长到10多岁了，跑过来使劲把他往家里拉，但大禹心系水利，又匆忙离开。禹治水三过家门而不入正是他劳心劳力治水的最好证明。这一故事颂扬了大禹一生为公、竭尽全力治理洪水的责任心和解除民众水患之苦的崇高行为与奉献情怀。这恰巧体现了舍小家为大家，以江河为家的大无畏奉献精神，体现了水利人的家国情怀，至今仍为人们所传颂。

文人骚客也偏爱江河。他们长期游历于长江流域，视长江为家，留下许多佳作。长江古称“大江”，不仅因为其江面宽阔，更是因为它浩浩荡荡、气象雄伟。正如中国南朝文学批评家钟嵘所说：“气之动物，物之感人，故摇荡性情，形诸舞咏。”或许正是这种大开大合的宏阔气象，滋养了长江流域古往今来惊采绝艳、浪漫豪放的诗文特色。

早在先秦时期，楚人便以文采著称。“有时像风行水上，自然成文；有时像万斛源泉，随地涌出”就极好地阐释了楚人优秀的文采。庄子的散文和屈原的诗歌都是具有开创性的文学作品，开中国浪漫文学的先河，也影响着后世数千年文化艺术的走向。唐诗宋词是中国古代诗歌文明的高峰，巨擘名篇迭出，是中国古代浪漫主义诗歌发展的高潮。自称“我本楚狂人”的李白，一生与长江有着不解之缘，他曾以“两岸青山相对出，孤帆一片日边来”将长江的豪壮气象一笔勾勒，也曾以“山随平野尽，江入大荒流”表现出长江的阔大雄伟，他“朝辞白帝彩云间，千里江陵一日还”的豪迈奔放，与屈原驾玉虬、乘风车、飘风旋转、云霓相迎的自由洒脱有异曲同工之妙。杨慎说“滚滚长江东逝水，浪花淘尽英雄”，壮怀激越；杜甫言“无边落木萧萧下，不尽长江滚滚来”，凄凉感伤；李白道“天门中断楚江开，碧水东流至此回”，气势磅礴，这些都展示了文人依江河写作、以江河为家的情怀。

(2) 以国家为重

家国情怀的基本内涵包括家国同构、共同体意识和仁爱之情。它既与乡土观念、民族精神、行孝尽忠、爱国主义、天下为公等传统文化有重要联系，又对这些传统文化有所超越。其实现路径强调个人修身、重视亲情、心怀天下。

稻作生产和科技创造者们相较于一般人来说有更多的忧患意识。“积谷防饥”“养儿防老”是过去的人们，特别是农耕民族最深层的忧患意识，也是中华民族生生不息的根本所在。历史上水稻从业者对人类、社会、国家、人民可能遭遇的困境和危难抱有更高的警惕，同时也拥有奋发图强、战胜困境的决心和勇气。我国农业科学家袁隆平院士及其他数量众多的院士和科技人员是中国的杰出代表。在他们多年的不懈努力下，中国的水稻不仅解决了10多亿人口的吃饭问题，也为世界粮食安全作出了杰出贡献。

习近平总书记于2017年5月26日在致中国农业科学院建院60周年的贺信中指出，要立足我国国情，遵循农业科技规律，加快创新步伐，努力抢占世界农业科技竞争制高点，牢牢掌握我国农业科技发展主动权，为我国由农业大国走向农业强国提供坚实科技支撑。习近平总书记的重要指示为我国现代农业指明了发展方向，提出了明确要求，对于强化科技创新、推动现代农业快速发展具有重要意义。

3.3 中外灌溉文化对比

3.3.1 生态智慧对比

中国特有的气候条件与自然地理环境，使得灌溉成为传统农业经济发展的基础和支撑。因此，只要谈及中国的农业生产与稻作传统，便离不开灌溉。中国灌溉文明发展史与中华文明的历史紧密相连，并且同样历史悠久。截至2020年，中国的世界灌溉工程遗产总数已达23项，是世界上灌溉工程遗产分布范围最广且灌溉效益最突出的国家。值得一提的是，中国这些古老的世界灌溉工程遗产仍在使用中。毋庸置疑，这些伟大的水利灌溉工程具有千年不衰的生命力，是中国古代水利工程可持续利用的典范。那么，千年灌溉工程如何得以在历史的洪流中屹立至今，持续地发挥着浇灌农田、滋养一方水土的作用呢？

(1) 生态智慧的思想来源

“可持续，就意味着足够旺盛的生命力。千年灌溉工程，之所以生命力如此旺盛，关键在于行之有效的管理制度和灌溉文化。”① 自古以来，中国都有着充分利用自然区位条件、因地制宜、通过一系列工程措施优化区域内自然条件的优良传统，使得人与自然长期处于一种平衡状态。

中国灌溉工程遗产旺盛的生命力得益于人与自然之间长期的和谐的互动关系。中国农业文明与灌溉文化的发展历程蕴含着深邃的生态智慧与生态精神，这种生态智慧和生态精神在典籍《周易》《吕氏春秋》中也多有涉及。如中国

① 刘天放. 保护灌溉工程遗产 展现中国治水智慧[N]. 中国旅游报，2019-09-13(3).

传统农学中的“三才”理论，它指的是农业生产过程中的三个要素——天、地、人。该理论既强调顺应自然、尊重客观规律，又强调人的主观能动性。又如农业生产中循环的思想，比如“传统农业重农时、重季节也是循环思想的重要体现”①。再如“天人合一”观念。中国古代典籍《周易》中提及天、地、人三者是统一的整体，“‘天以阳生万物，以阴成万物’，恰恰印证了阴阳和谐、万事万物皆源自天地的观点”②。中国源远流长的灌溉文化中始终贯穿着“天人合一”的朴素自然观，使农耕文明得以进一步孕育与发展。这些中国经典文献中关于“三才”理论、循环思想以及“天人合一”观念的详细论述均包含着古人崇尚天、地、人、物之间的和谐与统一的生态理念。

（2）生态智慧的外化表现

中国灌区分布范围广，不同灌区所处地区的自然地理环境状况迥异。故此，在不同地区采取不同的灌溉方式和灌溉技术，因地、因时、因物制宜，理解并利用好自然的力量，才能为一方百姓带来福祉。以政府为主导的治水用水方式，以造福百姓为主要目标，同时还孕育了人水和谐、人水共融的生态智慧。灌溉工程所承载的丰富的精神内涵和厚重的历史文化底蕴，是古代管理者在无数实践中总结出来的经验与教训。

芍陂，古代淮水流域最著名的水利工程，位于安徽省淮南市寿县境内，“由春秋战国时期楚国令尹孙叔敖于公元前 613—公元前 591 年组织修建……距今已有 2 600 多年历史，是中国历史上最古老的大型蓄水灌溉工程，与都江堰、郑国渠、漳河渠并称为中国古代四大水利工程”③。至今，芍陂仍然发挥着巨大的工程效益，浇灌农田万顷，并于 2015 年被纳入世界灌溉工程遗产名录。

芍陂的修建充分利用了当地的水文和地形等自然地理条件，因地制宜，展现了创建者超凡的生态智慧。“安丰城南一带，是大别山的北麓余脉，西、南、东三面地势较高，北面地势低洼，向淮河倾斜。每逢夏秋雨季，山洪暴发，形成涝灾；而雨少的时节，又常出现旱情。”④创建者们巧妙地利用该地三面高、一面低的地形特点，建起了一座“功在当代，利在千秋”的灌溉工程。东面凤阳积石山、东南面龙池山和西面六安龙穴山流下来的溪水都汇集于低洼的芍陂之中，周边的稻田又多分布于西、北、东三面，而芍陂南高北低，因此有必要根据降水丰

---

① 胡火金．论中国传统思维中的循环观与农业精耕细作传统[J]．农业考古，2002(1)：31-35，91.

② 牟方志．传统文化的生态智慧[J]．人民论坛，2019(8)：136-137.

③ 徐家久．安丰塘（芍陂）古代水利工程考古调研报告[J]．文物鉴定与鉴赏，2017(10)：86-87.

④ 孙叔敖——芍陂工程利千秋[J]．河北水利，2015(10)：33.

沛期和干枯期来控制水量。孙叔敖在芍陂开设五个水门，利用石质闸门有效控制注入稻田的水量。如此一来，降水充沛的时候不至于造成洪涝，而天气干旱的时候农田也有充足的水源灌溉。后来，为了扩大水源，该陂的西南方又开凿了一条子午渠，上通发源于大别山区的淠河，并且打通了濠水的引水渠道，使得芍陂的灌溉面积大大增加。“芍陂灌溉工程的创建极大地满足了该地区稻作生产的水利需要，有效提高了当时的粮食产量，保障了楚国开拓疆土对军粮的供给需求”①。芍陂自建造以来，经过历朝历代的整治，一直在农业生产和经济发展中发挥着重要作用。如今的安丰塘也持续着灌溉一方的传统，同时还发挥着防洪、航运、旅游等综合效益。

芍陂整个灌溉工程体现了生态智慧与自然水系的高度融合，始终保留着人水和谐的治水智慧。“芍陂选址科学、因势利导、取源充沛、灌排自如，目前仍然保留着19世纪工程格局和运行方式，并且持续发挥着重要的社会经济和生态环境综合效益。”②正如中国水利学会水利史研究会会长谭徐明所说，“世界灌溉工程遗产留给我们的，不仅仅是继续造福一方的工程，更重要的是人与自然和谐共处的智慧和价值观”③。中国国家灌溉排水委员会主席陈明忠也表示：“保护、传承和利用好这些具有历史文化价值的灌溉工程，可以汲取古人利用自然和人文科学造福当地人民群众的智慧，进一步挖掘发展灌溉工程的功能，为保障国家粮食安全作出贡献，同时也为建设现代化灌区赋予了更深刻内涵。”④我们必须传承好这些灌溉工程遗产，并深刻领会其承载的生态智慧、文化内涵和可持续发展精神，更好地构建人与自然和谐共生的生态型社会。

（3）苏美尔文明的兴起、发展与消亡

两河流域的美索不达米亚文明同中华文明一样，建立在发达的古代农耕经济基础之上，有着世界上最古老的人工灌溉系统。“美索不达米亚”在希腊语中意为“两河之间的土地”，即幼发拉底河和底格里斯河之间的冲积平原，又称“两河流域”。这块平原地区被群山环抱，呈半弧形，宛如一弯新月，也由此得名“新月平原”，世界上最古老的苏美尔文明就在此诞生。在《恩基和宁胡尔萨格》《恩基和宁玛尔赫》《恩利尔与宁利尔》等文学作品和“苏美尔人的大洪水神

---

① 关传友. 皖西地区水利建设的历史考察[J]. 古今农业，2018(4)：19-27.

② 朱立琴，王黄莫楠，郑大俊. 芍陂水利工程保护与发展的战略思考[J]. 水利经济，2019，37(1)：73-78，82.

③ 陈晨. 中国治水智慧何以千年不衰[N/OL]. 光明日报，2019-09-05(10). http://news.gmw.cn/2019-09/05/content_33136635.htm.

④ 刘诗平. 我国再添4处世界灌溉遗产工程[EB/OL]. (2020-12-08)[2022-03-15]. http://www.xinhuanet.com/local/2020－12/08/c_1126837684.htm.

话”中我们可以窥见灌溉在苏美尔文明崛起、兴盛及消亡的过程中起着不可忽视的作用。其中神话《恩基和宁胡尔萨格》“19世纪末在尼普尔被挖掘出土，总共六栏被抄写在一块泥板上。1915年斯蒂芬·兰登对该史诗进行翻译，并以《苏美尔的天堂史诗，大洪水和人类的灭亡》为名将其发表”①。之后许多学者对该神话进行了大量的研究，其中古典学家柯克于1970年在其著作《神话在古代文化和其他文化中的意义和功能》中提道，“恩基代表淡水，宁胡尔萨格代表大地，两者的结合其实是农业中灌溉的拟人化”②。这也从侧面说明在苏美尔文明中，灌溉处于十分重要的地位，是农业发展的基础和保障。

在两河流域南部地区，苏美尔人崛起并创造了灿烂的渔猎、防洪与灌溉文化。苏美尔南部处于两河流域的下游地区，渔业资源丰富。苏美尔人划动着芦苇船，在沼泽地带灵活穿行，捕获鱼虾。不过，平坦的地势和广布的沼泽使得该区域饱受洪水侵袭。为了应对洪水，苏美尔人充分利用河道水系修建大坝、池塘及沟渠，并将众多村落组织起来，共同建设和维护日趋复杂的水利灌溉网络，既防御了洪水，又保证了农田灌溉。苏美尔人在渔猎、防洪与灌溉方面的尝试，促进了农业发展和村落融合，为早期城市的形成打下了基础。

对河流的利用，需要融合人与自然和谐共生的生态智慧，反之则会受到“反噬”。在美索不达米亚南部，乌鲁克、乌尔等苏美尔城市最早兴起，农作物大获丰收，城市人口稳定增长，一度成为美索不达米亚平原上最大的城邦，先后称霸一方。但是，两城居民对水资源长期的非生态化灌溉与利用，使他们尝到了土壤盐碱化的恶果。“泥板文书记载，在乌尔第三王朝末期，首都发生了严重的粮荒，粮价上涨了60倍，国王不得不下令从外地购买粮食。”③这与两河流域的气候、地形及不合理灌溉关系密切。就气候而言，“两河流域气候干燥，除了北部平原和扎格罗斯山麓之外，年降水量多在200毫米以下，农作所需的灌溉水源严重依赖幼发拉底河和底格里斯河两条大河”④。从地形上看，两河流域“地下几乎无法排水，长期汲水灌溉，特别是水渠渗出的水和过分灌溉会造成地下水位的升高和土壤中盐分的积累”⑤。除此之外，两河流域的人工灌溉系统重灌溉，对排水、排洪缺乏足够的重视。灌溉到农田的水既无法顺地势自

---

① 李海峰，宋娇.古代两河流域创世神话研究综述[J].外国问题研究，2018(4):69-76,118.

② 李海峰，宋娇.古代两河流域创世神话研究综述[J].外国问题研究，2018(4):69-76,118.

③ 邹一清.古蜀与美索不达米亚——从灌溉系统的比较分析看古代文明的可持续发展[J].中华文化论坛，2005(2):145-148.

④ 邵大路.希腊化时期两河流域农业经济初探[J].农业考古，2016(6):211-215.

⑤ 林秀玉.古代文明与地理环境之关系——古代中国、埃及及两河流域比较[J].闽江学院学报，2004(1):87-91.

然排出，也不能通过人工灌溉系统导出，日复一日、年复一年的灌溉，导致土壤盐碱化日益严重，成为阻碍两河流域下游地区农业和城市继续发展的重要因素。

3.3.2 灌溉信仰对比

（1）我国长江灌溉信仰

长江流域和南方地区的稻作文化内涵极其丰富。上古时期，中国各个族群都流行动物崇拜，有的崇虎，有的崇鸟，有的崇鱼，有的崇熊，有的崇象，有的崇蛇，有的部落或氏族则以其他动物作为族徽或标志。这些动物，有的与狩猎或捕鱼有关，有的与居住地生存环境（山林、平原或江湖沼泽）相关，还有的则与农业有着极为密切的关系。其中最具代表性的便是对龙的崇拜。在古人的想象中，龙是司理雨水的神虫，所以与南方水稻的播种栽培关系最为密切的就是龙了。汉代许慎在《说文解字》中写道“龙，鳞虫之长，能幽能明，能细能巨，能短能长，春分而登天，秋分而潜渊”，描述的便是龙在春天稻谷播种之时要登天降雨，到秋天稻谷丰收之后才潜渊冬眠。在先民的心目中，龙是由多种动物特征拼凑起来的一个神奇角色，其主要特征中有各种水族动物的影子，如长江流域和南方地区的扬子鳄、蛇、龟、鱼等，也包含了许多其他南方常见动物的特征，如象鼻、牛耳、鹿角、马鬣、虎掌、鹰爪等。这些动物特征的组合，不仅进一步塑造和增强了龙的神奇性质，也表现了上古不同族群的融合。后来随着南北文化的交流融合，龙的影响不断扩大，成为长江流域和黄河流域各族人民的共同崇拜对象。在一定意义上，也可以说对于龙的崇拜是随着稻作文化由南向北的传播而形成的，并在此过程中被赋予了更为丰富的内涵，成为中华民族文化与民俗中的经典，受到了历代统治者与各个阶层的尊崇。①

对于鸟的崇拜则与长江下游的自然地理环境和农业生产有很大的关系。吴越所处长江下游地区，是大雁等古代名为“鸠”的候鸟的栖息之所，文献中常见有“鸟田”的说法。根据古书记载：从前，大禹即帝位十年，到东方巡视邦国，死于会稽，就葬在这里。从此就有鸟飞来耕耘，春天拔除草根，秋天又啄除杂草。因此，县官禁止百姓捕杀此鸟，否则就判刑不赦。候鸟对气候变化极为敏感，冬去春来，随四季的冷暖嬗变而南北迁徙，吴越人也可以通过观察候鸟的迁徙来判断四时，用于农业耕作。由此可见，人们在种植农田的过程中利用候鸟节约劳动力、提高效率、判断节气，使鸟崇拜得以形成。吴越文化的鸟崇拜

---

① 黄剑华. 中国稻作文化的起源探析[J]. 地方文化研究，2016(4)：40-57.

是与民间的生产生活联系在一起的，具有很强的现实目的性。① 从鸟崇拜形成的原因来看，吴越地区的信仰崇拜显然具有了强烈的世俗目的。与良渚文化相比，宗教信仰在吴越时期发生了很大变化，不再具有史前时期那种超脱世俗、纯粹精神化、弥漫于社会上下的信仰特征，而变成了具有强烈现实目的、较为功利的"实用主义"信仰。

长江流域和南方地区的稻作文化还直接影响了很多民俗的形成。端午节包粽子、饮雄黄酒、挂艾叶、赛龙舟、祭祀五谷神和祭祀祖先就是南方很多地区的重要习俗。端午习俗起源很早，最流行的传说是为了纪念屈原，其实这个民俗中的关键要素"粽子"与"龙舟"都和稻作文化有关。在端午节期间，人们用糯米制作粽子用于祭祀，以祈祷来年风调雨顺，求得更多收成。晋朝周处所著的《风土记》中有关于粽子的记载如下：南方民间在端午节和夏至节之前，常会提前一天用菰叶裹着糯米，煮熟后在过节的时候食用，称为"粽"或"角黍"。六朝时宗懔曾说：在夏至这一天吃粽子，周处称它为角黍，人们称用新竹筒做的粽子为筒粽。又说：五月初五是龙舟比赛的时候，通俗来说是屈原投汨罗江的日子，大家为了怀念他，所以用龙舟来拯救他。但是也有另一种说法，《曹娥碑》中记载：五月初五，实际上是伍子胥死后被投放到钱塘江。而赛龙舟又恰好是东吴的习俗，所以端午节是纪念伍子胥而不是屈原。由此可见龙舟的由来可追溯至先秦，并形成了不同的说法。而在长江中游地区纪念屈原的传说影响最大，并且在东汉至魏晋六朝时期就已被民众认可②。

龙舟竞渡作为端午节习俗中的重要组成部分，也有着不同的意义。龙舟竞渡分为请龙、祭龙神、游龙和收龙等几个环节。龙舟竞渡前一般都要举行隆重的祭祀仪式，先要请龙、祭龙神。龙舟在端午前要择吉日从水下起出，祭过神后，安上龙头、龙尾，再准备竞渡。人们祭祀龙神时气氛严肃，多祈求福佑、风调雨顺、去邪祟、禳灾异、事事如意，希望来年能有更好的收成。

（2）日本灌溉信仰

在日本，丰收的稻米不是天皇的私有物，而是神灵的眷顾和恩惠。栽种稻米前要祭祀神灵，祈愿神灵的眷顾和五谷丰登。稻米丰收了，则要将新谷供奉给神灵，感谢神灵的恩惠并祈愿国泰民安，剩下的才能食用。千百年来，上至天皇、下至百姓，日本人始终遵循春天祈祷丰收、秋天感谢收获的祭祀宗旨。稻作文化成为影响日本社会发展的重要文化。

---

① 史延庭. 论吴文化中的鸟崇拜习俗[J]. 中国史研究，1992(3)：41-48 .

② 黄剑华. 中国稻作文化的起源探析[J]. 地方文化研究，2016(4)：40-57.

以水田为主的各种祭祀活动、传统节日、文学艺能等是日本传统文化的重要组成部分，展示出了日本人和水稻的深刻联系。这类精神文化类型多样，种类丰富，其中也不乏日本国家指定的非物质文化遗产。日本的农耕礼仪通常表现为对“田神”的祭祀活动。其中，秋收后的“新尝祭”至今仍是日本皇宫中的重要祭祀活动，被列入日本的非物质文化遗产。以水田为舞台发展起来的田乐是日本传统艺能的一种。它是由模仿稻作生产祈祷丰收的农耕仪式发展而来，至今已有一千多年的历史。

(3) 埃及尼罗河灌溉信仰

在尼罗河浇灌的古埃及宗教中，尼罗河和太阳构成了埃及文明的两大生命之源，这两个自然环境因素对古埃及人的生活产生了深刻的影响。尽管在古埃及，干旱的沙漠似乎早已注定一切，但是因为有了尼罗河，人们得以在三角洲和尼罗河谷生存繁衍。可以说，生活在尼罗河畔的埃及人的丰收全部仰仗于尼罗河。这种依赖使得人们总是担心河水泛滥导致的死亡和毁灭，所以对于尼罗河的崇拜与祈祷也就成为人们生活中的主要内容之一。因此尼罗河河神哈比在整个古埃及都受到崇拜，甚至在每年洪水泛滥时，人们都要挑选一女子奉献给河神，祈求河神阻止洪水肆虐成灾。

在独特自然生态观念的支配下，埃及人形成了自己的生活方式。尼罗河洪水每年 7 月中旬暴发，大水淹过洪泛平原数米之深。到了秋天，尼罗河水退回河床，洪水所经过的土地上积下了一层肥沃的淤泥。正是这层淤泥为精耕细作提供了条件，农耕文明便依此而建。古埃及的农耕经济不仅使古埃及人得以繁衍生息，还帮助古埃及人形成了富有节奏、循规蹈矩的生活方式。为了建立一套按时填补国库的征税系统，古埃及人根据尼罗河水泛滥的规律和对天象的观测制定出一套历法——太阳历①，并依该历生活。古埃及太阳历将新年确定在天狼星第一次与太阳一同升起之日。②

3.3.3 衍生文化对比

(1) 稻作技术

中国唐宋时期，北方战争不断，而南方相对稳定，战乱使北方人口大量南迁。到北宋时，南方的人口已经比北方多出一倍。在北方“耕、耙、耱”配套技术

---

① SHAFER B E. Religion in ancient Egypt: gods, myths, and personal practice[M]. Ithaca and London: Cornell University Press, 1991:169.

② MORKOT R G. The Egyptians: an introduction[M]. London and New York: Routledge Taylor & Francis Group, 2005:10.

的影响下，南方农业生产也迅速发展起来，我国的经济中心也由黄河流域转移到长江流域。适合于在小块水田耕作的曲辕犁的发明，推动了南方水田“耕、耙、耖”独特精耕细作技术体系的形成，明清以后水田耕作体系进入了深入发展阶段。水田耕作和旱地耕作虽然在很多方面是通用的，但是水稻在水中生长，水层的深浅对农作物生长有很大影响，因此需要田面是平整的，保证水平深浅一致。所以为了平整田面，南方出现了一种水田特有的农具“耖”。“耖”在西晋的时候就已经出现，但真正普及则是在宋代。“耖”的普及标志着南方水田“耕、耙、耖”精耕细作技术体系的形成①。

南宋楼璹在他的《耕织图・耖田图》中描绘了农民用“耖”在田地中劳作的场景：他脱掉长裤下水田，泥浆淹没了人的膝盖和牛的尾巴，劳作直至日薄西山。砍柴人唱着歌回家，农夫赶着老牛回到村头的溪水中，人和牛一起洗去身上的泥浆和汗水。如果说楼璹对耖田是纪实描述，那么明朝邝璠的《耖田》一诗则是通俗地道出了耖田的功用：“耙过还须耖一番，田中泥块要匀摊，摊得匀时秧好插，摊不匀时插也难。”②

水稻生产活动中发展出来的农具、栽培技术、除虫技术等都属于稻作物质文化的一部分。其中独特的“稻田形态”是日本最有代表性的稻作物质文化之一。日本种植水稻大约有 2 500 年的历史。在这两千多年水稻种植的历史中，日本在农具的发展、水稻的栽培技术、稻作相关的祭祀礼仪与文学艺能等方面发展出了一系列独特的稻作文化。日本是世界著名水稻产区，种植历史悠久、品种优良。绳纹时代（约公元前 12000 年—公元前 300 年）晚期的宫崎县桑田遗址（1990）和弥生时代（约公元前 3 世纪—公元 3 世纪）前期的青森县砂泽沟渠遗迹（1984），都表明早在弥生时代前期水稻种植就已遍及日本本州全境。③

（2）梯田风光

梯田是人类在农业文明进程中创造的奇迹，它层层叠叠，蜿蜒曲折，是人与大自然的伟大杰作，是雕刻在土地上的年轮。山川为素纸，农具如神笔，天人协作，挥毫泼墨，便成就了一幅幅让天地动容、让世人惊叹的丹青。游人多惊叹于梯田的“美丽”，却忽略了它们是农业文明的一部分，是当地人赖以生存的土地。而且，部分梯田已经被联合国粮食及农业组织列入全球重要农业文化遗产保护名录。

---

① 吕珊雁. 精耕细作的古代农业[J]. 农村・农业・农民（A 版），2013(13)：57-58.

② 吕珊雁. 精耕细作的古代农业[J]. 农村・农业・农民（A 版），2013(13)：57-58.

③ 佐藤洋一郎. 日本のイネの伝播経路[J]. 日本醸造協会誌，1992(10).

中国是世界上梯田分布最广的国家之一。我国梯田主要分布在黄土高原、云贵高原以及江南丘陵三个区域。按照形成的时间大致可分为两类：一类分布在南方山岭地区，其中以广西、云南、福建居多。此类梯田与多山丘陵的地貌相适应，凭借温暖湿润的良好气候条件，在劳动人民长期的努力下形成，以水稻种植为主。另一类主要分布在黄河中上游的黄土高原地区，多为旱作梯田。

每年4月初，广西壮族自治区桂林市龙胜各族自治县龙脊梯田逐步灌水，田里水满泥润，层层梯田绵亘蜿蜒，线条丰富，如诗如画。据专家考证，2 300多年前，龙脊先民便已经开始在这里开垦农田。龙脊的居民至今仍保留着原始的耕作方式，他们与自然和谐共生，形成了独特的梯田文化。龙脊梯田依山形地势而修，面积达1 174公顷，一般分布在海拔300米至1 200米处。梯田从山脚盘绕到山顶，最大高度差为860多米，层级最多达1 100级，形成了千层天梯上云端的壮丽景观。从高处望去，梯田磅礴壮观，线条潇洒优美。每当春季灌溉时，梯田好像一面面明镜，映照出绝美的风光，而到了秋天稻谷成熟时，金灿灿的水稻漫山遍野，给梯田披上了金色的“外衣”。[①] 长久以来，生活在这里的人们春种秋收，辛勤劳作，构建了世代相传的梯田农耕文明。这里历史悠久，被誉为我国古代农耕文明的活化石。《诗经》中便有“瞻彼阪田，有菀其特”的诗句。阪田，就是先民对梯田的称呼。在古代，是梯田养活了中国的山民。

图3-15　梯田风光[②]

---

① 本刊综合.梯田：不止是风景[J].发明与创新(大科技)，2020(5)：50-51.

② 图片来源：https://jingyan.baidu.com/article/86112f13805f102736978710.html

日本的农业发展是以稻作为中心的高度劳动集约型的水田农业。加上耕地面积小、个体经营多，农业用地逐渐从平地向山地延伸，由此发展出了美丽的梯田农业。梯田逐渐成为一种集约利用山地的成熟耕作方式，并且广泛发展起来。它们不仅建构了令人惊叹的壮美风光，也养育了大量的人口。日本在其特殊的地理条件下，发展出了包括梯田、灌溉设施在内的独特的“稻田风光”，并代代相传保留至今。[①]

① 汪闰月. 日本的稻作文化及发展启示[J]. 现代化农业，2020(4)：56-57.

04

第四章
长江抗洪文化

水运系国运，水运兴，则国运昌。长江在恩泽中华民族的同时，也给沿江人民带来了巨大的洪患。中华民族在与长江洪水的抗争中，逐渐形成了独特的长江抗洪精神与文化。以人为本、为民负责，这是在抗洪救灾中积极践行的宗旨理念；不畏艰险、敢于胜利，这是在抗洪救灾中充分展现的可贵品质；忠诚履职、勇于担当，这是在抗洪救灾中自觉肩负的责任使命。

在人水相搏、两相对峙的关键时刻，抗洪军民为了国家和人民的利益，不怕困难、不畏艰险地英勇抗击，化解了人民群众所遭受的生命财产威胁，保卫了改革开放的成果。长江抗洪，不是短时间的权宜之计，而是长时间的反复较量；不是个别人的身先士卒、出生入死，而是整个抗洪军民的团结合作、顽强拼搏。中华民族齐心协力，共克时艰，这才有了如今的风调雨顺和国泰民安。

中西方抗洪文化既有相似之处，又存在明显差异。不管是洪水神话传说，还是治理洪水的方式途径，都呈现出各自的特色。我们从数不胜数的抗洪文化作品中能感受到丰富多彩的抗洪文化。

4.1 长江洪水治理历史

4.1.1 古代洪水治理历史

先秦时期，我国生产水平落后，人们的防灾、抗灾以及自救能力极为薄弱。先秦水灾可划分为尧舜、夏商西周和春秋战国三个时期。尧舜时期，大禹以疏浚之法成功消除岷江水患，“大禹治水”的故事由此家喻户晓。夏商西周时期，洪灾治理主要着眼灾前预防。统治者提倡种树保林，强调按时封禁与砍伐，防患于未然。兴修水利和植树造林抵御了部分水灾，重农思想使得粮食产量增加，社会财富积累，人们得以储粮备荒。春秋战国时期，报汛制度逐步完善。报汛驿站遍布各地，其职责就是定期传递“水报”，让中央时刻掌握辖区的水量变化。根据汛情的发展状况及暴发位置，有“羊报”“马报”“步报”等报汛方式可供选择。

魏晋南北朝时期自然灾害多发，水灾发生的频率超过了历史上任何一个时代，给社会经济和人民的生命财产安全带来了巨大损失。再加上国家长期四分五裂，统治者之间不断挑起兼并战争，时而以水代兵，加重了水灾的后果。梁天监年间，为攻打北魏的寿阳（今安徽寿县），梁武帝萧衍下令于淮河上修筑48米高的浮山堰。但浮山堰筑成后不久，就被洪水冲塌，两岸10多万居民被洪水卷入大海。水患频发，各统治阶级采取了一系列的救助举措，包括实物救助、调粟赈民、减免租调、借贷给农民以种子和粮食以及疏浚河道等。

隋唐时期，南方经济发展迅猛，长江流域经广泛开发，人口渐密，分洪蓄水之地减少，加之洲滩筑堤围垦活动渐多，水灾日趋严重。隋唐时期的防洪措施包括重农政策、义仓制度、水利政策等。农业是国家财政收入的来源以及社会安定的保障，隋唐实施“重农政策”，提高了农民生产的积极性，为政府救灾、百姓度荒提供了物质保障。在吸取隋朝经验的基础上，唐朝更加重视农业，注意休养生息，天子亲自垂范，加强对农业发展的引导和资源供给。我国仓储制度始于汉代，于唐朝臻于完善，义仓制度也在隋唐时期达到兴盛，为灾荒时期的赈济储备了大量粮食。水利政策对防治洪水至关重要。为准确获取各地重要河流的水文状况，政府在重要河段设立了水文站以监测水文情况。被誉为“世界第一古代水文站”的“白鹤梁”即始建于唐代。它是重庆涪陵城北长江中的一道天然石梁，相传唐代尔朱真人于此江边修炼之际乘鹤仙去，故得其名。白鹤梁上记载着自 764 年以来历代题刻的诗文和石雕，现存题刻 175 则，石鱼 14 组 18 尾，其他图像 1 幅。因其极富水文、艺术价值，相关保护工作颇受重视，工程院院士葛修润潜心研究，终得出“无压容器”方案，水下 40 米的博物馆由此在白鹤梁原址建成，该保护工程在全世界绝无仅有。唐朝时期的抗洪措施则主要靠建造堤坝以封堵洪水。819 年，广东潮州天降大雨，致使河流水位猛涨，发生了百年不遇的洪水灾害。韩愈冒雨出城勘察，发现城内洪水源于北面山上的滚滚山洪，治水之道就在于拦截洪水。他便亲自骑马蹚水细察水情，确定堤线后通知百姓进行筑堤，洪水之危得解。为助灾后恢复，官方采取的措施主要有遣使救灾、赈济、赈贷，其中皇帝自谴和祭祀祈祷等行为虽带有迷信色彩，但可抚慰众人，民间救助则依靠灾民互助、富户捐助以及佛教慈善。

宋朝时，天人感应观念遭受冲击，洪水事件不再和政治事件关联，而是以客观的笔触呈现。在此期间共发生 600 余次洪水，造成大量人口死亡、田园损坏、流民涌现等后果。当时由于可持续发展和环境保护等意识的缺乏，政府大力支持垦荒，导致过度农业生产，对自然环境造成破坏。与此同时，人们不仅为满足制作战争物资、修建军事设施的需求而砍伐森林，还围湖造田，削弱了湖泊调节能力。1128 年，金兵再次渡河南下，宋军掘开黄河大堤以阻金兵，导致黄河发生改道，严重破坏了淮河水系。尽管灾害频仍，我国的水文监测设施却日趋完善。宋代除沿用唐代“刻石记事”的方法记录水文情况外，还发明了一套完备的水位观测制度。比如，当时宋廷为监测太湖流域的水文情况，于 1120 年在吴江县长桥垂虹亭旁立起了两块“水则碑”，左碑用于记录历年最高水位，右碑则记载每年各旬、各月的最高水位。

明清时期，经济重心逐渐南移，江南水灾所造成的损失尤为严重，洪水所到之处，市镇尽毁，饿殍遍地。同时，南方经济持续发展，富庶之地寸土寸金，人们自然与水争利，导致各大湖泊萎缩加速。明政府要求全国各府州县设立仓储建筑，且各地方政府也筹措资金，组织民众修筑津梁、堤坝等水利设施。隆庆年间，通过组织民工增修荆江大堤，赵贤着手大规模治理长江，并创立《堤甲法》。该法视防洪为常态，要求百姓在雨水丰沛的夏秋季保持警惕，抓紧准备，在干旱的冬春季修缮堤坝。另外，他还总结出了更为有效的紧急报汛法，即利用商定的信号第一时间传递汛情。一旦突发汛情，第一线的人们会立即悬旗、挂灯、敲锣，以紧急信号通知下游百姓，由此不断传递，直至京师。

清朝治水也主要集中在修建堤坝方面。清康雍乾年间，仅着眼于防汛，清廷便斥巨资修筑了一条总长 150 多千米的海堤，东起长江口金山卫，西至杭州，经钱塘、仁和、海宁、海盐、平湖、金山等六县。此外，清朝设有河道总督一职，任命朱之锡、靳辅等治水良臣，且设有水利部门都水司以专职记录水文情况，制定河工实施方案并监督执行。关于救灾，清朝的主要措施如下：一、受灾严重的地区免除钱粮赋税，灾情略轻的地区则暂缓征收；二、用钱粮无偿救济灾民，辅以煮赈和工赈；三、出借钱粮等物给灾民，可于秋成缴还；四、安置因灾流离失所的百姓。据《嘉定府志》记载，1732 年，“峨眉、荥经、雅安、眉州被水”，对人民生命财产造成严重威胁，中央国库迅速拨款赈济，分发粮食，减免税务。清康雍乾时期国力雄厚，荒政达至鼎盛，后来国力衰微，赈灾形式也逐渐发生了变化。

4.1.2 近代洪水治理历史

1840 年的鸦片战争标志着中国步入了多灾多难的时代，而长江中下游灾情愈重，国运难上加难。1841 年至 1949 年间，长江流域发生大水灾 9 次，超过同期黄河特大洪水次数，范围小危害轻的水灾则更多。1848 年，“东南八省之水”暴发，殃及长江中下游的苏、皖、浙、鄂、赣、湘六省，豫、鲁两省也未能幸免，江苏灾情尤甚。此年夏天，暴雨连绵，长江水位上涨，惊涛拍岸，高达丈余，冲毁中下游广大平原地区的江堤，洪流肆虐，沿江和滨湖城镇、圩垸鲜有未被淹没者，人民生命财产蒙受巨大损失。湖北省洪流直泻洞庭湖，所到之处，一片汪洋，长江南岸大堤在松滋县被水冲成松滋口，北岸大堤在监利决口，加之汉江决口，荆北及江汉平原顿成一片泽国。1849 年，长江盛涨，冲破堤坝，淹没两岸城乡，造成了更加严重的三江两湖与安徽大水灾。

清朝后期，长江水情更为严峻，“舍南救北”策略逐渐衍生出来。该策略认为粮食产地江陵县和工商业中心武汉三镇皆位于北岸，其地位远远高于南岸，因此应当牺牲南岸洞庭湖地区的利益，顺利疏导洪水，确保北岸安然无虞。至咸丰同治年间，藕池、松滋两口又先后因洪水溃堤被冲成支流，可朝廷仍旧视而不见，反而有意加大向南排洪的力度。这一做法虽减轻了荆江大堤的压力，但让南岸付出了惨痛代价，致使其生灵涂炭，而且一味向洞庭湖区泄洪并非长远之计。

晚清时期国库空虚，政府捉襟见肘，拨给赈济水灾的经费少之又少，可洪水并不会因怜其财力不济而减退。面对微薄的政府财力，清政府只得采取其他办法加以补充，赈灾活动自此逐渐呈现多元化的特点。政府重点设立劳动部门，收容符合条件的受灾百姓，意欲授其技艺，使其自养。民间救济则开始显现区域互动的特征。曾经受限于交通、通信的不便，封建社会大都闭塞，各地域灾情无法互通，灾民得不到及时救助。晚清时，火车、电报等工具的引进大大减少了交通、通信问题，赈灾实现了全国联动互助，各地区摆脱地域限制，携手共渡难关。

民国时期，得益于西方自然科学和工业技术的陆续传入，再加上国内大学教育体系和国外留学体系并驾齐驱，治水领域涌现出一批拥有专业技术的人才，他们将西方科学技术应用到治水活动中。李仪祉毕生致力于我国的水利事业，引进西方水利理论和工程技术，是我国水利建设的先驱。作为国民政府导淮委员会工程师，他主持编纂了《导淮工程计划》，这在淮河水利发展史上添上了浓墨重彩的一笔。凭借过硬的专业知识及不怕吃苦的精神，他在经过一番勘察研究后，对长江流域的治理提出了有效建议，并且还提出降低洪泽湖最高水位、维护与管理各闸坝等办法。此外，李仪祉还是我国首个水利工程高等学府的创办人，为国家培育输送了大批水利人才，影响深远。武同举曾任《江苏水利协会杂志》主编，出版了《江苏水利全书》《淮系年表全编》等一大批对当时来说实用、有益的水利著作。时至今日，这些已成为珍贵的水利史料，却仍对中国淮河、沭河等河流海港建设具有指导意义。民国时期为长江洪水治理作出贡献的人物还有蔡振、黄万里、张沅、邓治安等，他们都在国内或者国外接受过高等教育，学成后投身治水，利用自身专业技能，为我国水利事业添砖加瓦。

新材料与新技术的应用也是民国时期治水的一大特点。在都江堰水利工程中，治水专家周郁如率先采用水泥制作鱼嘴，加上混凝土浇灌技术，工程坚固度大大提高。徐松涛则运用现代测绘技术，绘制了都江堰灌区水系正式图纸。为治理太湖，人们利用从西方引进的最新技术大致测量了该流域的水文等数据，并进行了规划工作，同时布设雨量站和水文站以搜集水文气象资料。这个时期，人们开始有意识地建立现代水文站和水电站，实施水文观测，开发地方水电；技术革新层出不穷，立轴式水轮机、新式筒车等新式提水设备由此现世。技术创新使得报汛速度提升，1933年，扬子江水道整理委员会启用各地电报局和无线电台，免费递发水位报告。沿江各大支流的水位站、水文站也将每日记录电传至京，即日汇送中央广播电台，由电台每日播放水位涨落情况。1935年，全国经济委员会为及时准确了解灾情，派遣飞机载技术人员赴受灾地区进行航拍和实测，并根据灾情随时指挥调度。① 随着电报、电话、报纸、杂志的普及，灾害信息传播速度提高，中央、地方和团体得以快速实施救援，而火车、汽车、轮船等交通运输工具的出现，又让灾民避洪、运送物资、灾区重建的进程加快。

民国时期，部分农民为一己私利，垦占河道，将官河变为"私有之地"，导致河道淤塞严重。1931年长江洪水暴发后，国民政府内部召开废田还湖会议，制定一系列法规以保护江河湖泊、清除河障。国民政府救济水灾委员会还规定了各地修筑堤垸的标准，但圩堤修筑纠纷频现，使得计划难以实施。地方政府和有识之士也筹集资金，用于修建防洪工程，意图振兴水利。湖北省响应国家号召，贯彻"以工代赈"，让灾民参与防洪工程建设，如汉口长江沿岸堤坡整治工程，包括修筑防水墙、疏通街巷暗沟等。这些治洪防洪之策都在一定程度上缓解了灾情。

国民政府有报灾、勘灾、放赈的流程。灾区官员上报灾情后，需前往调查核实受害程度，决定灾情分数，还要核查灾民户口以及贫困等级，以此作为发放金额的参考。最后，根据既定等级，政府再分发赈米或赈银给灾民。南京国民政府常设有赈务委员会，但因为灾情实为严重，国民政府迅速成立救济水灾委员会，由赈灾经验极为丰富的人员组成。其救灾计划分为三个时期：一、救急时期，以救命为宗旨；二、过渡时期，实行小规模工赈和农赈；三、恢复时期，实行大规模"工赈"，修整扬子江水道，疏浚长江支流，建造新式毛坝。1931年长江水灾中，两个赈灾委员会和社会力量共同构成了救灾力量。

各重灾区推行"以工代赈"的效果最为显著，分配灾民以完成修堤、浚河、造林、掘井、筑路等任务。主要形式分为以下几种：第一，在救灾初始阶段实行"以工代赈"，鼓励因灾受困的难民搬运货物。第二，设立"实业学校"或"灾民工厂"，发动实业家招募难民进工厂，合理安排剩余劳动力，帮助灾童获得独立营

① 全国经济委员会.民国二十四年江河修防纪要[M]."全国经济委员会丛刊"第二十三种，1936：2-3.

生的能力。第三，兴工筑路，浚河修渠。灾民援建公路、铁路，可拓展中国现代化交通版图，促进经济复苏。至于修坝、浚河等措施，意在修复水毁工程，改善水利设施，助力灾后农业生产恢复。第四，植树造林，利用灾工造林，提高植被覆盖率。救灾人士开始认识到自然灾害的发生多是源于树林稀少，开始强调植被的重要性，这是人们历经洪水之后的一种收获，从长远来看，乃防洪之举。但总的来说，民国时期战事频繁，每年都处于财政赤字状态，政府无暇顾及预防洪涝灾害。再加上在具体赈济过程中，仅有的水利经费也被层层剥削，克扣款项、侵吞资金现象不在少数，洪水治理效果不甚明显。

除了政府采取的救灾举措，民间力量也十分强大。很多民间救济团体积极筹款，为灾民开设收容所或者通过粥厂急赈为他们提供饮食补给。同乡组织、学界与医界、宗教团体、慈善团体以及报界的呼吁在救灾过程中都发挥了巨大作用。长沙《大公报》还将 1931 年 9 月 1 日定为“大公报馆救灾日”，带头捐款助赈，进一步推广了公益活动。此外，由中外人士合办的华洋义赈会以人道主义为宗旨，不计回报赈灾救难，堪称当时规模最大的义赈组织。其施赈力度和范围在当时实属空前，大大促进了灾后恢复，是“历史灾难的补偿”。[①] 国际援助力量则主要有海外华侨、红十字会等。中国人民顽强不屈的自救和这些来自五湖四海的援助，造就了我国赈灾新格局。

4.1.3 现代洪水治理历史

(1) 洪灾纪实

继 1931 年大洪水后，我国又发生了两次具有代表性的全域性洪水，而 2020 年的南方洪涝灾害也牵动着无数民众的心，所以此节将主要介绍这几场洪水。

1954 年，长江流域洪水袭来，持续时间久，水量巨大，自枝江以下 1 800 千米流段超历年最高水位。长江中下游沙市站最高水位达 44.67 米，城陵矶莲花塘站最高水位 33.95 米，汉口站水位创新高至 29.73 米。该年 8 月 7 日，宜昌站的洪峰量已经达到了 66 800 立方米每秒，枝城站洪峰量也达到了 71 900 立方米每秒，长江干流自沙市以下，水位都超过以往的记录 0.18～1.66 米。长江中下游有 4 755 万亩地被淹，涉及 1 880 万人及 123 个县市，死亡人口 3 万余人。

1998 年的洪水涉及长江、嫩江、松花江等几个主要的流域，全国有 29 个省市遭受洪水的侵袭，受灾程度不一，其中，损失最大的是江西、湖南、湖北、黑龙江等几个省份。这次受灾面积 3.18 亿亩，受灾人口 2.23 亿人，其中死亡人数

---

① 李文海，程啸，刘仰东，等. 中国近代十大灾荒[M]. 上海：上海人民出版社，1994：160.

达到了 4 150 人，房屋倒塌了 686 万间，经济损失更是达到了 2 000 亿元以上。

2020 年，夏日刚至，全国温度高，降雨多，长江流域发生了 1998 年以来最严重洪灾。南方大部分地区连降暴雨，导致众多河流汛情告急，长江、太湖、淮河、鄱阳湖等上百条河流发生超警以上洪水，流域性大洪水由此暴发。

(2) 制度保障

中华人民共和国成立之后，政府更加注重防洪救灾等关乎民生的问题。1949 年底，国家颁布了《关于生产救灾的指示》，要求各地政府都建立起生产救灾委员会。1950 年初，中央救灾委员会正式成立，2 个月后，中国人民救济总会成立，并且颁布了《中国人民救济总会章程》。到 1954 年特大洪水到来前，淮河干堤已比历史最高水位加高 1 米，河道也进行过多次清理疏浚；石漫滩、佛子岭等水库及蒙洼、渔湖等蓄洪工程完工。经 1949 年及 1950 年长江流域大规模修堤复圩后，长江干堤普遍加高培厚，高度超过历史最高水位 1 米，并修建了荆江分洪工程等，加上几年来不断整修险工，消除隐患，抗洪能力有所提高。因此，虽然该年的特大洪水比此前最为严重的 1931 年大水更来势汹汹，但是相较而言，灾情与损失都轻得多。

在历经 1998 年的洪灾之后，十五届三中全会针对灾害情况出台了《中共中央关于农业和农村工作若干重大问题的决定》，要求各个地区加强水利的建设，在全国进行统一的筹划，制定了全面规划、统筹兼顾、标本兼治、综合治理的方针。之后，中共中央、国务院发布《关于灾后重建、整治江湖、兴修水利的若干意见》，为遭遇洪灾的地区经济恢复工作作好全面安排。主要防洪措施包括以下五方面：一、封山植树、退耕还林，改善生态环境；二、做好平垸行洪、退田还湖、移民建镇和蓄滞洪区安全建设；三、加高加固堤防；四、加强河道整治；五、提升科技水平，努力实现防洪现代化。这个时候，在经历了多次洪水侵袭、吸取了惨痛经验教训后，政府的防洪意识已经比较强，相关措施也比较成熟。

(3) 有力领导

在 1954 年 4 月份的时候，中央生产防旱办公室针对防汛防旱工作提出了最高的指导意见，对于全国各个地区防汛抗旱管理工作提出了基本的指导思想，要求各个地区设立专门的机构，并指出该年的任务在于防止江河严重决口改道，保证河流处于正常水位，不会溃堤，且时刻做好防御更高级别洪水的准备。该指示还强调在防汛工作中，各级防汛组织、地区、有关部门、地方政府与流域水利机构之间需相互配合，职责分明，提高预见。各省市因此立即成立抗洪防汛部门，制定相关措施。在此次洪灾中，因为有中国共产党的统一领导，各级政府官员及官兵才能统一听从调配，抗洪效率相较旧社会大大提高。

为了确保武汉市的稳定，政府最终决定对汉口堤防进行加高工作，如有必要，可采取分洪措施。在计划中，第一期要增高至 28.5 米，为了给建设堤防赢取时间，在蒋家码头附近分洪，结合老湾溃口的辅助，水位维持在安全线以内。另外，为确保武汉防汛形势的稳定，7 月 19 日在汉江禹王宫处分洪，为武汉市缓解了洪水压力。之后，武汉市陆续进行了第二期、第三期的堤防建设工作，但是，由于汉口被洪水包围，材料运输十分不易，后两期的建设工作遇到了难题，出于工程建设的工作需要，再次在潘家湾、新港和三江口泄洪。在各级政府和 30 万军民努力下，后两期都在洪峰到来之前顺利完成，抵御住了汉口史上最高水位 29.73 米带来的洪水压力。7 月份上旬，荆江河段再次面临洪水压力，如若不采取分洪措施，荆北将会面临巨大威胁，不利于稳定武汉，因此，政府研究之后决定第三次开闸分洪。全国军民奋力抗洪，各地支援，这才取得了抗洪的胜利，保卫了荆江大堤和武汉、南京等重点堤段和城市的安全。

在抗洪的同时，政府也紧抓救灾工作。中央方面拨款救灾，从粮食部门向灾区调拨粮食。在各级政府的帮助下，灾民得以转移并得到妥善安置。在防灾救灾过程中，党和政府不仅在物质方面给予救助，还注重稳定灾民情绪，以此发挥灾民的自救能力。所以除政府帮扶之外，各灾区还呼吁群众开展生产自救运动，呼吁广大灾民团结一致搞生产，因地制宜种粮食，减少损失争创收入。乡村居民与洪水赛跑抢种土地，城镇居民则尽快恢复工商业。

1998 年的长江洪灾也是对中华民族的极大考验。由于气象部门预判长江可能即将遭遇大型洪水的威胁，国家防汛抗旱总指挥部在这一年第一次召开会议，全面部署抗洪工作，不仅落实了防汛预案，而且要求各地区要储备好充足的抗洪抢险物资，并且争分夺秒修固水利设施，为抗洪抢险取得胜利作了充分准备。

在抗击洪水的过程中，政府的统一管理和正确决策至关重要。8 月 7 日，长江九江大堤一发生决口，中央军委就调动部队前往堵口。归功于各军区、武警众志成城、联合作战，任务才圆满完成。当夜，政治局召开会议，作出了《关于长江防汛抗洪抢险工作的决定》，为各个地区的巡视排险工作指明方向，着力优化巩固长江大堤，做好有可能发生溃口性险情的最坏打算，随时准备投入抢险，合理部署和派用抗洪抢险力量，科学调度资源。在抗洪关键时刻，党中央调动人力物力集中抗击洪水灾害，在众多的抗洪战役中，人民解放军都发挥了不可替代的作用。

（4）团结合作

战胜洪水的一大法宝便是团结合作，1954 年，政府部门兼任洪灾中的组织者和指挥者，各级领导人指挥作战，民工与部队马不停蹄抢险、加固堤防，团结一心挽救了无数生命。此外，这次抗洪胜利也归功于部分民众能够脱离家族、地域固化观念，克制心中情愫，为大局舍小家，积极配合撤离，荆江分洪、蒙洼蓄洪等计划这才得以按时实施，洪水猛兽在中华民族的团结一致面前也不得不退让。

军民一心，各行各业团结一致，有效遏制了洪水的肆虐。在抗击1998年的长江洪灾中，水利、气象专家和工程技术人员团结合作，科学抢险。全国一盘棋，共同抵抗洪峰。统计显示，全国在此年有1 335座大中型水库在抗洪过程中发光发热，减少了农田损害以及伤亡人数，挽救了无数城市。这次洪水中，长江流域共出现八次洪峰，其中第六次为1998年的洪峰之最。在抵御该洪峰的过程中，隔河岩、葛洲坝等水电站都发挥了重要作用，降低了沙市0.4米左右水位，减轻了武汉市防守的压力。交通、电力、新闻等各个部门密切配合，也都为抗洪救灾作出了重要的贡献。

2020年7、8月，中国南方进入汛期，多地水情告急，长江沿线多处堤坝出现渗水、管涌等险情，悄然威胁堤防安全。河海大学等多所高校发挥水利特色，组织相关专家以及技术人员开展研究，共同编写了《城市堤防巡堤与应急处置手册》，为一线防汛抗洪人员提供了相关领域的专业指导，助力国家防汛救灾。这是高校积极承担社会责任，服务社会需求的表现，他们的参与为打赢防汛减灾硬仗增添了一份底气。

此外，安徽王家坝再次成功削减淮河洪峰，保住了淮河及其地区百姓的安全。王家坝处于淮河上游与中游交界处，千里淮河“第一闸”坐落于此。这是淮河中下游的一道护身符，是淮河防汛抗洪工作的重点，其东北面的蒙洼蓄滞洪区居住着近20万民众。2020年7月20日，淮河流域防汛形势十分严峻，王家坝开闸分洪，为缓解防汛压力作出了重要贡献。自1953年建成以来，王家坝闸已先后16次开闸分洪，为保障下游群众生命财产安全立下汗马功劳，值得所有人铭记于心。

4.2 长江洪水治理文化

4.2.1 治水安邦文化

水是生命之源，生产活动的关键在于水，生态环境的根基也是水。水利工程的兴修和洪水灾难的防治，对于人类的生存、经济的发展以及社会的进步是十分重要的。历经千秋，朝代更迭，治水始终都是关乎国家安危和民生安定的大事。从大禹开始，治理水患便成了安邦治国的重要手段。夏朝以前，洪水泛滥成灾，鲧治理洪水长达九年，后来失败殁于羽山，他的儿子禹继承父业治理洪水，变围堵为疏导，凿龙门，疏九州，克服重重困难，联合各个氏族部落共同治理洪水灾害，使得百姓过上了安宁的日子，催生出了国家的雏形。此外，治水也与国家安定、国泰民安密不可分。在此后四千多年的中华文明史上，治水方略几乎成为每一代君主都关注的国家政策。

图 4-1　大禹治水①

战国时期秦国修建了许多大型的水利工程，众所周知的有都江堰、郑国渠，还有秦朝建立后修建的灵渠等。大兴水利之举，在物质基础层面为秦国自西向东扩张、统一六国奠定了基础，并且极大地促进了春秋时期各个地区的经济贸易和人文交流。公元前 256 年，李冰父子在西南地区主持修建了都江堰，岷江水患得以解除，当地的民生、经济和农业生产都得到了极大的改善，这为秦国统一六国提供了必要条件，直到今日都江堰依然是当地重要的水利枢纽。公元前 246 年，由秦王嬴政下令施工开凿的郑国渠，经历十余年才修建完成，这也是秦国当时在关中地区修建的最早的一项大型水利工程。郑国渠的修建在当时具有很强的政治和战略色彩。郑国欲使疲秦之计，试图让秦国把人力和物力都用在治水上，以此弱化其对军力的加强和巩固。然而，秦国坚持修建了郑国渠之后，疲秦之计转化成了强秦之策，郑国渠率先引进了泾河水灌溉农田，从此关中地区成为天下之沃野、全国之粮仓，自此秦国就具备了一统天下

① 图片来源：https://ss3.bdstatic.com/70cFv8Sh_Q1YnxGkpoWK1HF6hhy/it/u=4186242729,294777652&fm=26&gp=0.jpg.

的物质条件。后来，始皇帝为了实现统一天下的战略目标，出兵征服南方的百越地区，然而百越地区地段复杂，军需粮草非常紧缺，于是秦始皇修建灵渠来运输物资。灵渠可以分为南北两段，北段主要用于调蓄洪水，南段的主要功能是分水，其运输能力非常强大。大约于公元前 214 年，灵渠开始通航，它有效地将珠江水系和长江水系紧密连接在了一起，进而形成一个巨大的水运网络，其脉络遍布整个华南地区。灵渠的建成，在军事方面，着实为秦王嬴政统一南方各个诸侯国提供了重要的保障，使其统一岭南地区的战略计划取得成功。灵渠的浚通，为中国南北地区经济文化的交流提供了桥梁。①

汉高祖刘邦掌握局势，给秦朝末年的动乱不安画上了句号，建立了汉朝。他充分汲取了秦王治国的实践经验和教训，大力地推行恢复生产、安定经济和社会秩序的各项国民政策，使得人民安居乐业，国力日益强盛。为了更好地加快关中地区农业的生产与经济的发展，西汉时的统治者兴建了漕渠、龙首渠、六辅渠、白渠、成国渠等多个水利项目。在汉武帝统治时期，治水思想和治国思维最为活跃。汉武帝刘彻十分重视水利，当时群臣上书，贡献治水方略。先是有赵中大夫建议开凿白渠，这是继郑国渠之后又一条引泾水的著名水利工程；后有左内史倪宽建议修建六辅渠，以辅助灌溉郑国渠不能达到的高地，并创造性地制定水令；还有河东太守番系提议开发晋南汾蒲水利等；这些治水工程的修建促进了农田水利的发展和经济的繁荣，也收获了民心，进一步促进了社会的安定。到了西汉末年，由朝廷倡导并组织开展了关于治河理论的辩论，其策略方法不胜枚举，对后世影响较大的主要有疏导、筑堤、改道、水力刷沙、滞洪等方法。其中贾让提出了著名的治河三策，他认为给洪水留足所需的空间，有计划地避开洪水泛滥区以安置百姓的生产和生活则为治河上策；贾让投身水利十余年，终于在治水事业上取得了重大成就。当时这些水利工程极大地改善了当地的民生，很多治水经验和治水理念为后世所传承，影响深远。

隋唐时期，历任君主更是将水利工程建设视为国家治理的重中之重。隋炀帝为了加强南北交通，巩固统治，开通大运河，沟通了中国大地的东西南北，促进了民族之间的交流与融合。大运河的部分河道甚至成为南水北调东线工程的输水通道，在新的时代依然发挥着不可忽视的作用。随后，唐太宗李世民从隋朝灭亡中汲取经验和教训，推崇“水能载舟，亦能覆舟”的民本思想。他免徭役，修水利，复苏经济，开创了经济繁荣、社会安定的“贞观之治”。据史料记载，唐朝时期修建的大型水利工程达 40 多处，朝廷设立专门的官员管理水利事宜。据统计，

---

① 沈长云．论禹治洪水真象兼论夏史研究诸问题[J]．学术月刊，1994(6)：71-77．

当时于江南地区兴建和修复的水利工程数量，比六朝时的总和还要多得多。唐玄宗执政期间，在全国各地大兴农田水利，农业得到极大的发展。据载，当时各地官府仓库的粮食堆积如山，经济繁荣，百姓富足，唐朝迎来了开元盛世。

宋朝时期，基于唐朝修建的水利工程，统治者对于农田水利工程设施的修建更加重视，大力加强水利管理和相关法律法规制定，保障了农业生产发展。宋朝时期修建的蜀墅塘体现了超前的农业灌溉理念和水利工程管理方法。当时规定水资源的分配由民间做主，政府只起协调监督、解决争水讼案的作用。这种管理体制，也在一定程度上反映了中国“民为邦本，本固邦宁”的传统思想。蜀墅塘的始建者王槐，一直提倡“重农桑，兴水利，图富强”的政治思想，他带领当地百姓捐献物资疏浚水塘，依山筑堤，东西凿石开斗门。水库完工之后，还同时设立四座闸门，使周边四山七十二涧的水局部注入塘里，可灌溉的农田达3万余亩，水渠过处，沿途十余里农田受益。蜀墅塘大坝设计结构十分精妙，与都江堰的异曲同工之处就在于它很好地解决了排沙和清淤的工程难题，比如当地村民利用耕牛搅动坝底塘内的泥沙，通过排沙口排走淤泥，进行蓄水，解决了每年冬天百姓严重缺水的问题。后塘村王氏宗谱、《义乌县志》和《浙江通志》上记载，蜀墅塘有着一整套严格的水利管理方法，蓄水分水管理精细科学。可以说蜀墅塘是古代水库的雏形，它的很多工程技术是后人建造水库的典范，也真正做到了泽被万民，功德千秋。

善治水者莫过于元人也，元代在前代的基础上，积累了大量的治水经验。元世祖即位之初，由于北方战乱，农田荒芜，社会经济大大受损。为了巩固统治，安定民心，他实行了“以农桑为急务”的政策，设立了司农司，专门用来掌管农桑水利事宜，并重用水利专家王允中、郭守敬等规划全国水利建设，在北方地区修建陂塘，广兴屯田，大力发展灌溉水利工程，大力促进农业生产；在元朝统一全国之后，他也开始注重南方的水利建设，尤其大力推行太湖流域的水利灌溉工程建设，如修闸堰、筑围岸等，以排解水旱灾害，为“苏湖熟，天下足”局面的形成奠定了良好基础。元朝在兴举水利灌溉的同时，对于内河航运的开辟也十分重视，先后凿通了济州河、会通河、通惠河，构成了南北大运河体系。大运河全线通航之后，成为维系南北交通的干线，对促进元朝政治上的统一和南北经济文化交流起到了至关重要的作用。其中会通河、通惠河的开凿由于地势复杂，工程十分浩大。为此，修建运河的专家们开创性地设计出了梯级船闸，解决了通航的困难。比如，郭守敬在通惠河上修建了十座船闸，调整了船闸之间的水位，保证了大运河的基本通航。同时，也为后世在山岭间开辟航道提供了宝贵的经验。当时贾鲁为治理河道而进行的水利工程建设也是浩浩荡荡，值得一提。据记载，贾鲁号召了近 20 万人力，疏浚河道 280 多里，堵塞大小决口 107 处。这些治水的政策和水利功绩，为元朝稳定农业生产，促进南北经济交流，以及巩固统治作出了极大的贡献。

明清时期，在前代积累的水利经验和修建的水利工程基础上，水利工程事业进一步发展。明太祖朱元璋在位期间，在中央专设营田司，主管全国的屯田水利事宜，全面发展水利事业，组织各地农民兴修水利。著名水利专家潘季驯为治理水患，首先采用了“束水冲沙法”，主张收紧河道，以水的冲击力来清除沉积于河床底部的泥沙，从而达到清淤防洪的目的。徐光启著有《农政全书》，一共 60 卷，仅水利方面的内容就长达 9 卷。此书不仅归纳了前代关于华北地区以及东南地区兴办水利工程的精到见解，而且详细介绍了多种灌溉建筑物和施工方法。古人留下的水利智慧，后世传承，受用至今。到了清代，当政者则进一步开展了更大规模的治水活动和水利工程建设。官员允祥和朱轼开凿沟渠、建立闸涵，营造水田多达六千余顷①。清朝修建的比较大的灌渠有大清渠、惠农渠、昌润渠等。清代还特别重视漕运，凸显运河作为南北经济大动脉的地位，进而促进了清代前期商品经济的发展和东南地区的繁荣。中国治水文化历史悠久，一脉传承，治水与安邦，密不可分。

中华人民共和国成立之初，就投入巨大的资金和人力进行水利建设。中央政府经过 20 多年的努力，修整了长江、黄河、淮河等多条水系，兴建了许多重要的水利工程，为中国农业的健康稳定发展奠定了良好的基础。1982 年到 1986 年，党中央连续 5 年发出了 5 个中央一号政策性文件，使农村水利工程建设更快发展起来。尤其是小浪底水库、长江三峡工程的修建，标志着中国进入了水利工程新时代。1988 年，“科学技术是第一生产力”被邓小平同志首次提出，后来国家明确将“科教兴国”上升为我国的基本国策，基于这项政策，水利部提出了“科教兴水”的战略，这对于我国水利科学研究和成果应用的发展与实践具有重要的推动意义。而在同年，《中华人民共和国水法》的颁布，标志着水利建设和管理从“无法可依”的状态转变为“有法可依”的局面，我国由此走上了依法治水的新道路。《中共中央关于进一步加强农业和农村工作的决定》于 1991 年颁布，其中明确规定，水利是国民经济和社会发展的基础产业，是农业的命脉。这一文件，在历史上第一次全面地阐述了水利的地位和作用，标志着水利的改革与发展又进入了一个新的历史阶段。1998 年特大洪水后，中央下发 15 号政策性文件，对灾后重建、整治江湖、兴修水利作出了全面部署。在

---

① 1 顷≈6.67 公顷。

党中央历届领导人的带领下，中国人民坚定不移地贯彻科学发展水利、可持续发展水利治水思路，取得了具有中国特色的现代化水利成果。“十一五”时期，我国水利事业取得了许多重要的科技跨越，据统计，全国范围内防洪减灾的直接经济效益达 8 435 亿元，这一数据凸显了我国水利事业发展的成就。2011 年 7 月，在中央水利工作会议中，胡锦涛特意强调，加快水利改革发展，是事关我国社会主义现代化建设全局和中华民族长远发展重大而紧迫的战略任务，并指出，兴水利，除水害，历来是治国安邦的大事。几十年来，我们党领导人民开展了气壮山河的水利建设，取得了前所未有的治水兴水成就。

从以上可以看出，中国共产党的领导是形成抗洪精神的重要保证。中国人民在大洪水灾难面前，临危不惧，坚持不懈，团结奋战。广大共产党员在抗洪期间发挥了重要的带头作用，哪里有需要就出现在哪里，坚守在第一线。1998 年长江流域发生特大洪水，数万解放军在防洪堤上夜以继日地进行着抗洪抢险救灾工作。在两个多月的抗洪抢险斗争中，洪峰迭起，险象环生，抗洪条件艰苦，困难重重，但为了保卫国家和人民的利益，为了保卫国家和人民的建设成果，广大军民不畏艰险，不怕困难，严防死守，顶住了一次又一次洪峰的冲击。洪水迅如猛兽，灾区沿岸随处可见军民不畏困苦、共抗洪水的动人场景。2016 年 7 月 3 日，江苏省南京市，由于连日暴雨，宁马高速秦淮段十余米堤坝被洪水冲毁，武警江苏省总队第一支队紧急出动 100 余名官兵奔赴现场进行处置，官兵们不畏艰险，在洪水中手拉手拦截激流，为其他同志固定打桩、堆砌沙袋争取时间。截至当天 16 时，基本排除险情。2020 年 6 月，荆楚大地湖北遭遇多轮强降雨，引发严重洪涝灾害。万里长江，险在荆江。灾难来临，当地人民抗洪又抗疫，尽管家园被毁，但当地百姓在政府的组织下，靠着顽强的毅力，临危不惧，与灾害抗争，守护着自己赖以生存的土地，对河堤进行打桩加固，无论灾难带来多大的冲击，也压不垮中国人民的意志。伟大的中国人民正是以这种舍生忘死和团结奋战的精神为世界所称赞。

中华民族有着悠久的治水历史，在治水的历史长河中孕育了大禹精神、都江堰精神、红旗渠精神、九八抗洪精神等光辉的治水文化和灿烂的精神财富。2020 年 8 月，习近平总书记在安徽考察调研，首站就是“千里淮河第一闸”，也就是王家坝闸。当时百姓正遭遇前所未有的疫情，又面临严峻的汛情，王家坝时隔 13 年再次开闸蓄洪。2020 年 6 月以来，对于做好防汛救灾工作，习近平总书记先后多次作出重要指示，并于 7 月 17 日主持中共中央政治局常委会会议专门进行研究部署。他特别指出：“防汛救灾关系人民生命财产安全，关系粮食安全、经济安全、社会安全、国家安全。”当代抗洪救灾不仅是对党组织能力和救灾人员意志力的考验，也是对技术能力的考验。越是险象环生，越不能自乱阵脚；越是情况紧急，越需要专业力量。无人机搜救、北斗高精度地质灾害监测预警、水情大数据研判，这些高科技重新定义了新时代的抗洪救灾。抗洪攻坚战役反映了中国人民与灾难长时间反复较量的勇气，更凸显了军民团结的万众一心、众志成城。

图 4-2 1998 年长江抗洪抢险①

抗洪实践证明，任何困难都阻挡不了中国人民阔步前进的雄健步伐，中国人民是不可战胜的。展开抗洪的壮丽画卷，回眸抢险的光辉记录，我们深深感到，在这场血与汗、灵与肉、生与死的大搏斗中爆发出来的伟大抗洪精神，绝不是偶然的。它全方位地展现了中华民族深厚的文化底蕴和中国人民的智慧，充分显示了社会主义制度的优越性，有力地证明了中国共产党的崇高威望和强大号召力。在我国社会主义制度下，人民始终是国家的主人，具有强烈的主人翁责任感和奉献精神。

4.2.2 同舟共济文化

自从人类历史上首次出现人民与特大洪水激烈抗争的英勇事迹起，抗洪救灾精神就已经开始逐渐形成。"同舟共济"，便是抗洪精神的主要精神内蕴之一。全国各地的抗洪救灾运动，就是对"同舟共济"的最好诠释。救灾工作人员在抗洪救援时所表现出来的精神文化与敬业精神，显现出他们英勇而伟大的形象，也成就了一种新的民族主义精神，造就了一种新的人格观和美德，在

---

① 图片来源：https://ss2.bdstatic.com/70cFvnSh_Q1YnxGkpoWK1HF6hhy/it/u=3606585009,27646127&fm=26&gp=0.jpg.

中华民族的红色文明历史上加上了浓厚的一笔。

(1) 一方有难，八方支援

1998年夏，原本平静安详的长江流域发生了百年不遇的特大洪水，以下称之为1998年洪水。军人与人民一道夜以继日、严防死守，用血肉之躯筑起了坚不可摧的堤坝。面对张牙舞爪的洪水，抗洪战士们肩搭肩、手拉手，形成一道道防线，成为抵御洪魔的一道厚实堤坝。在抗洪抢险过程中，军人们同坚守在抗洪前线的干部群众一起，发扬了抗洪精神，丰富了抗洪文化，战胜了一次又一次洪魔，保住了大后方。灾后，党和政府对灾区医疗救助、卫生防疫工作分别给予了高度重视，严令地方各级人民政府和有关卫生部门全力以赴认真做好救灾医疗救治工作，使广大受灾残疾群众全部得到了妥善的医疗安置，保障了广大受灾人群的吃、穿、住、医等基本生活和医疗条件。在当地党和政府以及退伍军人们的努力下，大灾之后并未再次出现各类疫病，受灾地区也未出现大规模大范围的传染病暴发疫情。而"万众一心、众志成城，不怕困难、顽强拼搏，坚韧不拔、敢于胜利"的伟大抗洪精神在这片广阔大地上留下足迹，在这片中华热土上生根发芽，为人们投身现代化建设、解决各种困难和难题鼓舞了士气。

2020年夏，中国南方洪水泛滥，"一方有难，八方支援"，抗洪救灾的官兵们挺身而出、勇往直前、迎难而上，他们秉承着抗洪精神的精髓，将抗洪精神牢记在心。每位抗洪将士都将"人民群众的切身利益高于一切"的话语放在心间。在被巨大洪水迅速冲刷的城镇村落里，在被巨大洪水迅速冲垮的街道堤坝间，

图4-3　2020年夏的抗洪战士[①]

① 图片来源：http://www.quanjiao.gov.cn/zwdt/zwyw/392243916.html.

在深水流域淤积的河流深涡中，在那些最危险的地方，总能看到他们奋不顾身的身影，总能听见他们铿锵有力的脚步声。群众的安危大于一切，他们用双手将一名名困于洪水中的人儿托起，转移到安全的、干爽的高地，只要还有人员被困，他们就不会停止救灾行动。在党的“为人民服务”的宗旨指导下，他们坚守为民负责、为民冲锋的信念；在中华传统美德的驱使下，来自四面八方的援助之手伸向受灾群体，他们有的输送物资，有的组织救援分队，纷纷投入救灾行动。救灾的军人和干部、民众忙碌的身影，成为救灾时刻最动人的画面。而这一幕幕的感人画面是党员们“扎根群众，心系民众”的坚守，也是军人们“人民高于一切”的伟大奉献，更是民众“生为中国人”的归属感之所在。

(2) 和衷共济，顽强拼搏

“和衷共济，顽强拼搏”就是战胜洪魔的定海神针。面对张牙舞爪的洪魔，中国共产党的指挥和领导就像迷雾中的灯塔、航行中的指南针；解放军、武警官兵和民兵部队就是屹立不倒的长城；广大群众心连心，手挽手，由小家变大家。来自四面八方的人们共同协作，千千万万股力量之绳编织成一张牢不可破的网，顽强抵挡着洪魔的侵袭，让它收起爪牙。在击败洪魔之后，凯旋号角被吹响，人们一齐合唱“和衷共济，顽强拼搏”的胜利之歌。

图 4-4　1998 年抗洪，众志成城①

“和衷共济，顽强拼搏”的抗洪抢险精神和不屈不挠的抗洪奋斗信念充分体现了中国军民坚韧不拔的伟大革命战斗精神与英雄气概。面对长江、汉江、嘉陵江等长江流域不断出现的特大洪水洪涝灾害，抗洪救援人员迎难而上，顶

① 图片来源：https://m.sohu.com/a/409638702_120054052/? pvid=000115_3w_a.

住了洪水一次又一次的沉重冲击；他们严防死守，确保了长江沿岸重要城市的完整；他们拼尽全力，确保了广大人民群众生命财产的安全。如今，抗洪救灾人员在面对艰巨的防汛抢险抗洪救灾任务时，拥有了更丰富的实战经验和坚定的理想信念，他们履职尽责，克服了各种畏难情绪，贯彻落实习近平总书记关于防汛抢险救灾工作重要指示精神，完善了抗洪抢险应急救灾预案，安排好了受灾群众的紧急转移安置工作。在抗洪救灾行动中，也涌现了许多平凡的救灾英雄，他们在洪灾来临之时，克服艰难困苦，坚定地站在自己的岗位上，守护着这片土地。在经过一次次重大抗洪救灾行动之后，抗洪救灾精神深深地融入我们每个中华儿女的血脉，成为社会主义现代化建设的动力来源。

（3）力挽狂澜，敢于胜利

"力挽狂澜，敢于胜利"，也是每一位抗洪救灾人员所具备的崇高精神，体现了中国人民的坚强意志和必胜信念。面对特大洪水的严重侵袭，救灾工作人员坚定了作战必胜的使命和信念，与洪水战斗到最后一刻。情况越是危急，人们越是不屈不挠，表现出了卓越的战斗毅力、超人的战斗勇气和坚强的团队组织力。伟大革命精神总是在社会实践和人类历史进程中不断创新并得到保护继承与发展壮大的。无论面对的是特大洪水、特大地震，还是干旱、台风、泥石流等灾害，全党全国各族人民都决不妥协，坚韧不拔地和各种自然灾害进行艰苦斗争，并夺取最后的胜利。除此之外，我们还面临许多难解的水利难题，还需要不停地进行水利学习与实践，加强对水利知识的认知。但是，无论如何，"力挽狂澜，敢于胜利"的精气神要永存于心，坚强的意志力也要传承下去。习近平总书记曾多次提到，"要坚持用全面、辩证、长远的眼光分析当前经济形势，努力在危机中育新机、于变局中开新局"。新的历史时期，广大党员干部必须不断勇于担当、砥砺前行，提高思想意识，做一个"忠诚干净担当"的中国共产党人。我们要用斗志昂扬、积极向上的历史笔调奋力谱写新的中国历史文化华章，发扬中国传统文化；我们要用坚实的思想基础去筑牢中华民族的精神脊梁；我们要始终树立正确的思想标杆和旗帜，确保党和国家建设事业始终沿着康庄大道砥砺前行。新时代需要奋斗者，也只有奋斗者才能在新时代立足。党的十八大重申了"两个一百年"的奋斗目标，当前我们已完成了第一个百年目标，正朝着第二个百年目标奋进。理想催人前行，征途任重道远，奋斗者们要秉着"力挽狂澜，敢于胜利"的抗洪精神，披斩奋斗路上密密麻麻的荆棘，蹚过坑坑洼洼的泥泞。新时代不仅需要奋斗者，还需要奋斗者秉承抗洪精神，以时不我待的精气神、迎难而上的意志，不断地勾画出祖国的辉煌历史、大好河山。

抗洪精神是我们必须不断发扬光大的瑰宝，是我们建成富强民主文明和谐社会的定心丸。“力挽狂澜，敢于胜利”的英勇抗洪抢险精神，已深深刻入当代中国人的思想中，在我国社会主义现代化建设初级阶段，为我们的文化自信提升增添了一抹亮丽色彩。

4.2.3 群策群力文化

从抗洪神话故事中的治水安邦到现今抗洪时的军民团结，“群策群力”的文化元素成为抗洪文化中不可或缺的一分子。

（1）集思广益

1998年的大洪水淹没了众多大城市，全中国都立刻投入抗洪救灾的战役，各方人士都贡献了自己的智慧。中共中央明确指示：要确保长江大堤的安全、确保重要城市的安全、确保人民的生命安全和财产安全。中共中央政治局常委也曾召开会议作出了《关于长江抗洪抢险工作的决定》，最高人民检察院也发布了《关于积极参加抗洪抢险工作的紧急通知》，把长江的抗洪抢险工作作为头等大事，全力以赴抓好，并进行全面指导，中共中央主要领导人也身临抗洪救灾第一线稳定军心。中共中央、国务院对长江分洪区运用问题集思广益，科学决策，避免了运用分洪区带来的损失。国家的防汛抗旱总指挥部也根据水文、气象等各方面资料进行科学分析，提早作好抗洪工作部署。洪灾发生后，各级党委、政府动员、组织广大群众同战士们一道与洪水进行艰苦卓绝的斗争。

（2）自强自救

2020年夏季，在洪水再次泛滥之际，长江又一次面临严峻的考验，这一次除了党员干部的指挥作业，群众的“自强自救”也发挥了重大作用。在党员干部做好疏散撤离、安抚群众、协助群众转移财产物资并参与巡视检查活动等工作后，群众也自发地加入了救灾运动中，成为“自强自救”队伍中的一员。干部和群众众志成城，在洪峰过境后，自行搭建起临时居住棚，分发食、水、住、医等物资，确保了群众的生命安全和财产安全。党员们将“人民至上，生命至上”的口号化为行动，群众也把“听党指挥，拥护中央”铭记在心。在嘉陵江2号洪峰顺利过境合川之前，面对不断上涨的洪水水位，面对不断更新的水情通报，人们一刻也不敢松懈，社区居民在党员干部的指导下做好了转移工作。群众在抗洪抢险过程中发挥了关键作用，显现出社会主义制度的优越性和中华民族的强大凝聚力。人民群众走上抗洪一线，连夜奋战、默默坚守、无怨无悔地守卫着自己的家园，舍小家、为大家，他们是抗洪抢险的先锋者。

（3）灾后重建

每每洪水退去，留下的都是一片狼藉，此时灾后重建工作对于广大灾民来说就显得尤为重要。党和政府一般从以下三个方面进行灾后重建。

第一是控制疫情和物价,保障人民生命安全和吃穿供应。洪涝灾害后最怕出现禽类疫情,有些灾后地区频频发生流感、胃肠道病等传染性流行疾病,药物往往供应不足。因此有关政府部门应及时组织人员将防疫救治的药物调往各地。此外,当地干部也要积极带头,动员当地人民群众搞好卫生工作,保护饮用水资源,饮水前进行消毒,勤洗手勤换衣,做好重大疾病的防控工作,绝不让疫情蔓延。另外,每到夏季,我国多地可能遭遇暴雨和洪水的侵袭,交通遭受阻碍,新鲜蔬菜水果难以送达,因此各地应做好生活物资储备。为有效地保障市场的供应和安全生产,商务部在 2013 年 12 月 13 日召开了商务系统防汛抗洪灾害救援市场供给暨安全生产视频工作座谈会,要求商务部门着力做好四项工作:一是健全应急措施,提高在应急意识、物质保证等各个方面的针对性;二是进一步做好市场监控和预警,及时向社会公众发布有关市场的相关信息;三是进一步加大应急救援保供力度,适时地投放仓库储备物资;四是尽早恢复商业网点的再造。

第二是灾后重建家园。洪水过后,社区混乱不堪,房屋坍塌崩坏,政府的首要责任是帮助受灾群众重建家园,启动对移民点的规划和建设。移民点建成后,受灾群众将统一搬迁至移民新村。在入住前,将按照规定发放搬迁安置费。而对于那些确有困难的家庭,政府则会给予相应的补贴。例如,安徽省明确了因灾受困救助的标准,困难家庭再购房屋时补贴 2 万元。核查完房屋破损情况之后,将拟扶助的对象记录在册。

第三是恢复生产。为了让群众的生产和生活尽快回归正轨,各地努力恢复农业生产活动。相关部门发放瓜果蔬菜种子、幼苗。政府围绕城市基础设施、农田水利、危房改造等工程进行灾后恢复和重建,抓紧谋划一批大型项目。中华儿女在经历了洪水的严峻考验之后,脊梁骨更加挺拔和硬朗,任何洪水猛兽都抵挡不住他们前行的步伐。

4.3 中外抗洪文化对比

4.3.1 洪水神话传说对比

近现代以来,洪水神话一直是国内外各大学者研究的热点。在学术界将洪水神话定义为研究对象之前,洪水神话一直为神学家所解释。经过对世界各地区洪水神话的调查与研究，学术界发现中西方在地理环境、社会条件、生活方式、民族特色和思考角度等方面的差异，造成了两者价值观上的巨大差异，因此对中西方洪水神话的对比研究，可以体现出中西方不同的文化特征。国内外学者在研究中西方洪水传说的差异时，往往将“治水”神话作为中国本土洪水神话的主要案例，再与西方普遍流传的“诺亚方舟”式洪水神话作对比，来研究中西方在伦理道德、民族精神和文化主题等方面的差异。本节将从比较神话学的角度来研究中西方在面对洪水时的文化态度差异以及产生这种态度差异的缘由，并从中西方“治”与“避”的民族心理差异、地理环境不同导致的文明差异以及“神本主义”和“人本主义”的价值观差异三个方面进行阐述。

（1）“治”与“避”的民族心理差异

仅从世界各地区面临洪灾的民族心理角度，可以将中西方洪水神话分为以“治”为主的中国治水型洪水神话和以“避”为主的西方逃生型洪水神话。范文澜老先生曾说过：“许多古老民族都说远古曾有一次洪水，是不可抵抗的大天灾；独在黄炎族神话里说是洪水被禹治得地平天成了。这种克服自然，人定胜天的伟大精神，是禹治洪水神话的真实意义。”[①]范文澜老先生的这番话充分体现了中国洪水神话中的“治水”文化。从中国古代人民在洪水神话中塑造的这些英雄人物身上，可以感受到他们不畏艰险、敢于迎难而上的民族精神。而

图 4-5　大禹治水[②]

① 范文澜. 中国通史：第一册[M]. 北京：人民出版社，1978：22.

② 图片来源：https://pic.sogou.com/d?query=大禹治水图片&ie=utf8&page=1&did=4&st=255&mode=255&phu=http%3A%2F%2F5b0988e595225.cdn.sohucs.com%2Fimages%2F20180528%2F254f859042a9449ebb9e2b15a2045a43.jpeg&p=40230500&entityid=&rawQuery=大禹治水图片

在西方广为流传的“诺亚方舟”式洪水神话中，人们面临洪水灾害时，往往为了保全自身性命而选择躲避逃生。

第一，洪水起因：“因罪受罚”和“自然灾害”。

在以“避”为主的西方逃生型洪水神话中，对洪水起因常常这样描述：由于人类世界中充满了贪婪和强暴，人类的罪恶与日俱增，上帝对人类的行为十分不满，于是为了惩罚人类，上帝降下洪水，最后洪水淹没了整个人类世界。汉斯·凯尔森在《洪水灾变神话中的惩罚原则》中写道：“洪水神话比什么都能更清楚地显示出不同民族的思想与源头何其相似，同时也表明了即使是最文明的群体，在他们思想的幼年时期，也流露出相同的特点。”[①]西方的这种“因罪受罚”的思想，也表明：如果没有一定规则的约束，人类产生的罪恶将越来越多，直至毁灭世界。

希伯来的有关诺亚方舟的洪水神话中大致描述了这样一段故事：“耶和华见人在地上罪恶很大，就后悔造人在地上，便降洪水在地上，毁灭世界。”[②]而除希伯来洪水神话以外，苏美尔和巴比伦洪水神话中也出现了类似情节，只是降下洪水的天神和得救者在名字上有所差异而已。西方不同地区洪水神话的相似性在一定程度上体现了“人类触怒天神，天神降罪”这一洪水起因的普遍性。

图 4-6　诺亚方舟[③]

---

① DUNDES A. The flood myth [M]. Berkeley, Los Angeles, London: University of California Press, 1988.

② 圣经(灵修版)[M]. 国际圣经协会，1999:19-20.

③ 图片来源：https://pic. sogou. com/d? query=诺亚方舟图片 &forbidqc=&entityid=&preQuery=&rawQuery=诺亚方舟图片 &queryList=&st=255&mode=255&did=26.

而以“治”为主的中国治水型洪水神话中，并不强调洪水是天神的惩罚，反而更多地说明这是一场不可避免的自然灾害，天神也无法阻止。其中还描述了天神因为怜悯人类，而主动利用神力拯救苍生，与人类共同抵御洪水的场景。《淮南子·览冥训》中说“天崩地裂，洪水泛滥，女娲炼五色石以补苍天”①，在鲧禹治水的神话中，大部分典籍都只是把洪水作为一种自然现象来记载，如《尚书·尧典》中描述了当时洪水肆虐，大地被分成了一块一块，洪水漫上了高山丘陵，每一次的波浪都像在咆哮的景象②。《孟子·滕文公下》中记载，尧在位的时候，洪水一直往西边蔓延，整片中原地区都受到波及，到处都有龙蛇盘踞，百姓都无处安身；住在低地的人在树上建巢，住在高处的人在山上挖洞穴。③《淮南子·本经训》中描写了舜在位时期，水神共工故意放下滔天洪水，并且洪水逼近到鲁地空桑一带④。在女娲补天治水的传说中，水神共工由于触倒了不周山，于是导致了大地往东南方向倾斜，引发了大洪水，换言之，由于天柱被折断，地势倾斜，各条水流汇聚到了东南低处，从而导致了洪水的形成，这是根据中国地势由西北向东南逐渐降低的地貌所作出的关于洪水起因的神话式解释。

第二，解决洪水的路径：“躲避逃生”和“治水救民”。

在西方洪水神话中，大多数以“因人类罪恶深重，天神降下惩罚”为主题。在面临洪灾时，人类只会一味地向天神求助，有些西方洪水神话中即便是自然灾害或未知原因带来的大洪水，人们也常常将希望寄托于神明，希望得到天神的救赎。但更多西方洪水神话还是这样记载：由于人类惹怒或者触犯了天神，天神便降下表示惩戒的大洪水，企图灭世。人类对此没有任何反抗，只会被动地接受，而不是努力地抗争、主动谋求生的希望，只有被神保佑的“完人”才可以得到神谕，并在神的指引下寻找造方舟所需要的工具，最后得以逃生。

而在中国传统的洪水神话中，主要以鲧、禹等神话人物的经历，阐明了在抵抗自然灾害过程中“治水”的重要性。大约写于战国时期的《山海经·海内经》⑤中描述了有关鲧、禹治理洪水的一段神话故事。在这段神话故事中，鲧试图用从天帝那偷来的息壤来堵住洪水，就算没有后来“不待帝命”而被杀于羽郊的变故，他的治水也不可能成功。鲧死后，大禹得到其父亲鲧的神力，并继

① 刘安.淮南子·览冥训[M]//诸子集成(第七册).北京：中华书局，1954：95.

② 尚书·尧典[M]//阮元.十三经注疏(上册).北京：中华书局，1980：129.

③ 孟子·滕文公下[M]//孟子译注.北京：中华书局，1960：46.

④ 刘安.淮南子·本经训[M]//诸子集成(第七册).北京：中华书局，1954：85.

⑤ 中国《山海经》学术讨论会.《山海经》新探[M].成都：四川省社会科学院出版社，1986.

承了其父亲的使命，他经过实地调查，科学分析，总结出应采用疏导的方法治水，历经千辛万苦，耗费了十三年，其间三过家门而不入，才最终治水成功。中国的洪水神话反映出：只有主动出击，并通过不懈努力，才能拯救自己，造福苍生。在大禹治水这则神话故事中，将鲧和禹塑造成不顾自身危险、一心为救苍生的伟大英雄形象，也通过鲧禹两人不同治水方法的结果更进一步地表明了“治水”的核心理念——堵不如疏。

（2）地理环境不同导致的文明差异——“农耕文明”与“西方文明”

中国位于亚洲东部，属于温带季风性气候，无论是降水量还是气候变化都十分适合农业的发展，并且中国有五大河流和七大水系，是世界上江河湖泊最多的国家之一，为农耕文明的出现提供了必要条件。近现代以来，在长江、黄河流域附近遗址中大多发现了谷物化石，为判断长江、黄河流域是农耕文明的发祥地提供了有力论证。并且对于以农耕为主、世世代代生活在这两大流域周围的先民们来说，他们离不开这片河流，因此他们追求安稳，反对迁徙。然而在发展农业的过程中，每逢雨季，这两片流域所起的水患成了当时劳动人民最头疼的难题，并且当时生产力极其低下，科技十分不发达，人们不得不仅凭自身的力量去对抗自然，于是在这个过程中，产生了与先民生产发展息息相关的治水神话。这些神话也表明了中国古代人民迫切希望治好洪水的美好愿景。

李大钊先生在《东西文明根本之异点》一文中写道：“东西文明有根本不同之点，即东洋文明主静，西洋文明主动是也。”[①]这句话反映了中西方文明的主要特征，中国农耕文明下的百姓追求安定，而西方文明下的人民崇尚自由与冒险。古希腊是西方文明的发祥地之一，它坐落在爱琴海沿岸，属于地中海气候，这种气候导致了当地夏季降水量稀少，气候炎热，非常不利于农业的发展。但由于海上交通条件便利，这里商业发展迅速，贸易往来也十分频繁，于是，崇尚自由和冒险成了当时西方人的主要特征。西方文明的另一个发祥地是两河流域。生活在这里的古希伯来人也记载了他们靠河而居，所以一到雨季，就会水灾频繁，生存环境十分恶劣，再加上当时政权不稳导致社会不安定，信仰上帝成为古希伯来人唯一的精神支柱，并因此逐渐诞生了西方典型的洪水神话——诺亚方舟的故事。

（3）“神本主义”和“人本主义”的价值观差异

在西方以“避”为主的逃生型洪水神话中，被上帝赐予生的机会的往往是那些虔诚信奉上帝的人。随着基督教在西方的盛行，这则神话也广为流传。

---

① 杨琥. 中国近代思想家文库·李大钊卷[M]. 北京：中国人民大学出版社，2014：211.

正如弗雷泽所说:“基督教用以征服世界的力量,在很大程度上来源于这种对上帝的道德性质的崇尚和人们强迫自己遵奉上帝的责任感。”①

位于东方的古印度也主要以逃生型洪水神话为主,但与西方逃生型洪水神话不同的是,古印度人在躲避洪灾的过程中,天神会怜悯受苦难的人们,主动利用神力帮助他们,拯救苍生,体现了一种神人和谐的关系。

在中国的洪水神话中,人们在面对洪水时强调的是一种独特的“治水”态度,也因此区别于世界其他各地区的洪水神话,这一态度凸显了中国古代人民在长期与洪水作斗争时形成的一种人定胜天的民族精神。自古以来,中华民族一直宣扬的是朴素唯物主义的宇宙观,在这种宇宙观中,万物才是宇宙的主体,而宇宙只是万物生命运动的载体,正因为有了万物之间的和谐相处,才使得宇宙发展更加顺利。二者相辅相成,互相成就。

在广为流传的中国洪水神话中,大禹治水的神话故事最能体现这一点。在故事中,天帝先派遣鲧下凡治水,各路神仙都施以援手,如女娲、伏羲等神,然而,这种众神援助行为在西方洪水神话中几乎难以见到。鲧看到凡间惨状:人们衣不蔽体,到处都漂浮着尸体,才知道洪灾比自己预想的要严重很多,他想尽办法堵住洪水,认为只要将洪水堵住,洪水就不会再流进人们居住的地方。这时,他想到了天帝有一宝物,名叫息壤,只要将它放在堵塞处,就可以生成无穷无尽的土,这样就一定能将洪水拦住。但这一宝物十分珍贵,他觉得天帝不会将此物赐予他,而且洪水之患已迫在眉睫,每耽搁一段时间,就会死去更多百姓,于是他去天帝那将息壤偷了过来。然而很快就被天帝发现,鲧也因此被杀。鲧死后,天帝将鲧的儿子大禹派往凡间治水,并将息壤赐予了他。从天帝的行为来看,天帝之所以杀了鲧,并不是因为他不乐意用息壤救助百姓,而是鲧的“偷”触犯了他的神威,从这可以看出,中国洪水神话中构建出来的天帝形象更像是古代封建统治下的理想化明君,他以人为本,勤政爱民,但同时又要保证其君权神圣不可侵犯。虽然,从现代人的思考角度来看,天帝的形象并不完美。在大禹治水这一故事中,众神竭尽全力与百姓共同抵御洪水,体现了中华民族团结协作、不屈不挠、自强不息的民族精神。虽然大禹的功绩很大,但试想一下,如果在故事中没有诸神与人的帮助,仅凭大禹一个人,治水能成功吗?答案必然是否定的。正是因为这种神人合作,利益一致,治水才得以成功,这其中也蕴含了天人合一的传统观念。

通过对比中西方在面临洪灾时的民族态度差异,我们可以看出,在洪水来

① 弗雷泽.《旧约》中的民俗[M].童炜钢,译.上海:复旦大学出版社,2010.

临之时，中国宣扬的是各民族携手合作，共同抵御洪水的行为，体现的是一种“治水”态度；而西方则更强调由于人类罪孽深重，上帝因此降下洪水，只有被神眷顾的“义人”才能躲避这场洪灾，体现的是一种“避水”态度。除此之外，两者的洪水起因也大相径庭，中国的洪水起因是一场不可避免的自然灾害，天神也不能阻止这场自然灾害；而西方的洪水起因强调的是“因罪受罚”，在西方的洪水神话中，上帝能主宰一切，是绝对的上位者，任何人都不能违抗他的命令，一旦违抗，上帝便会降下惩罚。

通过对产生这种态度差异的原因进行分析，可以发现，中西方所处的地理环境不同是造成这种差异的原因之一。中国位于亚洲东部，河流湖泊众多，十分适合农作物的生长，因而产生了“男耕女织”的农耕文明；再从古代“士农工商”的排列来看，当时十分重视农业，而每逢雨季到来，洪灾便成为严重阻碍农业发展的一大难题，因此治水成了当时人们的主要任务，于是迎合人民迫切希望治水成功的美好愿望，中国治水型洪水神话诞生了。相比之下，西方大多数地区靠近海岸，商贸发达，因而产生了一种崇尚自由和冒险的西方文明。然而造成这种差异的最根本原因还是中西方民族价值观的不同。中国强调的是人本主义，洪水神话中天帝派神下凡治水，拯救苍生，体现的就是一种“君以民为本”的人本主义思想；而众神与百姓齐心协力共同抵御洪水的情节则表明了人与神平等和谐的关系。相对于中国人本主义的价值观，西方洪水神话中体现的则是一种绝对的神本主义，在西方人的价值观中，神是万物的主人，可以主宰一切，谁也不能违抗神的指令，因此对于神降下的洪水，没有人能够反抗，也只有被神关照过的“义人”才能躲避逃生。

4.3.2 洪水治理文化对比

洪水文化属于围绕水而产生的水文化，人与水的关系是人与自然关系的重要精髓和灵魂，水精神的力量主要表现在水态势的人格魅力、抗洪精神的震撼力等方面。水精神，是指水带给人的启示、体验和感悟，水精神是水文化的一部分。①

中国自古以来就有关于抗洪抢险的记载。几千年来，人们为了战胜洪灾不遗余力，倾注了大量人力、物力、财力。三国时期，诸葛亮指导蜀地的人们在成都西北部修建了九里堤。到了唐朝时期，唐朝皇帝颁布了《唐律疏议》，其中对水利防汛作出专门的规定。1202 年，我国现存最早的地方性防洪法律法

① 李宗新. 水的精神力量[J]. 华北水利水电学院学报(社会科学版)，2001，17(2)：41-44.

规——《河防令》颁布。随着对洪涝灾害的防控加强，一系列水资源保护规定及治理措施新章程相继出台，逐步形成了内容丰富的法律、制度和民约乡规。到了清代，河防官吏的权责更加明确，监测预警设施更加完善。

(1) 长江抗洪文化精神

众所周知，1998 年中国长江发生了罕见的大洪水，也形成了著名的“九八抗洪精神”，即万众一心、众志成城，不怕困难、顽强拼搏，坚韧不拔、敢于胜利。“九八抗洪精神”的实质是：以公而忘私、舍生忘死的共产主义精神为灵魂，以人民利益、国家利益、全局利益至上的大局意识为核心。

万众一心、众志成城，体现了中国人民的强大凝聚力。1998 年我国人民与洪水进行了一次惊心动魄的大较量，其成就寰宇称颂。

不怕困难、顽强拼搏，这是由人水相搏、两相对峙的严酷格局所决定的。在此次抗击洪水的过程中，中国军民展现出了不怕困难、顽强拼搏的精神。凶猛的洪水使人们的生命安全和财产安全面临极大的威胁，为了国家和人民的利益，军民所做出的一系列努力深深地打动了世界人民。

坚韧不拔、敢于胜利。这次特大洪水，为害范围广，持续时间长，中国军民始终心连心，肩并肩，走在抗击洪灾的第一线，始终将抗击洪灾看作自己的事情，始终将完成抗击洪灾的伟大胜利当作自己的目标。正是由于他们发扬了坚韧不拔、敢于胜利的精神，我们今天才能取得如此伟大的成就。

此外，长江抗洪中也体现了以下精神。

身先士卒、冲锋在前。在抗洪抢险过程中，共产党员立下生死状、生死牌，体现了身先士卒、冲锋在前的精神。洪水峰连峰，一浪高于一浪，这不仅仅考验着每一个军民的耐心，也考验着他们的勇气，成千上万党员参与其中，发挥着先锋模范作用，也发挥着核心和支柱作用，为中国抗洪历史谱写了一页又一页壮丽的篇章。抗洪军民这种舍小家、保大家，牺牲局部、保全大局的全局意识，是我们时代和社会的特有产物。①

专用工具、技术创新。抗洪抢险过程中采用了钢木土石组合大坝技术堵口，用料简单，可以就地取材。而直径 0.05 米的空心钢管，其实就是建筑工地上用于搭建脚手架的普通钢管，相对比较难筹集的打筑木桩用的“硪”，空心钢管更加容易储备，而且价格低廉，便于携带，因此，空心钢管是在当时经济条件有限和打桩“硪”技术相对不完善的情况下最好的储备材料。空心钢管作为专

---

① 王秀莲.论“九八”抗洪精神的鲜明时代特征[J].河南大学学报(社会科学版)，2000，40(3)：114-116.

用的工具为抗洪抢险任务的顺利进行立下了汗马功劳，是当之无愧的技术创新典范。

（2）密西西比河抗洪文化精神

1993年美国密西西比河发生大洪水之后，总统办公室要求重新考虑美国的泛滥平原管理策略，设置了泛滥平原管理联合讨论委员会，共同处理关于抗洪抢险的事务。相较中国军民的热情高涨、全力出击，美国的抗洪文化就显得薄弱很多，其所谓的抗洪文化精神主要体现在理性的高层会议方面。

（3）洪水治理异同

传统的长江洪水治理中，主要采用分洪、挡洪和滞洪等措施。①分洪是大禹治水的基本措施之一，疏通九条河流，使得黄河多支分流入海。西汉时期分疏说占主流。②挡洪是以堤坝工程阻挡洪水的侵袭，建立护城河，其主张“束水攻沙”。挡洪从单纯的建立堤坝挡水发展到后来的以堤坝束水、以水冲沙等，治理理念与技术不断更新。元代吴江立有两座水则碑，分为“左水则碑”和“右水则碑”。左水则碑记录历年最高水位，右水则碑记录一年各旬各月最高水位。[①] ③滞洪是明朝水利专家潘季驯在通过走访得出了洪水泛滥的规律的基础上，提出和实施的束水防洪的堤防系统，主要分为三道防线。第一道防线是离洪水二三里之外的遥堤；第二道防线是格堤，也叫横堤；第三道防线是增加坚固性的缕堤。这三堤共同构成了阻拦洪水的三道防线。

在2020年的抗洪行动中，为了减少疫情所带来的影响，各部门不断地创新思路，运用了智慧防洪体系。在近几年的抗洪抢险过程中，无人机、机器人、5G技术等一系列现代科技的运用有效提高了抗洪抢险的机动性和时效性。针对一些山高坡陡和危险区域等人类无法到达的隐秘地段，人们可以借助空中俯视巡查手段，直接提高抗洪抢险的时效性。铁路部门与气象部门、河流水利部门多方合作，对降雨量多的地区实施精准防洪，同时采用了卫星遥感图片、雷达图与人机检测等手段实时监测。防洪抢险制度与技术的创新，极大地推动了现代防洪抗汛管理的效率，被人们称为“智慧防洪体系”。长期以来，我们都致力于“让高山低头，让河水让路”，现如今，“退耕还湖，退田还湖”是还洪水以家园，还河流以空间的明智选择，而“智慧防汛体系”刚好给“退耕还湖”提供了保障。[②]

---

① 林长华. 漫话古代防汛抗洪措施[J]. 中国消防，2011(12)：53.

② 杨选. 国内外典型水治理模式及对武汉水治理的借鉴[J]. 长江流域资源与环境，2007，16(5)：584-587.

而在美国的抗洪行动中，分蓄和削减洪水是最重要的举措。此外，还对洪水中的污染物进行沉淀、过滤，净化和改善水质，充分利用洪水保持地下水平衡，提供给植物群落以良好生存环境，为鱼类及野生动物提供生息环境，保持地域自然农业特征，为人类提供良好的生活休闲空间。泛滥平原管理由美国联邦政府及州、地方自治体政府共同负责。19 世纪 60 年代，美国陆军工程兵团建议在密西西比河岸大力修筑河堤和防守，以此改善航运和控制洪水。但 1927 年密西西比河下游发生大洪水，促使人们重新进行思考。在此背景下，密西西比河下游防洪法于 1928 年正式出台。此后，美国开始整治河道，设置滞洪区，修建水库大坝，开辟洪道控制洪水。控制洪水成为联邦政府的责任和国家政策。

随着人们对于洪水和环境生态认识的不断加深，美国的策略发生改变。1983 年大水之后，美国没有重建在人烟稀少、资产密度较低的高风险地区被冲毁的河堤，但洪水依旧滞留在曾经被河堤保护的土地之中，美国在这些地区建立自然保护区，既利用了洪水的生态环境功能，又减轻了其他地区的防洪压力。美国还于 1995 年出台全国洪泛区综合管理计划，计划将恢复洪水高风险区的生态环境功能作为未来三十年洪泛区管理的四大目标之一。

由此可见，中国对于长江洪水的防治与外国对于洪水的防治存在着较大的差别，主要体现在以下几个方面：①中国有悠久的抗洪文化，产生了抗洪精神，并实实在在地支撑着中国军民与洪水作斗争。而美国并没有发展出抗洪文化。②美国抗洪措施采取分层下达机制。密西西比河的河流采取分层下达指令的机制，进一步提高了整体治理的效率，也进一步加快了河流洪水治理的脚步。而中国的抗洪则体现了全民参与的性质。尽管治水方式不同，但中美两国的洪水治理最终都走上了保护生态、不破坏自然环境的道路。在历史上，美国曾经为了追求短期的效益对密西西比河进行掠夺式的开发，破坏了生态平衡，带来了严重的生态问题。在吸取教训之后，美国在治理密西西比河的过程中非常注重人与自然生态的和谐相处，尊重万物共生。而建立相应的自然保护区，不仅仅是为了保持好水土，更是为了保护当地的动植物。

4.3.3 洪水文学作品对比

(1) 抗洪文化作品

大型文献纪录电影《挥师三江》记录了 1998 年抗洪抢险中，人们众志成城、抗击洪灾的过程。《挥师三江》再现了在残酷的洪水面前，中国军民万众一心、顽强战斗的场景。在中国共产党的领导下，中国军民总揽全局，挥师三江，与洪水展开了一场波澜壮阔、气吞山河的斗争，确保了三江流域重要城市和人民的生命财产安全，确保了改革开放以来所取得的文明成果无虞，展现了“万众一心、众志成城，不怕困难、顽强拼搏，坚韧不拔、敢于胜利”的抗洪精神。

大型儿童剧《洪水围困的日子》讲述了在洪水面前人类的渺小以及人类抗击洪水的故事，呼吁人们保护自然，爱护自然。剧中大学生张新在篝火旁边吟咏的这首诗“我懂了，你是自然，他是自然，一切都属于……自然”已远超于人们在洪水面前无助的呐喊，它是人们认识自然、保护自然、适应自然、关爱自然的自觉和自信。①

中国关于长江抗洪文化的文学作品中最具代表性的便是杨尚聘先生的《安澜梦》。这部作品描写的是湖北的江河，通过对于河流的书写表现河流与人民的感情。《安澜梦》说到底是百年三峡梦。作品展现了穿越六百年的时间迷雾，人们抗击水患、抵御洪水的侵袭，将自身命运与长江紧密相连。他们修建堤坝、剿匪、抗日、引进现代水利技术，书写了抗洪的百年沧桑，谱写了波澜壮阔的民族史篇章。

在关于密西西比河抗洪文化的外国文学作品中，最受人喜爱的当属《大浪涌起：1927年密西西比河大洪水怎样改变了美国》。这本书主要讲述了美国人民在遭遇密西西比河大洪水的侵袭之后展开的金钱权利争夺与矛盾冲突，同时，地方种族主义也因为洪水愈演愈烈。其中，洪水之中奋力求生的灾民，幕后操纵整个州的总统议员，每个人都为这次洪水之中的不团结付出了惨重的代价。

值得一提的还有贝尔的作品《洪水求生》，这本书主要偏向于描写美国早期抗洪措施，讲述了在贫穷的密西西比河棉花田里，加勒特和莫莉同死亡作抗争，同洪水作抗争，最后保住了自己所存的钱的故事。与中国抗洪文化作品相对比，这些抗洪文化作品侧重于揭露社会冲突，着力表现洪水这一自然灾害之下的人生百态，具有较浓重的悲剧色彩。中国洪水作品偏向社会性温暖治愈的故事这一类，相关报道也重点强调人们面对洪水这一自然灾害时的齐心协力，以及抗击洪水的决心。中国抗洪文学还表现出悠久的历史带给人的宿命感，人们面对洪水时候的使命感以及共同抗击洪水的责任感。

(2)《小鲍庄》中的洪水意象

第一，洪水是小鲍庄产生的根源——传统仁义的象征。《小鲍庄》在开篇就写道：“七天七夜的雨，天都下黑了。洪水从鲍山顶上轰轰然地直泻下来，一

① 王乐群，吴玉宝.一曲张扬生命意识的动人歌谣——大型儿童剧《洪水围困的日子》评析[J].文艺评论，1999(4)：85-87.

时间，天地又白了。”①作者通过这一小段质朴的语言，生动形象地描绘了当时大雨滂沱、洪水来临的场景，并从这里开始叙述小鲍庄的由来：小鲍庄人的祖先是做官的，以仁义出名，当时鲍山地区连续下大暴雨，引发水灾，龙廷派他来这治水，他耗费了大量物力财力建成了高高的鲍家坝，结果对治水毫无作用，反而成了一个大型蓄水池，龙廷也因此将他罢免。他觉得自己对不住百姓，于是为了表达自己的悔恨之情，他举家迁移，并在坝的最低处居住下来，然后逐渐繁衍开来，形成了小鲍庄，这位先人的仁义道德也因此流传下来。所以说，洪水是小鲍庄产生的根源，也象征着小鲍庄祖上流传下来的传统仁义道德，这使得小鲍庄成为一个真正的“仁义”之村。

第二，洪水给人们带来灾难——宗教中“原罪”的象征。由于小鲍庄祖先治水失败，其先人为赎罪而在鲍家坝的最低处安了家，但他建的这高高的鲍家坝却将小鲍庄与外界隔绝开来；再加上小鲍庄所处地区的气候特殊，每逢夏季雨水较多，便会发大水，使小鲍庄成为一片洼地，给小鲍庄带来了巨大财产损失。因此，洪水给小鲍庄带来仁义的同时，也带来了封闭与贫穷，这一切的缘由都在于他们的祖先治水不力，而其造成的后果也只能由世世代代的小鲍庄后人来承担。所以说，洪水带来的灾难是宗教中“原罪”的象征。

第三，外来洪水的入侵——仁义消失、文明进入的象征。在百年难遇的大洪水面前，代表仁义的捞渣将生的希望留给了“绝户”的鲍五爷，让鲍五爷先爬上了那棵大柳树，而自己却因来不及爬上去而被淹死在树下，捞渣的死，标志着以仁义著称的传统小鲍庄的消失。这段九岁仁义孩童救助孤寡老人的事迹被村子里有“文疯子”之称的鲍仁文传播了出去，无数的外来人员涌进这平静了数百年的小鲍庄，带来了外界文明与繁荣，使小鲍庄彻底改变了原有的生活方式。然而，传统仁义的消失，文明洪水的到来，真的会使小鲍庄变得越来越好吗？答案是否定的。在他们这看起来欣欣向荣的新生活背后，却是人心的浮躁，他们的物质生活愈加富裕的同时，精神世界却愈加空虚。

在对王安忆《小鲍庄》中洪水意象的研究中，我们能深深体会到作者心中对中华民族何去何从的担忧。这部作品写于1984年，当时中国正处于改革开放的浪潮之下，外来文化如同潮水般涌入中国，给中国人民带来西方思想与物质繁荣的同时，也导致了中国传统文化的衰落。在这篇小说中，洪水象征了仁义道德，这是小鲍庄人世世代代遵循的传统，更是他们赖以生存的根本；但洪水带来的灾难，让小鲍庄人长久生活在贫穷愚昧与闭塞落后的环境中；而文明

---

① 王安忆. 小鲍庄[J]. 莽原，2020(1)：143-186，2.

洪水的到来，让他们失去了传统仁义道德，虽然给他们带来了物质文明与繁荣，却引发了更严重的精神危机。作者试图通过这篇小说去警示当时的中国人：在接受外来文化的同时，也不要忘了中华民族的根本——仁义道德。

（3）东西方洪水意象的异同

从东西方的洪水神话中我们知道，在东西方存在过的文明中，几乎全部的神话中都曾记录了神毁灭整个世界后又重新建造一个新的世界（中国例外）。在这些保留下来的神话记载中，神初次创世后，由于难以忍受人类的罪孽和邪恶，为了扫除人类罪行，便降下灾难去毁掉人类世界，同时让幸存的人类在灾后重建新的人类文明。而在文学作品中，无论是王安忆的《小鲍庄》，还是玛格丽特·阿特伍德的末世三部曲，都明显体现了洪水神话中“毁灭-重建”模式的内容，这种毁灭和重建不仅仅是指人类作为自然个体的自然性的消失和再生，更重要是指一种制度、文明、价值观念的毁灭和重建。

《小鲍庄》通过对小鲍庄创造—毁灭—重建的描述，向我们展示了传统文化中落后部分会被取缔的必然性，同时也宣布了传统文化逐渐被现代文明所取代的事实。而在玛格丽特·阿特伍德的末世三部曲中，阿特伍德用惊世骇俗的想象力向人们展示了世界末日图景，在繁荣昌盛的当下似乎显得不合时宜[①]。然而，她的末世叙述绝非“狼来了”的“愚言”，而是对如何解决当下日益恶化的环境问题的积极探索。她的三部作品中都提到了一个环保宗教组织——“上帝的园丁”，这个组织在“洪水”来临前就呼吁人们准备粮食，在“洪水”过后，团体成员们还教导人们学习各种各样的生存知识。尊重自然，畏惧自然，顺应自然，他们相信只有这样做才能使他们活下去。《生态视域下的宗教自然观辩证厘析》一文中提道：“生态环境问题不单是一个经济和技术问题，更重要的还是一个文化问题，而宗教文化中蕴含有丰富的生态智慧。”[②]其实阿特伍德并不信仰宗教，但她却在末世三部曲中描述了宗教对于这个社会的特殊性，因此她利用基督教文化去培养人们尊重自然规律的意识和敬重自然的道德伦理观，从而为拯救与保护自然环境提供了一种新的解决方式。

---

① 张传霞.新世纪的洪水神话——《羚羊与秧鸡》和《洪疫之年》的圣经原型解读[J].文艺争鸣，2013(12)：128-132.

② 贾凤姿，胡莹莹.生态视域下的宗教自然观辩证厘析[J].云南民族大学学报（哲学社会科学版），2012，29(5)：91-94.

05

第五章

长江航运文化

长江从三江源走来，聚江河，汇涓流，一泻千里，终得母亲河之美誉。百转千回的大江浩荡千里，沿江居民掬水饮，驾舟行，补网打鱼，货运贸易。问长江，江涌几多情？情在人文，人文长江。

长江之兴，当在航运，航运之重，首推广博。长江航运的历史自古有之，船楫的发展见证了富有智慧和创造力的劳动人民从依赖自然到改造自然，最后与自然和谐共处的发展历程。亘古东流的大河横贯祖国东西，孕育出中华灿烂的航运文化。西经巫峡有险滩，船工与纤夫共同唱响劳动人民的曲调；沿江上下建码头，贯通河海，展现鲜明的地域特色；东至平原连运河，打通交错的经济动脉，辐射中华。长江的历史发展轨迹造就了中华五千年文明的璀璨！

长江航运已经步入新时代，长江航运沟通了内陆和海洋，连接了丝绸之路经济带与21世纪海上丝绸之路两大路线，奏响了长江文明与海洋文明交融的赞歌，长江航运成为连接中华民族与世界的纽带。中华民族和谐相融，共同搭乘长江巨轮扬帆起航！

5.1 长江航运文化的发展历程

长江航运文化根植于长江，是交通文化与河流文化的有机融合。受惠于独特的自然地理与沿岸居民的聪明智慧，“与水为伴”“视水为友”“假水之利”成为长江航运人的天性，而地地道道的长江水又赋予沿岸航运文化以内在肌理，透射出水的音韵、水的品格。纵览古今，“傍水而生”“依博而兴”“多元融合”已成为长江航运文化的三大标签，实实在在渗透到长江航运文化的内核之中，具有浓郁的时代特征与长江特色。

长江航运“傍水而生”，积淀了深厚的历史文化底蕴。航运文化源远流长，大致经历了古代、近代和现代三个具有明显特征的历史发展时期。

古代的长江航运经历了孕育、萌芽与发展的过程。考古研究表明，我国早在新石器时代就出现了渡河的漂浮工具——独木舟，但直到东汉时期才有了木帆船航行长江的明确历史记载。隋朝年间，京杭大运河的开凿开拓了南北文化沟通的渠道，同时组建了以长江（东西流向）与运河（南北流向）为主的航运体系。到了唐代，长江正式成为全国通航里程最长、货运量最大的河流。杜甫的诗句“蜀麻吴盐自古通，万斛之舟行若风”，生动地描述了彼时四川与江南地区通过航运进行贸易往来的繁忙景象。

近代的长江航运文化呈现出逐步开放的态势。伴随着战争的失利，一大批航运条件优良的长江码头沦为帝国主义列强瓜分的对象，却也衍生出了一批与之相关的航运产业，与此同时，帮会、会馆以及脚夫等成为长江码头中的典型角色。广大水运从业者在实践中渐渐凝聚了“同舟共济”的精神，孕育出独树一帜的水运文化。譬如，被称为长江文化“活化石”的川江号子，是川江纤夫在负重前行时共同喊出的劳动调子，声音高亢，气势豪迈，表现了纤夫们坚强的意志和奋进的精神。

现代的长江航运文化则呈现出别开生面的生动场景。长江三峡大坝建成之后，万吨货轮直达重庆，推动长江真正跃升为交通大动脉：向内沟通东西，紧密联系沿海与内陆；对外与世界接轨，实现河海联动。特别是“一带一路”倡议的提出，进一步为长江流域内的航运发展注入了巨大活力。

长江航运“依博而兴”“多元融合”。其一，从流域文化来看，长江从苍茫的雪山源头一路奔腾而下，其干流共跨越我国 11 个省、区、市，流域面积达 180 万平方千米。这片广袤的土地孕育了影响深远的巴渝文化、荆楚文化、吴越文化等本土流域文化，也提供了中西文化相互激荡、融合衍生的舞台，譬如上海的海派文化。长江航运文化为这些流域文化的萌芽、发展及传播提供土壤，而这些文化乘上长江航运的“快船”相互交流，合力夯实了长江航运深厚的文化底蕴，这种“百川归一流”的现象也共同塑造出长江航运“团结”“奋进”“包容”的特质。其二，从文化载体来看，长江航运文化在数千年的发展历程中积累了丰富的文化表现形式与子文化旁支，它们是航运文化的发展成果，相互之间构成相辅相成的有机统一体。就文化载体而言，川江号子、码头百态以及运河文化都是航运文化在特定时空环境中的表现形式，它们或依托于歌曲，或表现于语言饮食，或作用于城市景观，都汇聚了中外文化之精华；就子文化而言，船文化、桥文化乃至港口文化等，都是长江航运人从水的动与静、升与落、清与浊的不断变化中领悟出自然规律，在长期与水和谐相处的过程中，秉水之性，陶冶情操，从而创造出的丰富的物质产品和精神财富。其三，从航运产业本身来看，长江航运是一个立足于政府政策，涵盖制造业、通信业、医疗业、商业、保险业等众多部门的复杂的产业集群。在开放型经济发展政策的引导下，任何一个行业的发展以及几组要素的协力整合都将推动长江航运迎来长足的发展变化。2014 年，长江经济带成为中国新一轮改革开放转型实施新区域，也是生态文明建设的先行示范带。其后，习近平总书记分别于 2016 年在重庆、2018 年在武汉、2020 年在南京召开三次推动长江经济带发展座谈会，推动长江经济从

“推动”到“深入推动”，再到“全面推动”的持续发展①，以创新驱动形成首尾一体的新发展格局，长江航运也将在一系列政策推动下迎来新的发展机遇。

5.1.1 大河之歌

曾经，在长江三峡生存着这样一群人：当运船搁浅或遇到险滩恶水时，他们就在峡江上背负纤绳一字排开，弓着身子，背对着船头，或在岸边，或在崖上，在响彻天地的齐整号子声中一步一步地往前迈步，众人合力将船只拉出险境。那种声势浩大的悲壮场面令人震撼，这群在峡江两岸专以纤绳帮人拉船为生的人被当地人称为“纤夫”。纤夫这一职业的诞生有两个方面的原因：一是川渝一带地形闭塞且复杂多变，只能依靠船只进行燃料及日用品的运输工作；二是在人力木船航运时代，“扬帆起航”只是借助天时地利的理想场景，当船只逆流而上时，则需要依靠大量的人力拼命拉纤，在此时纤夫就起着关键性的作用。纤夫主要由川江河谷沿岸的贫困土著山民构成，这基于两方面的原因：一方面，他们熟悉水性，了解峡江沿岸险恶的地理环境，能够凭借经验找出拉船的合理方式；另一方面，贫困的生活迫使他们不得不从事这项异常沉重且艰险的体力工作。一般而言，纤夫在劳作过程中需要承担巨大的风险，除了沉重的拉纤任务，他们还需要面对湍急的江流、变化多端的天气以及不可预测的

图 5-1 川江纤夫②

---

① 资料来源：长江经济带发展座谈会专题报道[EB/OL].(2020-11-15)[2022-03-15]. http://www.xinhuanet.com/politics/leaders/2020-11/15/c_1126742700.htm

② 图片来源：https://www.sohu.com/a/121611007_427041.

突发状况。在这种恶劣的环境条件中，三峡纤夫赤裸身躯，依靠身体素质、拉纤技巧以及地形知识与大自然展开一场危险重重、旷日持久的角力赛。峡江两岸至今仍有纤夫拉纤时留下的纤夫石和沟槽坑，这些都成为纤夫终年往返峡江、激流勇进且漂泊不定的血泪见证。

这是一幅生动的底层劳动人民艰难求存的群像图：纤夫，这群峡江上苦难的受众，将一个个混杂着血汗与泪水的悲凉的脚印，凝结成对生活高昂进取、对困难顽强斗争的可贵品质，这也成为众多文学家文学创作的灵感源泉，譬如阿垅的《纤夫》、路翎的《滩上》、王建的《水夫谣》、胡理勇的《拉纤者》、高兰的《嘉陵江之歌》等。在这类优秀的小说和诗歌中，纤夫形象数见不鲜。作家们通过白描的手法将纤夫的劳作场景刻画出来，纤夫们坚毅的背影中充满了昂扬向上的生活斗志，他们成为崇高精神的象征。譬如，在阿垅的名篇《纤夫》中，作者一方面点明了纤夫在拉纤时既要面对刺骨的风，又要面对湍急的江流，并在几百尺长的纤绳面前蹒跚而行的艰难局面，另一方面夸赞风吹日晒下的纤夫们拥有最为美好的品质。

毫不夸张地说，“一条纤绳维系了一切”[①]，路翎小说《滩上》中的主人公赵青云就是纤夫形象的缩影。赵青云每天混在肉色的纤夫队伍里，天未亮便来到江岸上拉纤，踩着嘹亮的劳动号子勉强过活，这也是千千万万生活在嘉陵江上的纤夫生活的真实写照。任劳肯干的赵青云在一次拉纤过程中收到了妻子病死的噩耗，劳作中的他只能低下头去，沉默着继续拉纤。路翎用犀利的笔触描绘了纤夫的心酸苦楚，沉重的体力工作并未改善家庭生活，病重的家人因无钱医治相继离去，然而，纤夫别无选择。高兰的散文《嘉陵江之歌》中的纤夫形象与其他作家笔下的纤夫形象别无二致，她更为细致地观察到：“他们的两只手也成了脚，不同的是他们的皮肤和地土一样的颜色。”[②]在与湍急的江水对峙时，纤夫往往匍匐着，一寸一寸地往岸上挪动身躯，此时他们没有激情，只有蚁力负山的一腔孤勇，只有脚下长长的江滩。由此，作为峡江两岸一个司空见惯的职业，纤夫摇身变成作家们关于川渝精神的一大记忆，他们沉默而坚忍，认真而顽强，在某种程度上已经成为本土形象与优良品质的重要载体。

与三峡纤夫的拉纤劳作如影随形的，是那响彻苍穹的川江号子。川江号子是三峡纤夫们在拉纤或者摇橹时为统一动作和节奏，由专门的号工领唱，其

---

① 资料来源：https://hanyu.baidu.com/shici/detail?pid=d014dff4ff608c8cdedfdcc37950fbd5&from=kg0.

② 秦牧.中国抗日战争时期大后方文学书系：第五编 散文·杂文[M].重庆：重庆出版社，1989：608.

余人帮腔的一种“一领众和”的民间歌唱形式①，具有统一动作、调整呼吸的实际功用。“巫山七百里，巴水三回曲”，在三峡建坝之前，川渝至宜昌段600余千米的长江航道上，布满了青滩、泄滩、崆岭滩和滟滪堆等有名的“鬼门关”险滩。在险滩急流中，为了使大家集中注意力，全身心投入拉纤工作，纤夫们就得喊着口号发力，慢慢摸索一致的节奏，从而创造出形式多样、内容丰富的号子词，雄伟高亢，浑厚有力。川江号子按内容大致可以分为如下几类。

图5-2　川江号子(印象·武隆舞台剧表演)②

第一类，地域场景的串联。这类号子内容中包括川渝境内不少地名，特别是地形复杂多变、水流湍急的川江流域地区等，有的是对特定地区水文、地理风貌以及民情风俗的描述，有的则是将船行经之处的小村趣事娓娓道来。船工们凭借长年航行此间的亲身经历与所见所闻，以口耳相传的方式复现了川江上的美丽传说，同时提醒船工们提高警惕，小心行船。这类内涵丰富的非物质文化瑰宝可谓价值无穷。譬如，《沱江号子》唱道：“资中开船吃枇杷，灯盏五里杨柳垭。/十八女儿文江耍，石板滩儿进峡峡。/甘露张公骑子马，惹得河边老马抓。/铁钳口儿不太大，涨起水来像虾笆。”③船工们巧妙地将资中至资阳

① 柯杨.民间歌谣[M].北京：中国社会出版社，2006：4.

② 图片来源：https://www.sohu.com/a/324963254_120181725?_trans_=000014_bdss_dkmwzacjP3p：CP=.

③ 邓晓.“川江号子”的文化内涵[J].中华文化论坛，2005(1)：20.

的行船路线与沿路风光串联起来，同时标注某些滩口与危险河段。又如在王雨的《水龙》中，木船行经滟滪滩水域时，船工们齐声唱起"滟滪大如马，瞿塘不可下；滟滪大如猴，瞿塘不可游；滟滪大如龟，瞿塘不可回；滟滪大如象，瞿塘不可上"①。滟滪本是滩涂上两块巨大的黑色礁石，当船工们行船至此时，他们首先预报船只具体方位，其次根据水位变化和礁石裸露程度，判断行船难度。号子以动物作比，具有符合船夫身份的自然乐趣，同时他们巧妙地把季节变化、江水涨落、礁石形状与行船事项相关联，形式生动，实用性强。

第二类，劳动生活的描述。拉纤生活的苦与乐是川江号子的重要内容，譬如，《十冬腊月天气寒》唱道："十冬腊月天气寒，哥儿帮人去拉船"②，峡江汉子生活艰苦，不管寒来暑往，刮风下雨，纤夫都是河滩上最勤劳的人，他们必须顽强地在滩涂上从事这份事业以维持生计。该首号子中，纤夫用自嘲的语气讲述以拉纤换取微薄收入，这种略带轻松的口吻说明身处困境的纤夫群体仍对生活充满了热情，或许吼号子倒成了他们宣泄情绪的一大途径，给予了他们一份化苦为乐的豁达。俄国画家列宾在《伏尔加河上的纤夫》一作中再现了沉重的拉纤生活，画中，纤夫的肩膀被纤绳勒得血迹斑斑，他们倾斜身躯，眼神掩盖不住疲惫但却十分坚毅，他们生活困苦却仍旧坚韧。著名诗人蔡其矫曾游历襄阳、当阳、江陵、南津关等地，为他之后创作《川江号子》《宜昌》等作品中的纤夫形象积累了丰富的原始素材。他后来回忆："在南津关，我住的是勘探长江的钻探船。有一天，我登山，站在高处看纤夫和船，传来声音很悲惨，也很可怕，我才写《川江号子》。这都是真实的，不在实地，没有那个感受，你写不出来。"③晚年的蔡其矫提到早期完成的《雾中汉水》和《川江号子》时说，这两首诗皆取材于自己在冬日汉江上的所见所闻。《雾中汉水》写的是纤夫的痛苦，而《川江号子》写的则是生命的恐惧感，缘起于当时纤夫带给作家的极大震撼。1958 年 2 月，湖北的《长江文艺》重点推出"蔡其矫诗辑"，将《雾中汉水》《川江号子》《汉滨女儿》《大风中的汉水》《汉水谣》收纳其中，这些作品翔实地描绘了纤夫生活的苦与乐。

第三类，情感的表达。情感是川江号子中娱乐化的歌咏主题。川江号子将情感融入号子的曲调与内容中，热情坦荡地抒发出劳动人民对于生活的美好向往，以及现实生活当中的悲欢离合，以唤起听众的共情效果。譬如，《二四八月天气长》中唱道："二四八月天气长，情妹下河洗衣裳；/清水洗来米汤浆，情

① 资料来源：滟滪歌 https://wenku.baidu.com/view/b8f32a237e21af45b307a8fa.html.

② 邓晓."川江号子"的文化内涵[J].中华文化论坛，2005(1)：20.

③ 王炳根.少女万岁——诗人蔡其矫[M].福州：海峡文艺出版社，2004：82.

哥穿起好赶场。”这是一首恋人相悦的对唱片段，用简单平实的生活场景抒发江上人物间炽烈的情感。而在小说《水龙》中，水妹与水龙互相爱慕，在相恋多年无果后，水妹在回重庆的船上悲伤地唱起：“二四八月天气长，妹在船边洗衣裳。”没想到正在船上的水龙直接给予了回应：“捞起江水棒棒打，敲得哥哥心发慌。”这是恋人间互相试探真情的一种方式，号子的运用贴合了两人小心翼翼经营脆弱感情的真实情况。

第四类，时政。时政是船工们针对当时的社会时事而进行的即兴创作，因此这类号子的主题往往更加明显，其中感情的抒发更为直接和热烈。譬如：《好男当兵上前线》中：“好男当兵上前线，抗日队伍出四川。/坐上大船到武汉，武汉火线扯得宽。”这首号子创作于1938年抗日战争期间，旨在号召当时的爱国青年勇敢拿起武器，跟随川军一同出川抗日。而另一首号子《军阀把头心肠狠》中“头顶太阳红似火，脚踩寒霜如刀割；/军阀把头心肠狠，船工有苦无处说”①，则是船工在控诉黑暗的军阀统治对于广大劳苦群众的层层剥削。

总体而言，川江号子是贴近生活、通俗的民间创作，在即兴演唱的内容中难免夹杂一些庸俗的成分，但不可忽视的是船工们用独特的语言表达了自己的雄心壮志。它诉说了自己的艰辛遭遇，也倾述了自己的爱情故事，它带我们步入了这些苦力人“粗糙”而“细腻”的内心世界。时至今日，作为职业的纤夫已经尘封进历史中，但产生于船工们劳动过程的“川江号子”却展现出极为强大的生命力。1987年7月，“中国长江代表队”应法国文化部之邀，出席“阿维尼翁民间艺术节大河音乐会”，并演唱了川江号子。为此，法国的《世界报》于7月27日头版头条发表了专访报道《江河音乐三人同舟》。2006年10月，川江号子参加重庆·广岛缔结友好城市20周年纪念大会的演出。2008年8月，有着“号子之王”美誉的曹光裕应奥组委邀请，参加“奥运城市广场文化活动”并进行表演。2019年11月，《国家级非物质文化遗产代表性项目保护单位名单》公布，四川省艺术研究院、重庆市文化研究院获得“川江号子”项目保护单位资格。“川江号子”特殊的魅力，使它赢得了人民的广泛喜爱，它已经作为中国民歌的瑰宝走向了世界。

5.1.2 码头百态

“码头”这一称谓直到明代才正式出现在相关典籍中，古时统称为津口或渡口，是供水面船只往来运输货物、人口流动以及停泊补给之地。《辞海》将“码

---

① 邓晓.“川江号子”的文化内涵[J].中华文化论坛，2005(1)：21.

头”描述为“建造在海港、河川或运河沿岸，用以停靠船只，装卸货物与上下旅客的结构物，包括两岸进出路和渡河设备，同时亦可用来形容交通便利的城市”[①]。由此可见，“码头”至少具有以下三个特征：①建造于河流的两岸、供过往的船只停靠。②连接水域和陆地，有运输货物的效用。③人口流动的主要场所。作为连接不同地域间的重要纽带，码头不仅与国家政令畅通、赋税输纳乃至人口迁徙等各项民生大事联系紧密，更与人们的日常生产生活息息相关。与黄河相比，长江流域水量更加充沛，水流也稍显平缓，物流运输地位更加重要。“长江五千里，来往百万人”，描述的就是长江水运的繁华景象。唐宋时期，经济空前繁荣，交通运输往来日益频繁，渡口是主体抵达或离开某特定区域的必经关口，这种特殊的空间模式与频繁的人员流动激发了文学家们巨大的创作灵感。如北宋诗人苏轼的《瑞鹧鸪·观潮》：“西兴渡口帆初落，渔浦山头日未欹。”写的是作者在钱塘江乘兴观潮时看到的渡口的繁忙场景，千帆过尽，人头攒动。南宋陆游曾游历湖北松滋渡口，写下诗句：“系船日落松滋渡，跋马云埋灎滪关。未满百年均是客，不须数日待东还。”长江渡口是南方人员流动的必经之地，承载了文人创作的离怀愁绪。

近代码头的繁荣，离不开“开埠通商”一词。鸦片战争以来，一系列通商条约的签订不仅使得上海、广州、宁波等一众沿海城市成为通商口岸，诸如汉口、宜昌、重庆等长江内陆港口也陆续开放。码头，作为客观存在的实体，或者是码头所处的城市空间，因停靠往来于江上的行船而有了许多相似之处，又逐渐增加了中外文化交融的内涵。一方面重庆、武汉、上海等码头的发展，形成了码头上生存人员的独特生活方式。有了码头，就有了形形色色的码头人家，独具特色的码头文化就此兴起，而千百年的码头传统将文化因子注入他们的生活方式之中，透露出浓浓的城市特色与历史韵味。另一方面，不同文化的涌入促使码头不断更新相关产业、人员结构以及生活观念，在促进城市经济兴盛之余，也产生了不同程度的中西结合的景观。

在承载这些水运工作的码头中，重庆码头以山水为源，从巴人先民跋山涉水的自然禀赋中提炼码头水运的发展潜力；武汉码头凭借得天独厚的地理优势，孕育包容百态的“泛码头文化”；上海码头则依赖开埠政策与“租界”的形成，在中外文化的激烈交融之中，塑造出众多独具风格的“海派”景观。

（1）山城码头：重庆

重庆地处长江上游，山脉众多，河流更是纵横交错。长江、嘉陵江、渠江、芙

① “码头”词条：http://www.cihai123.com/cidian/1099391.html.

蓉江等河流或从城旁、或从城中穿行而过，江城重庆便在这山水广袤之地拔地而起。长江穿江城而过，支流沱江可直达泸州、资阳等地，岷江可通宜宾、成都等西南各地，乌江则可至贵州等地，而嘉陵江则流经城北，与涪江、渠江等连通直入重庆腹地合川、潼南等地。因此，重庆顺理成章地成为连接长江和其他流域的交通枢纽，“通过长江大动脉将四川盆地和长江中下游地区及沿海地区紧密联系起来”①，以重庆为中心，进一步辐射湖南、湖北、江西、安徽、江苏、浙江等长江中下游省市。在重庆当地，江河湖水已经融入生活的方方面面。以地名为例，重庆境内有四个区因水得名，江津区、江北区、綦江区和黔江区，而以江、滩、津、溪等水元素命名的地名更是不计其数。值得一提的是，巴人合山水之利，得舟楫之便，缔造了古老江城与江河间最为亲密的纽带——码头。码头是重庆繁荣的起点，唐代诗人杜甫的诗句“蜀麻吴盐自古通，万斛之舟行若风”，描绘了当时重庆码头运输业与商品贸易繁荣的盛景，峡江上甚至出现了体积庞大、贯通渝杭的“万斛船”。王维则在穿越巴峡时写下：“水国舟中市，山桥树杪行。”描绘了彼时川江两岸水边先民聚水而居、沿江贸易的景象。宋元时期，重庆作为交通枢纽的作用进一步提升，成为四川与京师，以及长江中下游大宗货物贸易的中转站。到了明朝，重庆已经建成了状若八卦的“九开八闭”17 城门，其中朝天门、太平门、临江门、东水门等 8 座城门建于长江与嘉陵江畔，外设许多沿江码头，这些遍布重庆的大小码头中商贾如云，舟楫如蚁。

图 5-3　重庆“朝天门”码头②

---

① 隗瀛涛. 近代重庆城市史[M]. 成都：四川大学出版社，1991：51.

② 图片来源：http://bbs.zol.com.cn/dcbbs/d232_807732_uid_q633i00413f1gu3.html.

近代，重庆开埠是一段不容回避的屈辱历史。1890 年 3 月，中英签订了《烟台条约续增专条》，确认重庆作为通商口岸正式开放。重庆开埠，一方面掀开了重庆被西方列强侵略的历史；另一方面也使得重庆成为中国内陆最早的对外通商口岸。1898 年，英国冒险家立德乘坐“利川号”试航峡江时便发现朝天门沙滩上已经热闹非凡，挤满了棚屋、商店、木柴和煤炭店。[①] 由于航运贸易的不断发展，码头上的工会、脚夫，来往船只上的船夫，各行各业推销的商人、买办以及川江险滩上拉纤的纤夫等三教九流都活跃在码头上，谋求生计。与此同时，码头上的配套设施逐步完善，如会馆、餐馆、茶馆、旅馆，一应俱全。20 世纪上半叶，重庆码头的功能性进一步加强，譬如，朝天门码头专供日用百货商品，南纪门码头则销售蔬菜肉食，东水门码头销售杂货类商品，等等。各色人员来来往往，根据不同的销售物资停靠在固定的码头上，并逐渐形成交易发达的街市。抗战时期，重庆迎来了其近代繁荣的顶点，不仅一跃成为西南地区最大的工商业城市，而且其码头也承担起全国贸易总枢纽的重担，呈现一派热火朝天的繁忙景象。

回望其发展历程，重庆码头依山傍水，具有自身独特的码头特征——挟多江之便利，但地处内陆，开放与时尚度不够，更具野性、粗鲁、原始的豪气。旅居重庆的作家张恨水曾在自己的多部作品中提及重庆码头中的江湖色彩，认为巴蜀地区在 20 世纪上半叶的中国社会中，因位置闭塞、军阀割据，显示出一种异于常态的存在方式。李劼人、沙汀等作家则在自己的文学作品中将这种独异的江湖气息归纳为“袍哥文化”。查询“袍哥”一词的由来，目前大致有两种说法：其一来自《诗经》片段“岂曰无衣？与子同袍”之义；其二则是罗贯中《三国演义》中关羽在曹营留下旧衣袍的故事。“袍哥人家，义字当先，绝不拉稀摆带！”便是一句特点鲜明的袍哥式口头禅。作为一个“义”字当先且充满反叛精神的“秘密社会”，重庆码头上袍哥文化的主要成因是：码头人员复杂且具有流动性，这种流动性将码头塑造成一个具有漂泊性质的偌大江湖。为了保全生计，下层人民只能团结在一起，他们热心好斗、讲究江湖道义。李劼人在短篇小说《好人家》中曾描写漂泊无依的底层人民拜会袍哥时的言行，折射出彼时袍哥文化不仅仅在重庆码头流行，甚至流行于整个城市。而张恨水的《水浒新传》则是一部借古讽今的典型文学作品，借水浒英雄故事隐喻抗战时期重庆码头上一群满怀兄弟道义和家国情怀的英雄儿女血洒战场的豪情故事。除此以外，张恨水的《牛马走》《傲霜花》等作品中的主人公无一不是出身下层社会的

① 阿奇博尔德·约翰·立德. 扁舟过三峡[M]. 黄立思，译. 昆明：云南人民出版社，2001：127.

普通民众，富有坚韧顽强的个性，且具有“码头袍哥式”的侠义精神。这种独特的江湖文化正是从重庆码头的氤氲水汽中诞生而来，码头上的主要人群是流动的、江湖下层的市井人员和苦力者，如水夫、滑竿夫、挑夫等。重庆码头潜移默化地塑造了人民坚韧、顽强的品性，孕育出独具特色的袍哥文化。

值得一提的是，重庆码头工人在辛勤的货运劳作中形成了一种独特的饮食文化——重庆火锅。这些底层劳动者在辛苦工作一天后，将码头上残存的各种食材放在锅里一同煮食。码头与当时的屠宰场离得很近，因此又加入动物的内脏等作为“油水”。为了祛除内脏的腥味，再加入麻、辣作料调味，同时又有祛除湿气、抵御寒冷的功效。码头上的一群人便围在锅炉旁边，一同享受热气腾腾的食物。火锅不仅仅是一道美食，还是典型的码头文化的产物。首先，火锅的产生与底层人有关，与码头元素相契合。其次，码头工人为了节省时间将各种食材混合在一起的料理方式，显示出码头包容、开放的特点。再次，重庆火锅追求滚烫、麻辣，逐步形成码头人泼辣、豪爽又率真的性格特点。具备商业眼光的商人将火锅从码头引入都市，逐渐演化成如今走入千家万户的重庆火锅，而渗入其中的码头性格也随着重庆火锅的热气蔓延到整个城市，成为重庆城市性格一大特征，重庆人的文化传统与品性在码头的不断发展中传承下来。

（2）九省通衢：武汉

武汉，是一座凭借优越地理位置发展起来的码头重镇，享有“九省通衢”之美誉。长江自宜昌破峡而出，在湖北境内九曲回肠，流转不绝。其中最为著名的汉水码头是汉水改道汉口、流经龟山脚下冲击形成的河湾。久而久之，过往的船舶停靠在此处歇息运货，形成了码头的原始模样。清代叶调元在《汉口竹枝词》中曾就汉水码头的地理位置与商业生活进行了深入而细致的描写，这也说明码头对武汉的重要性。其一，汉口“东带大江，南襟汉水，面临两郡，旁达五省”①，其码头的地理位置优越。其二，武汉最早的商业往来便是通过水运，因此码头对武汉而言起到了基础性的作用，武汉的文化根源便是码头文化。唐宋时期，武昌便出现了享誉全市的南市，长江两岸的商船南来北往，沿江居住着数以万计的商户。诗人鱼玄机有诗云：“大江横抱武昌斜，鹦鹉洲前户万家。”武汉一带得码头之利，一跃成为全国性的水陆交通中心。到了明清，湖北汉口镇成为与河南朱仙镇、江西景德镇以及广东佛山镇并驾齐驱的“天下四大名

---

① 叶调元《汉口竹枝词》：http://www.pinlue.com/article/2018/09/1105/577028142250.html.

镇”，刘献廷在《广阳杂记》中将汉口冠以“楚省咽喉”的美誉。晚清洋务派代表张之洞曾在湖北设立商务局，大力推动交通物流业的发展。得益于对外直接贸易的政策优势，武汉从国内首屈一指的商业重镇发展为领先全国的国际贸易商埠。

码头是一个包罗万象的社会集合体，其本质是建立在水运基础上的商品文化。这种最基础的关系意味着商品将由四通八达的码头销往各地，依赖庞大的流散性群体进行转运和销售，同时在转运与销售的过程中实现价值的交换，创造经济效益。而码头上的买办、商人、搬运工人甚至是手工从业者在码头周边的生活需要催生出了提供各种服务设施的群体和场所，涉及饮食、休闲、居住以及娱乐等，这种双向促进的发展模式正是武汉与码头共同繁荣的一大秘诀。总体看来，码头及其衍生性产业共同构成了武汉城市经济的基础部分，是武汉经济长期发展的内驱动力。与此同时，码头及其相关产业的就业人群构成了武汉市民主体，使得他们的日常生活具有一种内在的泛码头性特征。

武汉的泛码头性一方面直指与码头相关的精神物质文化形态，另一方面也引申到与泛码头文化相关的产品，乃至相关从业者主体的主要生活方式、价值观念和生活态度等内容。譬如，以近代武汉码头与泛码头行业的从业人群为例，他们具有以下几个鲜明的文化特征：①大多数码头与泛码头行业从业主体具有明显的小农思想与小商品观念。因为文化教育程度不高，所以他们的精神世界相对粗糙简单，语言粗鄙，对于流行或者高雅的文化产品接受程度低，对文化生活的需求相对单一。②码头上地位低下的社会群体往往有强烈的功利心与急功近利的价值观，对人生缺乏超越性的姿态。贫困的底层生活让这一群体对于资本的流通有近乎疯狂的趋利性，注重投机而轻视投资。因此，武汉市井文化横行，从事商品贸易活动的武汉市民大都具有交际能力强且精明的特质。③有比较强烈的帮群意识和地盘意识。赶来武汉做生意的人大都自发组成了广纳四海的会馆，这容易破坏公平经营的商业环境，导致难以形成良好的投资环境。

事实上，武汉方言也已成为武汉特殊地域文化的载体，刻上了泛码头性这一深刻的烙印。首先是充满江湖气的称谓语，主要来自武汉各大帮派之间约定俗成的暗语，俗称“行话”，譬如“拐子”，通常指拐卖人口的骗子，却被武汉人亲昵地指称“哥哥”。这些带有江湖气的称谓语已经成为武汉人民的日常用语。2014 年 2 月，《长江日报》曾发表过一则《有一种城市性格叫“搭白算数”》的专题报道，文章写道：感动中国的信义兄弟，远不是武汉孤本。人无信不立，业无信不兴。这些年来，武汉的信义力量，以“搭白算数”的地域特质，传承并丰富着这座有 3 500 年筑城史的大城的精神——重信守义[①]。“搭白算数”本是帮会间互相约定的江湖用语，并未随着城市的文化发展被摒弃，反而适应了商业社会“诚信为重”的需要，引申了语言的深层内涵。

（3）十里洋场：上海

唐天宝十年（751）始置华亭县，位置在今上海松江区，这是史书上记载的上海地区最早的县城。唐宋时期，位于松江与青龙江交汇处的青浦县便已形成海港的雏形：青龙镇，从这里出发的船舶循海岸，经支流可与苏州、杭州、嘉兴等地进行航运交通，且此处水域广阔，天然具备深水良港的自然条件。与此同时，华亭县凭借海运优势吸引大量人口涌入，经济不断发展，逐渐形成众多用以商品交换的中心集镇。南宋时期，“上海镇”作为华亭县一个下辖区域得以命名。元朝时，上海撤镇升县，成为一个独立的行政单位。朝廷还在上海县设立市舶司，相当于设立在港口地区专管海上贸易的官府，此举大力推动了当时海上贸易的发展。同时，上海县也一跃而成为番商云集的滨海大港，户数已达六万四千户，人口数十万。[②] 元朝末期，为了整顿沿海治安和清理走私，官府转而采取遏制民间贸易、禁止海外贸易的“海禁”政策。这虽然在一定程度上影响了上海的发展，却没有打断上海封建社会商品经济发展的进程。明朝，官府主持了吴淞江与黄浦江的治水工程，使得上海的内河航运功能进一步升级，形成了以上海为中心、黄浦江为主干的航运线路图，基本确立了上海港作为沟通国内外航运的最大枢纽的地位。晚明时期，上海的都市化进程受到资本主义萌芽的影响而进一步加快，以港兴市的独特模式推动上海的商业文化日益繁荣。街道上商肆林立，市场内百货云集，包罗了来自海内外各地的时髦商品，类似花衣街、洋行街等航运特色显著的商业街不断涌现。尽管“海禁”政策在元、明、清三个朝代不断反复，但上海港在对外贸易和国内贸易中都发挥了不可替代的作用，并成长为颇具影响力的商业城市。

学者薛理勇指出：“1843 年时的上海仅是一个靠近东海的小县城，凭借其在自然、地理上的优势，正在成为一个沿海的港口城市。”[③]近代上海的城市发展与开埠通商关系密切。根据中英签订的《南京条约》和《五口通商章程》，上海、广州、福州、厦门、宁波五个沿海城市将成为通商口岸对外开放。时任英国驻沪领事的巴富尔考察了上海地区，认为县城以北地区地域辽阔，且拥有绵长

---

① 汪国胜，赵爱武. 从地域文化看武汉方言[J]. 汉语学报，2016(4)：60.

② 施宣圆. 上海 700 年(修订本)[M]. 上海：上海人民出版社，2000：6.

③ 薛理勇. 旧上海租界史话[M]. 上海：上海社会科学院出版社，2002：6.

的江岸，利于建设港口和停泊商船。因此，巴富尔与清廷时任上海道台的宫慕久签订了《1845 年上海租地章程》，划出了县城北郊作为英国人的居留地，英租界由此产生，此后美租界、法租界也在上海相继圈定。租界的出现源于帝国主义对中国的经济掠夺，客观上，它加快了上海的城市化进程。随着各国租界的划定和码头位置的选取，大量外国人经由停泊港口的商船涌入中国，数量众多的外国商行落户外滩，从老十六铺至外滩沿岸的商业带发展了起来。至 1853 年，外滩岸线上已经建立了数以十计的驳船码头，用于各种产品的装卸运输。

图 5-4　上海老码头①

由此看来，开埠之后的上海在近代都市化进程中取得了极好的成绩，成为近代中国对外港口贸易和对内埠际运输的交通枢纽，一跃成为当时最大的港口型都市。上海港的繁荣延续至今，从租界时期的苏州河口南岸港区，至浦东港区，再到现代的吴淞港区、外高桥港区、洋山深水港建设，上海背靠历史悠久的长江文明，面向浩瀚无垠的海洋文明，走过历史悠长的发展之路，逐步成为一个面向世界的国际航运中心。“有了老码头，才有了上海城”是上海人口口相传的一句俚语，有了开埠千载、通商百年的历史积淀，上海立足于中国传统文化，融合其他地域以及其他国家的文化精华，久而久之，便产生了独一无二的海派文化。

海派文化以“海纳百川、开放包容、创新时尚、中西交融”为特征，以上海人

① 图片来源：朱宏斌．洋泾浜与石库门[J]．广西城镇建设，2016(3)：86-99.

的生活日常为载体，表现在建筑、语言、饮食、服饰等方方面面。其独特既来自彼时涌入的西方摩登气息，也源于历史悠远的上海传统文化。

其中，混搭的“洋泾浜”文化便是海派文化的明证。洋泾浜，原是上海境内的一条普通河流的名称，因其位于法租界与公共租界之间，成为租界的一个代名词，现主要用来指中西合璧的表现形式，多用以形容语言、艺术、建筑等多个方面。如果将围绕英、法、美等租界的界河加以测量，其周长约等于十里，因而租界也得“十里洋场”之名。时至今日，依然矗立在黄浦江西岸外滩上的万国建筑群便是中西合璧的建筑成果，北起外白渡桥，南抵金陵东路，南北全长 4 千米。这里鳞次栉比地矗立着亚细亚大楼、有利大楼、日清大楼、中国通商银行大楼、海关大楼、电报大楼、和平饭店大楼、汇丰银行大楼等 52 幢哥特式、巴洛克式、罗马式、古典主义式、文艺复兴式等各种风格的大厦①。这些建筑风格迥异，但格调统一，完美融合了中国传统建筑原理与西方艺术美学，成为黄浦江上一道亮丽的风景线。除此以外，中西文化交融的建筑成果进一步融入上海老城区的街头巷尾中。作为一种特有的建筑文化形态，石库门承载了近代上海的城市记忆，是近代上海搭建住宅时首选的建筑风格。石库门的建筑风格与整体布局可以说真正体现了“洋泾浜”的混搭风格。一方面，它留下了天井、客堂等中国传统四合院的布局方式；另一方面，建筑师又给石库门配上欧式的花纹、欧式的屋顶以及联排式的结构。

“一座城市没有了建筑，城市将不复存在；没有了记忆，文化将枯竭凋零。”②王安忆的《长恨歌》中细致地描绘了上海的城市建筑。有趣的是，当站在制高点上揭开上海的城市大幕，映入作家眼帘的并非灯火辉煌的银行、酒店或者外滩建筑，而是作为背景的“暗的”“旧的”弄堂及石库门。“上海的几点几线的光，全是叫那暗托住的，一托便是几十年。这东方巴黎的璀璨，是以那暗作底铺陈开，一铺便是几十年。”③如果将造型独特的租界万国建筑群视为中西建筑艺术的激烈碰撞，那么石库门和弄堂则见证了上海的传统文化与西方摩登气息的缓慢交融。

“洋泾浜英语”也是老上海的特色产物。当时随着大批外资及外籍商人涌入上海，语言成为阻碍交流的最大问题。在洋行及工厂中，出现了名为“通事”的人群，专业从事语言翻译的工作。总体而言，这一人群掌握了一定的英语词

---

① 资料来源：万国建筑群 https://baike.baidu.com/item/%E4%B8%87%E5%9B%BD%E5%BB%BA%E7%AD%91%E7%BE%A4/6505684? fr=aladdin.

② 朱宏斌. 洋泾浜与石库门[J]. 广西城镇建设，2016(3)：86.

③ 王安忆. 长恨歌[M]. 北京：人民文学出版社，2004：1.

汇，但大都没有系统学习过英语语法，且读音不准、口音浓重，对于翻译技巧更是一窍不通，只能简单传递语义。这样的英语被称为“洋泾浜英语”，是在特定时期中外交流不畅的情况下为了勉强沟通而形成的一种“商业英语”。尽管“洋泾浜英语”一词很大程度上具有嘲讽的负面含义，但在近代上海对外贸易、外交辞令和文化交流过程中扮演了异常重要的角色，影响深远。

“夹中夹西”的海派建筑与语言方式是港口文化积淀百年孕育出的文化产物，或清晰或模糊地呈现了城市的建筑记忆，承载了海派文化的精华，见证了上海的沧桑巨变。

5.1.3 运河风华

京杭运河贯通南北，是中国历史上足以与万里长城比肩的伟大工程。回顾京杭运河的开凿历史，大致可分为四个发展阶段：春秋末期、隋朝、元朝以及中华人民共和国成立以后。春秋时期，吴王夫差为了与齐国争夺霸权，下令开凿以古邗城为起点的地上运河——邗沟，连通长江与淮河两大水系，便于吴国水军北上以及运送战争物资。隋朝为了加强统治的需要，朝廷调集大量劳动力从洛阳出发自北向南开凿或疏通了永济渠、通济渠、山阳渎（原邗沟）、江南河等多条人工运河，形成首尾相连、长达 1 800 多千米的京杭大运河。元朝仰赖江南的财富税收，加强了对大运河的修缮工作，并在原先基础上相继开凿了济州河、会通河和通惠河，奠定了如今京杭大运河的基本面貌。清朝时期，因海运和陆上交通的发展，加之黄河淤塞了京杭运河的河道致使航运不便，曾经辉煌的京杭运河黯淡下来。中华人民共和国成立以来，国家十分重视京杭运河的疏通与建设，分别对黄河以北段，黄河至长江段，以及长江以南段提出详细且有针对性的修浚方案，特别是对江苏段运河、山东段运河以及浙江段运河实施了“统一规划，综合利用，分期建设，保证重点，依靠地方”的治理方针。

时至今日，京杭运河已恢复为一条贯通我国南北经济的水运大动脉。运河江浙两段正处于长江流域与京杭运河交汇之地，四通八达的水路优势促使运河担负起南水北调、北煤南运的重大使命，同时，两河交汇流域的城市因地理优势迅速成长为经济繁华之地。南北贯通的运河交通与东西流向的长江带来异地文化与本土文化的相互碰撞，使运河都市及周边其他区域获得了更为丰富的文化资源，形成了别样的运河风华。

唐代诗人王建的《汴路即事》诗曰：“千里河烟直，青槐夹岸长。天涯同此路，人语各殊方。草市迎江货，津桥税海商。回看故宫柳，憔悴不成行。”这是诗人在开封（旧称“汴州”）时对运河区域繁华的商品贸易的形象描绘。来自全国各地的商人说着不同的方言，带着从江海上运来的货物，运河以及长江沿岸发展起来的草市则为其进行商品贸易提供了场所，同时码头与桥上设置的税关将对这些航运货物收税。隋唐以来，除了运河北部的开封、西段的长安以及中段的洛阳之外，山阳渎及江南河流域出现了数量众多的运河都市，如邗沟北端的淮安（旧称“楚州”），南端的扬州、镇江、无锡、苏州、湖州、杭州、嘉兴、绍兴，凭借两江汇流的地理位置发展航运，进而成为经济富庶之地。

特别是扬州，尽得京杭运河之神韵。从地理位置来看，扬州正处于京杭运河与长江航道的交汇之处，且占据长江三角洲中心地带。施坚雅认为“各区域间的贸易是通过这种河流与河流间形成的‘T’字形线上繁荣起来”①。扬州凭借四通八达的河流交通网络，将两条河流连为一体，成为长江三角洲上一座不可或缺的运河重镇。从历朝历代的政策来看，扬州占尽人和之利。自唐朝开始，朝廷便在扬州设立市舶司，专管对外贸易。彼时，扬州是我国海上丝绸之路的优良港口，与泉州、广州以及明州统称为“东方四大商港”，转运至此的商品经由扬州港的航运商船运往中原与北方各地。洪迈在《唐扬州之盛》中如是评价：“唐世盐铁转运使在扬州……商贾如织。故谚称‘扬一益二’。”②由此，扬州获得了“天下第一城”的美誉，足可见彼时的扬州已成为水陆交通、人文荟萃以及商贩云集的大都市。

明清时期，扬州摇身一变，成为朝廷进行漕运管理与食盐分销网的核心。在《扬州：清帝国的一座中心城市》中，芬安妮提及当时两淮地区的盐务管理机构基本都设在扬州，而负责分销食盐并缴纳税收的盐商也大都居住在扬州。除此以外，因为航运线路的固定，两江转运或南北航向的船舶都必须接受扬州府治的统一管理，这进一步提升了扬州的航运地位。从人文底蕴来看，商业繁荣带动了运河区域经济的发展，促进了商业文化的发展、人口的水平流动，以及城市居民生活质量及价值观念上的变化。

经济繁盛的扬州商品琳琅满目，人杰地灵，茶道盛行，吸引了南来北往众多文人骚客留下传世名篇，为扬州积淀了浓厚的运河文化底蕴。譬如，唐代诗人李白《黄鹤楼送孟浩然之广陵》诗云“故人西辞黄鹤楼，烟花三月下扬州”，尽管难掩送别友人的离怀愁绪，却对友人远足扬州充满期许；杜牧则在《遣怀》中描述旅居扬州的十年经历美好得像是一场幻梦：“十年一觉扬州梦，赢得青楼

---

① G. W·施坚雅. 中国封建社会晚期城市研究——施坚雅模式[M]. 王旭，等译. 长春：吉林教育出版社，1991：37.

② 洪迈. 容斋随笔[M]. 北京：中华书局，2005：145.

薄幸名。”另一位唐朝诗人王建在《夜看扬州市》中描绘了热闹非凡的扬州夜景：“夜市千灯照碧云，高楼红袖客纷纷。”夜幕下扬州城依然灯火璀璨，歌舞升平。是故，姜夔以“淮左名都，竹西佳处”之美誉赠予扬州。

许多现代作家来自运河流域，扬州所处的江南运河与里下河平原便是诸多作家文学创作的灵感源泉。譬如，小说方面有汪曾祺的《大淖记事》《受戒》《我的家乡》，徐则臣的《北上》《花街》《石码头》和庞余亮的《薄荷》等；诗歌方面有朱自清的《我的南方》和郁达夫的《怀扬州》等；散文方面则有朱自清的《航船中的文明》、庞余亮的《我那水蛇腰的扬州》等。运河及城市在文人们笔下栩栩如生。在《我那水蛇腰的扬州》中，庞余亮用“水蛇腰”描绘运河的婀娜风姿，一方面点明运河与扬州相得益彰的和谐关系，衬托城市的窈窕风情；另一方面则借用“水蛇腰”“榆树”“高田”等运河意象，描绘土生土长的扬州人与运河间的不解之缘。尽管成年后作者跟随运河的轨迹出走远方，但运河已然成了回忆的载体，成为作者故乡记忆的索引。只要看到运河景色，便能勾起故乡扬州的城市记忆，这便是运河留给扬州人最为珍贵的礼物。

京杭运河的发展也并非一帆风顺。清朝末年，随着铁路与海运成为更为便捷的运输方式，运河航运逐渐衰败。而外国资本的不断侵入导致国内商业、盐业以及手工业不断萎缩，盛极一时的京杭运河江河日下，扬州的发展也由盛转衰。到了民国及抗战时期，社会的动荡不安使得运河沿岸人口不断流失，加剧了城市的凋零。

时至今日，运河的发展重现活力。经过数十年的疏浚与保护，京杭运河不仅重新成为我国水运的经济大动脉，更成为历史文化遗址的宝库。2019 年在山东济南召开的“大运河文化学术研讨会”中，山东发布了《中国大运河蓝皮书：中国大运河发展报告（2019）》，提出除恢复大运河航运与蓄洪的经济生态功能外，还应抓紧发展大运河文化产业，重视大运河沿线古城的保护，报告同时针对苏北段文化带建设进行了专题研究①。新阶段的扬州紧抓时机，以发展打造“运河之都”为首要任务，利用百年运河的城市文化底蕴，提取渗入扬州城市血脉之间的运河文化因子，积极发展出一批充满时代特征与大河特色的运河文化产业。

2020 年 10 月，扬州市委常委、宣传部部长张长金曾在《扬州通讯》上就扬州发展方向作了题为《叫响“世界运河之都”品牌 着力推动千年运河焕发生机》

---

① 资料来源：中国大运河蓝皮书：中国大运河发展报告（2019）[EB/OL].（2019-07-24）[2022-03-20]. https://www.sohu.com/a/329254330_186085.

的专题报道，该报道指出：扬州致力于打造世界运河之都，首先要呵护运河风貌，构建文化生态空间，修复自然生态系统，加强人文风貌保护。其次要传承好运河文脉，讲好扬州的城市故事，打造彰显大运河文化理念的时代经典之作，同时充分发挥大运河遗产保护管理办公室、世界运河历史文化城市合作组织（WCCO）、扬州大学中国大运河研究院等机构的影响和作用，办好世界运河城市论坛。加强运河主题创作研究，打造运河文化品牌活动。重点提升鉴真国际半程马拉松赛、朱自清散文奖等重大节展赛事的品牌影响力。办好“烟花三月”国际经贸旅游节等重大活动。策划举办大运河、高邮湖、里下河等区域性文体节赛。最后要着力开发运河资源，助推产业发展。①

扬州的运河开发策略成果斐然，使得“运河之都”这一城市名片蜚声中外，值得其他运河沿岸城市借鉴与研究。其实，运河文化是一种动态的文化，在不同的历史时段，它的内涵不尽相同，这就要求运河开发策略具备因时制宜、因地制宜，乃至因事制宜的特点。

2006 年 5 月，全国政协在杭州组织召开京杭大运河保护与申遗研讨会，发表《京杭大运河保护与申遗杭州宣言》，标志着运河申遗工作正式启动。至 2014 年 6 月，中国“大运河”项目成功入选《世界遗产名录》，成为我国第 46 个世界遗产项目。从此，大运河沿岸的遗产保护工作迈上了新的台阶，但地跨北京等 6 个省市、全长 1 000 余千米的京杭大运河沿岸文物古迹、历史遗存星罗棋布，文化遗产保护仍然任重道远。以江苏省为例，作为大运河河道路线最长、运河遗产最丰富的省份，江苏省目前已有 7 个遗产区、28 处遗产点段被列入 2013 年 1 月国家文物局向联合国教科文组织世界遗产中心正式提交的大运河申遗文本中②，充分展示了江苏历史文化发展和文明演进之路。近年来，江苏省又相继出台《中国大运河（江苏段）遗产保护规划（2011—2030）》《省政府关于进一步加强文物工作的若干意见》等文件，进一步加强境内大运河文化遗产的开发与保护。

运河的兴衰沉浮见证了中国悠久的航运传统与历史文明。如果说早期运河都市的繁荣离不开运河的助推，那么时下运河都市如火如荼的运河保护工作将为大运河的复苏重新注入活力，打造出经济、文化齐头并进的运河新风华。

---

① 资料来源：张长金. 叫响“世界运河之都”品牌 着力推动千年运河焕发生机[EB/OL]. (2020-10-29)[2022-03-25]. http://www.yznews.cn/p/1210698.html.

② 资料来源：江苏省政府办公厅关于加强大运河（江苏段）遗产保护和管理工作的意见[EB/OL]. (2013-07-31)[2022-03-25]. http://www.jiangsu.gov.cn/art/2013/7/31/art_46715_2589687.html.

5.2 长江航运文化的传播

5.2.1 长江航运文化的物质载体

（1）航运水路的形成

长江在中国一直有“黄金水道”的美称，它横贯整个中国东西部地区，在中国航运史上的地位举足轻重。中华先民很早就知道航运的重要性，于是在长江流域这一片富饶广袤的土地上，利用其优越的通航条件发展水运。

长江航运最早可以追溯到7 000年前，那时就有人利用独木舟在长江流域的水道上行驶。史料记载，早在西周时期，长江流域的航道就已经得到开发，由于距离北方的都城较近，长江的支流汉江一直作为运送粮食和贡品的重要渠道。春秋战国时期，群雄纷争，长江的航运也拓展到军事领域，此时长江流域的航运体系已经初步形成，推动了当时地区的经济、政治和文化发展。秦朝统一六国，各地之间的交流阻碍减少，交往越来越密切，天然的航运已经无法满足当时的社会需求，因此国家开始依据天然的航运水道修建人为的水路，譬如灵渠。灵渠将长江同其他的河流连通，形成了统一的航运网，极大地促进了社会发展。

长江航运经历了漫长的发展过程。唐宋时期，由于京杭大运河的开凿，经济重心南移，长江航运空前繁荣，扬州、杭州等城市也得益于运河航运而快速发展。明清时期，长江流域资本主义萌芽出现，航运一定程度上推动了资本主义的发展。近代，中国封建制度没落，清政府在列强的坚船利炮下被迫签订了一系列的不平等条约，导致长江航运的管辖权长期落入外国列强手中。值得一提的是，同一时期一些中国民营的航运企业，譬如宁绍轮船公司、三北轮船公司、鸿安商轮公司等也快速发展起来，将中国民族航运业推到了新高度。

到了现代，长江已经实现全年通航，是世界上运量最大、航运最繁忙的河流，被称为“黄金水道”。2019年，长江干线货物运载量达25亿吨，相较于2014年增长了3.3%。干线港口货物吞吐量也快速增加，从2014年的18.6亿吨增加到2019年的24.4亿吨，增长了31.2%，大型港口的数量也从2014年的10个增加到了2019年的14个。一系列航运运载量的增加都表明现代长江航运正在持续健康稳步发展。

（2）航运工具的发展

船舶的诞生与发展代表了特定时期内社会生产力的状况，也包含了人们对于涉江的长期渴望。《易经》记载过伏羲氏“刳木为舟，剡木为楫”的故事，传说伏羲氏把砍下的树木剖开，再挖空，造出原始的船——独木舟，把木头削尖作为划船的桨。唯有涉江而行，古人才有机会获得更多的工具和土地，这种愿望也直接催生了长江航运。

图 5-5　独木舟①

1977 年，在浙江余姚河姆渡新石器时代遗址中，人们发现了木桨的踪迹，这说明早在数千年前，长江流域先民便已经开始制造并使用独木舟。独木舟

图 5-6　河姆渡遗址出土的船桨②

① 图片来源：https://www.sohu.com/a/244673548_718388.

② 图片来源：http://www.hdjbxg.com/lishi/gypprkpjo.html.

的出现对长江航运的发展至关重要，从舟楫的整个发展历程来看，独木舟可以称得上是船的雏形。而在当时的环境中，制造一条独木舟不仅需要耗费巨大的精力，还需要极高的生产和工艺技术水平。

随着航运需求的提升，人们对运载工具的要求也逐渐变高，独木舟和木筏已经无法满足人们的生产和生活需求。于是人们对独木舟进行了改造，制造出木板船。木板船的出现最早可以追溯至商朝，当时的人们舍弃了独木舟的形状，直接用木板做船。早期的木板船是最简单的"三板船"，全船仅由三块木板组成，底板两端经火烘烤向上翘起，两侧舷板合入底板，然后用铁钉连接，板缝用刨出的竹纤维堵塞，最后涂以油漆。制船技术的突破使得人们不再受到树木形状对船只形态的限制，为未来舟船的制造提供了重要参考。

秦汉时期是中国造船史上的第一个高峰①。秦始皇非常重视航运，大力修筑河道，开凿灵渠，使得秦朝境内的水上航运十分便利。周去非曾在《岭外代答》中记载当时的航道"深不数尺，广可二丈，足泛千斛之舟"②，由此可见当时航道的发达。除了航道的发展，秦汉时期造船业水平也较高，楼船便是当时重要的运输工具。据《释名》记载，秦汉时期的楼船最高可达五层，高十丈余，能够承载上千人，气势磅礴。

唐宋时期是中国造船史上的第二个高峰时期③。这一时期船舶的数量增多，质量提高，造船技术和工艺取得巨大进步，船的体积和承载量也不断增大。据史料记载，当时的船身长度可达百余丈，能载六七百人，为了满足船舶航行的需要，有的船上甚至可以种花种菜。同时，唐宋时期的造船工艺大都采用先进的钉接榫合的连接工艺，大大提高了船的强度和安全系数。二十世纪六七十年代，江苏省出土了两艘唐代船只。这两艘船都采用了钉接榫合的技术，其中一艘甚至采用了更为先进的斜穿铁钉的平接技术④，相较之下，当时世界其他国家采用的依然是原始的皮条绳索捆扎方法。此外，唐宋时期造船工厂的数量也显著增加，苏州、扬州、杭州这些沿江城市都设有数量众多的造船工厂。宋朝时，造船工匠已经可以根据预订者的要求制造船型。此时的造船工艺享誉海内外，前来购船的外国商人都称赞中国唐宋时期的造船工匠是"世界上最聪明的"。

---

① 资料来源：https://wenku. baidu. com/view/d96ad72b7375a417866f8f67. html.

② 资料来源：周去非. 岭外代答[EB/OL]. (2018-08-11)[2022-03-15]. http://bbs. rauz. net. cn/rauz-38317-1-1. html.

③ 资料来源：中国古代造船史[EB/OL]. [2022-03-15]. https://wenku. baidu. com/view/7fb36f497175a417866fb84ae45c3b3567ecddbb. html.

④ 资料来源：古代舟船的发展[EB/OL]. (2013-10-08)[2022-03-15]. http://www. 360doc. com/content/13/1008/00/14142233_319846274. shtml.

中国造船业在明朝时期始创新高。江浙湖广等地的造船工厂遍布各地，这些工厂既有民办的也有官办的，当时最大的官办造船厂是坐落于沿江城市南京的龙江船厂，船厂规模大，组织严密，且工种齐全。明朝的船只呈现数量多、质量高、体积大的特点，不论质量还是规模，都达到了历史上的最高水平。《明实录·明太宗实录》中记载，明永乐十二年期间一共造了 2 735 只船。《天工开物》也记载，明代的船只种类繁多，既有按照形状分类的，也有按照载重量定名的，还有按照船本身的制作材料定名的。明朝永乐、宣德年间，郑和七下西洋，这也从侧面体现了当时造船业的发达。由此可见，明朝的造船工艺在中国历史甚至世界造船史上都留下了浓墨重彩的一笔，举世无双。

洋务运动时期，中国近代造船业迈出了重要的一步。清朝末年，朝廷为了维护统治，大力发展造船业。1865—1866 年间，清廷相继成立江南机器制造总局和福州船政局，建造了“保民”“建威”“平海”等军舰和“江新”“江华”等长江客船。1865 年，我国第一艘木制蒸汽轮船黄鹄号在南京下水试航。黄鹄号的试航成功向世界宣告中国人也有属于自己的火轮船，表明中国近代航运在特定时期内也得到了一定的发展。中华人民共和国成立以后，建立了全新的航运管理体制，长江航运的发展进入全新阶段。按照中央部署，从长江全线着手，统一领导航政、运输、港务、江务及船厂，形成新的管理体制并建立长江航务管理局。经过 70 多年的改革与发展，中国造船生产力得到长足发展，船舶业的质量和造船水平也位居世界前列。

(3) 港口码头的演化

港口是长江航运文化的另一个物质载体。港口指的是来往船只固定停靠和装卸货物的场所。当航运发展到一定阶段时，港口开始出现。港口与港口之间形成了一张完整的运输网，相互辐射，为整个长江流域带来了稳定的中转贸易。纵观中国历史，长江航运文化的发展始终离不开港口的发展。

长江港口的发展起源可追溯至春秋时期，当时的港口有郢都(今湖北荆州)、吴(今江苏苏州)、益州(今四川成都)、寿春(今安徽寿县)、豫章(今江西南昌)、广陵(今江苏扬州)等。除港口城市外，还有古渡口，如著名的泸州宝来桥古渡口，拥有八百多年的历史。又如拥有一千多年历史的宜昌古渡孝子岩，历史上许多名人都曾在此留下诗篇名作。古代孝子岩航运繁忙，既有官船，还有民间船只通过。宋代，孝子岩已经成为古夷陵的名胜，众多游客慕名前来。

被称为“万里长江第一矶”的南京燕子矶位于长江下游，燕子矶三面环水，地势险要，是历史上有名的文化重地，也是兵家必争之地。公元前 221 年，秦始皇统一六国后南下巡视全国，当时的路线就始于燕子矶。燕子矶顶有一块杯状的石头，相传当年李白在燕子矶游玩时将该岩石当作酒杯，痛饮狂欢，把酒当歌①。

长江下游的港口除南京燕子矶外，还有马鞍山采石矶，位列“长江三矶”之首。相传三国时期，由于该处盛产五彩石，因而被称作“采石矶”。采石矶扼守长江要道，四面环水，港口条件优良，一直都以文化名胜著称。除此之外，采石

图 5-7　南京燕子矶②

图 5-8　马鞍山采石矶③

① 资料来源：诗话栖霞，名人眼中的燕子矶[EB/OL].(2015-08-03)[2022-03-15].http://www.360doc.com/content/15/0703/16/13065750_482393440.shtml

② 图片来源：https://graph.baidu.coml.

③ 图片来源：https://www.novel520.net.

矶还是金陵门户，其战略作用不言而喻。此地两千多年以来发生了20多次战争，其中最著名的当属宋金之间的“采石之战”，反映了宋朝人民面对金人进犯时顽强不屈的精神。

现代，长江航道条件进一步改善，吞吐量也不断增加。长江干流沿线的南京、苏州、南通等一系列港口逐渐发展为沿江航运中心，形成港口连片发展的趋势。

芜湖港位于安徽省芜湖市，素有“皖南门户，长江巨埠”的美誉①，截至2015年，芜湖港成为中国28个内河主枢纽港之一、国家一类对外开放口岸，可常年通航。芜湖港每年通过能力达5 000万吨，周边有50多个大大小小的码头，相互辐射。

张家港港口地处长江下游南岸，位于江苏省江阴与张家港两市交界处的张家港市境内，港口连接苏州、无锡、常州三市。腹地延伸至安徽、湖南、湖北等中部地区。截至2023年4月，张家港港区内共有万吨级以上泊位18个②。

江阴港是对外开放和合作交流的重要基地。900多年前，宋朝诗人王安石在诗句中描写了江阴港的繁荣：“海外珠犀常入市，人间鱼蟹不论钱。”如今，得益于改革开放，江阴港成为江苏省沿江地区最重要的港口之一。江阴港地处长江中下游的河口三角洲，地理位置优越。作为江苏对外开放的门户，江阴港承担着水运交通枢纽的角色。港口吞吐量大，对长江航运乃至中国经济的发展至关重要。

5.2.2 长江航运文化的发展环境

(1) 自给自足

自给自足，指不需要依赖外部力量，通过自我成长与发展，自成一脉。中国古代内涵丰富的长江航运文化便体现了这一特点，在中国几千年的发展中始终以独立的姿态呈现在历史长河当中。追溯历史，中国历朝历代大都采取较为封闭的对外政策，这也是长江航运文化自给自足特点的一大成因，譬如，长江上游的巫山大溪文化遗址，中游的石家河文化遗址、屈家岭文化遗址，长江下游的河姆渡文化遗址、良渚文化遗址，都是在中国本土诞生、演化和发展的。

---

① 资料来源：https://www.sohu.com/a/401217414_120153926.

② 资料来源：https://www.zjg.gov.cn/zjgszwz/jtj-bmdt/202304/1733eee046aa460da48cddcc3a5ffa38.shtml.

长江航运文化起源早，且自成一体。远古时期的长江留下了众多神话传说，如巫山神女峰、错开峡的传说等。这些古代的神话传说都有长江的影子，反映了人们移山治水、不畏艰难险阻的精神，是长江航运文化启蒙的表现。春秋战国是中国历史上的大变革时期，这个时期百家争鸣，人才辈出，哲学思想以及学术氛围空前鼎盛。此时，地区性航运得到了发展，并且水上贩运业也开始兴起，为长江航运文化的初步发展奠定了基础。隋唐之后，由于大运河的开发，扬州快速崛起。相传隋炀帝开凿大运河只为在烟花三月巡视扬州美景，这座江南都市的历史地位可见一斑。《扬州看竞渡序》这首诗所描绘的就是端午赛龙舟的场景，“鼓吹沸于江山，绮罗蔽于云日”一句再现了竞赛时女子载歌载舞、岸边锣鼓喧天的盛况。此外，诗中的活动场景，如“桂舟”和“兰棹”等，从侧面反映了赛龙舟所用船只的规模和质量，体现了唐朝强盛的国力，以及当时扬州居民的生活水平。两宋时期，经济发达，社会稳定，造船水平不断提高，统治阶级思想开明，因此航运文化进入快速发展阶段。尤其是大运河的开凿流通使得南北方的交流日益密切，经济重心实现南移，长江文化正式成为中华航运文化最重要的分支。明清时期是中国历史上封建社会由盛转衰的时期，也是中国社会转型的重要时期。此时由于南方已经得到充分的开发，一些南方的沿江城市快速崛起，南京、杭州等城市已经成为政府的主要财政来源，长江航运文化的发展也开始进入新的历史时期。

长江航运文化在其发展过程中，始终保持着自己的独特性。位于长江中上游的巴蜀地区，人口众多，物产丰富，有“天府之国”的美称。地势险要的巴蜀地区是扼守长江的运输要道，也是中国航运的大动脉以及物资和人员流通的主要通道。尽管宋代的造船工艺得到了极大的提高，但长江中上游险要崎岖的地形对于通航而言仍然是一个不小的挑战。古籍《太平广记》中对长江中上游的地形如是记载：“……沿流八十里。岷江水中，波浪沸腾，乍停乍发，多覆舟之患。”两宋三百多年间，史书记载的大型航道整治有两次。朝廷及地方州县都十分重视对长江航运的修缮，因此两宋时期的官办航运也远超唐代。便利的航运带动了巴蜀地区的经济繁荣，形成了极具特色的蜀地文化，反映了宋代社会向商品社会、市民社会转型的共同特征。中国古代的市镇大多集水而居，长江促进了巴蜀地区自由集市的兴起，集市的兴起又推动了该地经济的发展，比如两宋时期，巴蜀之地出现了世界上最早的纸币——交子，这正是当地经济发展的印证。

长江的天然航道加快了人员流动，文人墨客聚集于此。文豪苏轼就曾在此地写下了著名的《入峡》，诗中有“长江连楚蜀，万派泻东南”一句。宋代文人邓深也曾写道："三峡上游烟水，四川极险关山。满市笙歌昼永，漫山桃花春闲。"南宋著名诗人陆游写过《入蜀记》，文中记载道："二十三日，过巫山凝真观，谒妙用真人祠。真人即世所谓巫山神女也。祠正对巫山，峰峦上入霄汉，山脚直插江中，议者谓太、华、衡、庐，皆无此奇。"这些诗句都得益于长江之水所带来的便利的航运，长江水吸引了众多文人墨客，从而塑造了动人的长江文化。

长江中游航运文化发展繁荣的地区，还有被称为"九省通衢"的武汉。作为"江城"和"百湖之市"的武汉，早在商周时期就是南方连接中原的战略据点。古代的武昌是长江中游的航运名城，晚唐女诗人鱼玄机留下诗作《江行》，描绘了当年武昌口航运繁荣的景象："大江横抱武昌斜，鹦鹉洲前户万家。"诗中描写的鹦鹉洲坐落在武昌和汉阳之间，在当时是长江中游最大最繁华的洲港。除了鱼玄机，历史上还有很多文人墨客的诗作中都提到武昌港口码头的发展盛况。

长江上游的松溉镇就是借助长江便利的交通快速成长起来的。随着明清时期水运的发展，松溉镇也因此快速成长，规模不断扩大。古籍《永川县志》曾记载道，松溉镇作为峡江水路繁华之道，向来商贾云集、过客接踵，大大小小的盐贩私船、商船自宜宾而下，浩浩荡荡，楫桨塞江，至松溉入夜，便挂灯船头，留少数水手守船，余皆大声说笑，登上街巷，在两旁酒肆一坐，划拳痛饮。其再现了当时松溉镇居民与客商丰富的娱乐生活，侧面说明即使是夜晚，江面上也有船通行，水手们大声说笑，划拳痛饮。凭借自身地理位置的优越性，松溉镇成为长江交通枢纽之一。人们在松溉的码头上卸货运货，结束之后会聚在一起喝茶，因而形成了独特的茶馆文化。除此之外，"川江号子"也是松溉镇航运文化繁荣的见证。清朝中期兴起了川江号子，产生了专门的号子头。

(2) 国门渐开

1840 年的鸦片战争改变了中国社会的性质，中国从此进入了半殖民地半封建社会。大量外国资本的入侵使得中国的航运交通开始受制于西方国家，从此长江航运文化的发展又进入新的历史阶段。这一阶段，长江航运在外国的入侵下艰难求存。其中表现最明显的是 1848 年的"青浦事件"，一大批青浦船员开始意识到西方列强对中国航运的入侵，体会到自己的命运与国家的命运息息相关，纷纷自觉投入反帝反封建的历史潮流当中，反对西方列强的入侵以及清政府的腐朽统治。

面临内忧外患，长江航运艰难发展。1866 年，左宗棠在福建奏设船政学堂，后来，天津水师学堂、广东水师学堂、江南水师学堂相继成立。这些船政学堂的成立推动了中国造船业的发展。它们制造了多艘大型的船只，培养了一大批优秀的海军人才，为后人留下了一批宝贵的精神财富和文化遗产。1865年，科学家徐寿等人在一次又一次的试验后制造了中国第一艘木制蒸汽船，这艘轮船所用材料除了用于主轴、锅炉及汽缸配件的铁来自国外，其他一切器材，包括一颗小小的螺丝钉都是中国人自己造的。

黄鹄号的诞生拉开了我国近代造船业的帷幕。这个时期清政府在长江入海口创办江南机器制造总局，目的是利用长江水运的便利发展民用工业，以此弥补洋务运动中发展军用工业的资金短缺。1873年创办的轮船招商局是中国第一家近代民用企业，二十世纪二三十年代，以大达、三北、民生等航运公司为代表的民族航运业逐步崛起并发展壮大。虽然中国航运企业的兴起在一定程度上延缓了外国买办资本对长江航运的入侵，但外国资本的强势入侵还是改变了长江航运的发展态势，其中最明显的是长江沿岸港口出现了由外资建造的规模不等的码头。以镇江“金码头”为例，它地理位置优越，地处京杭大运河的咽喉，当时的外国资本就是看重其优越的交通条件才将其选为航运中心。

图 5-9　黄鹄号①

鸦片战争之后，外国势力对于长江航运权的角逐更甚于以往。随着一系列不平等条约的签订，大量长江沿岸城市沦为通商口岸。清政府设立海关总

① 图片来源：https://baike.sogou.com/v72370068.htm? fro.

税务司管辖各个港口，在此期间以外国资本为代表的长江航运发展迅速，而民营长江航运事业发展滞缓。

中华民国政府十分重视长江航运业，尤其重视对中上游地区的管理。1902年颁布的《重庆关理船章程》和1908年颁布的《重庆关停泊章程》分别对重庆来往船只进行管理，并对停泊界限等事项进行了科学管理。同年，官商合办的川江行轮有限公司成立，公司购置了"蜀通"邮轮，承担重庆和宜昌这两座城市之间的航运业务。当时长江航运快速发展，掀起了一股创办航运公司的热潮。1912年到1921年这9年期间，一共有14家轮船公司相继成立。1918年以后，轮船已经可以在川江航线上畅通无阻地航行。1919年到1926年这7年期间，重庆川江上轮船的吨位也由一开始的5万吨增加到后来的40万吨，上涨了7倍。

在中国近代这一特定的历史环境中，长江航运文化的发展有着独特的时代烙印，无数爱国仁人志士为了长江航运得以独立自主地发展而奋勇向前，他们用自己的鲜血和汗水谱写了壮丽的诗篇，给我们留下了动人的近代航运故事。

(3) 继往开来

1949年中华人民共和国的成立，标志着中国彻底结束了近代百年被欺凌、被压迫的历史，长江航运文化从此得到了充分发展。广大长江航运人在艰难的环境下，充分开发长江水道，为促进长江航运事业的发展贡献自己的力量。他们以顽强拼搏的精神铸造了当代长江航运文化之魂，谱写了中华文化的新篇章。

当代长江航运文化的发展主要分为三个阶段。

第一阶段是国民经济恢复和改造时期。中华人民共和国成立之后，政务院发布了《关于一九五〇年航务、公路工作的决定》，设立了航务总局及国营轮船总公司。1950年，航务总局向苏联学习航务管理经验，顺利完成了长江航运机构的改革。为了改善航道的运营条件，保障航行的安全，自1951年起开始在长江沿岸的部分航线设立航标灯。1951年之后，又开始派遣专业的工作人员在长江航道设立航标。尽管那时恢复长江航运面临种种困难，但是长江航运人不畏艰险，迎难而上，忘我劳作，甘做无名英雄，争做国家主人翁。他们用智慧和勇气谱写了长江的航运奇迹，为长江航运的发展打下了牢固的根基，也奠定了长江航运文化的主基调。这个时期，一大批长江航运人饱含建设新中国的激情，为新中国交通航运业的发展贡献力量。长江航运人夜以继日地疏通航道，修复船舶。他们不畏牺牲，不辞辛劳，把国家利益和集体利益放在最高位置。正是因为他们的付出，长江航运才得以重获新生。

第二阶段是社会主义建设时期。1975 年，国家重新整顿长江航运的管理体制，将除干线以外的航运事务全部下放给地方，包括短途航运和运输轮船等。同年 10 月 1 日，长江航运公司改名为交通部长江航运管理局。系统的分派使得长江的管理体制更具科学性，这个时期的长江航运文化，具有艰苦奋斗、忠于职守、注重建章立制的特点。随着社会主义建设的号角拉响，长江航运的发展被提上国家建设日程。

第三阶段是改革开放之后。党的十一届三中全会后，改革开放为中国的发展注入了新活力，也为长江航运文化的发展构筑了新平台。1994 年，三峡工程开始实施，改善了长江上游恶劣的通航条件。得益于三峡工程，长江航运的基础设施得到了完善，一些航运高科技开始得到应用，长江航运的舒适度和安全性大大提高。同时，三峡工程促进了长江航运飞快发展，助推了中国经济的发展。

长江航运人大胆发扬改革开放的创新精神，敢为天下先，形成了独特的长江航运文化氛围。他们建立了多个长江航运文化建设示范点，为弘扬长江航运文化起到了很好的示范带头作用。他们还多次举办关于“长江航运文化”的艺术活动，编制了《长江航运文化建设实施纲要》等，对长江航运文化的发展起到了重要的作用。在全新的历史时期，长江航运文化始终保持鲜活的生命力，继往开来，推陈出新。

5.2.3 长江航运文化的精神传承

(1) 诗意航运

长江作为中华文化的象征，经常出现在中国的古代诗歌当中。盛唐时期，经济、政治空前发展，出现了许多描写长江航运的诗篇。其中以李白的诗篇最为著名，“孤帆远影碧空尽，唯见长江天际流”“朝辞白帝彩云间，千里江陵一日还”这些诗句都从侧面反映了当时长江航运的快捷。另有白居易的“一道残阳铺水中，半江瑟瑟半江红”等，描绘了长江的壮丽风景。长江形象越来越多地涌现在诗歌作品中，说明当时长江在人们心中有着较高的文化地位。

中唐时期人口锐减，国力衰弱，这个时期的文学作品大都寄托对山河一统、生活安定的渴望，长江在诗歌中成为“愁思”的寄托。诗人杜甫在《登高》中吟出“无边落木萧萧下，不尽长江滚滚来”。当时，杜甫来到巴蜀之地的经济政治文化中心夔州。但那时山河破碎，江面上也不复平时航运发达的场景，江面上一条船都没有，折射出政治状况阻碍长江航运发展的现实情况。杜牧在《夜泊秦淮》中写道“商女不知亡国恨，隔江犹唱后庭花”，这里的“江”指的是长江的支流秦淮河，借秦淮河的繁盛讽刺时局的混乱。长江是一部流动的诗史，其雄伟的气魄滋养了长江流域古往今来浪漫的诗文特色，孕育了一大批优秀的诗人，催生了众多流传千古的名篇。这些诗篇如同滔滔不绝的长江水，流淌在每一位中国人的心田。

（2）兼收并蓄

尽管长江航运在历史上长期处于自给自足的状态，但对文化的传播与继承却有着兼收并蓄的包容态度。早在明朝时期，郑和于永乐三年率领船队开始了海上远航活动。船队最早从长江流域的南京出发，在江苏太仓的刘家港集合，足迹遍及现在的西太平洋和印度洋，途经三十多个国家和地区，最远甚至抵达东非、红海地区。郑和下西洋是中国历史上规模最大、船只和海员最多、历时最久的一次官方海上航行。郑和将中国优秀的航运文化传播到海外，又将许多优秀的外国航运文化带回国内。

近代，中国的国门被迫打开，被称为“中国第一厂”的江南机器制造总局建立，见证了近代中国长江航运文化的沧桑巨变。江南机器制造总局建于洋务运动期间，旨在学习外国先进的科学技术。

中华人民共和国成立之后，中国开始向苏联学习已有的航运经验与技术，刚刚获得解放的长江航运人迸发出极大的热情和活力。他们利用长江流域在资源、经济、生态、发展上的优势，整合汇总相关数据，大力开展信息化、数字化建设，建立长江航运数据交换中心。河海大学便是中国第一所培养水利人才的高等学府，是长江边上一颗璀璨的明珠，为中国河流海运的发展培养了大批优秀的水利人才。该校创始人是中华人民共和国水利高等教育事业的开拓者——中国著名的水利专家严恺院士，他为中国大江大河的治理作出了巨大的贡献，提出了“艰苦朴素，实事求是，严格要求，勇于探索”的新时代水利精神与航运精神，深深影响了一大批中国水利人与航运人。

（3）多元融合

长江航运文化的多元融合不仅体现在自身的发展历史上，更体现在对外传播的过程当中。2013 年，国家主席习近平提出建设“新丝绸之路经济带”和“21 世纪海上丝绸之路”的合作倡议。依靠中国与有关国家既有的双多边机制，借助“一带”“一路”这两大现存的历史符号，积极发展与沿线国家的经济合作伙伴关系，共同打造政治互信、经济融合、文化包容的命运共同体。在此过程中，不同文化的独特性与差异性让文化之间存在交流学习的空间，也为长江航运文化的传播提供了极佳的机会。首先，长江是一条充满活力的文化经济长廊,拥有辽阔的经济腹地与异彩纷呈的子文化丛,优越的发展条件也将为长江的进一步发展提供广阔的空间。其次,长江航运文化承载了中华五千年的底蕴与精髓,博采众长,是具有鲜明特色的大江文化,更是具有明显标志的中国元素。最后,长江文化在漫长的历史岁月中,始终坚持兼收并蓄的文化态度,彰显中华民族的文化自信,十分契合"一带一路"的建设初心,以及中国人民对和平与发展的态度。

目前,中国提出了将海上丝绸之路和长江黄金水道建设相结合,建设立体综合的水运体系的远景规划。因此,"多元融合"不仅是长江航运的一大特质,也是其未来发展的方向所在。

5.3 中外航运文化对比

5.3.1 中外航运制度文化对比

(1) 文化内涵

航运制度文化是整个航运文化的重要组成部分和子系统。作为精神文化的产物和物质文化的工具,它约定了航运人行为与活动的习惯准则。在航运实践中,航运群体实施和遵守各种准则,并逐步形成了规范性的制度文化,保障和促进了航运的发展。

长江在通航历程中所形成的制度文化,是长江航运人在千百年的长江航运实践中积累起来的一种文化形式。它是文化的创造者与文化环境的有机统一,在历史与时代、行业与社会、文化主体与实践客体的互动中,积累了丰富的文化内涵,表现出紧密联动的行业性特征、依托流域的区域性特征和与时俱进的时代性特征,从而张扬了长江航运文化的个性。"依水而生,以通为本,以江为魂",正是长江航运制度文化的深刻内涵。[①]

①依水而生。长江流经我国地形的三大阶梯,流域内众多风景名胜交相辉映,峡江风光、各具特色的民俗风情等孕育出多姿多彩的长江水文化。为充分发挥沿岸省市区的水文化优势,国家制定了"长江经济带"发展战略以推动地区发展。长江流域内还分布有全国有名的水利大省,如湖北省,重点水利工程众多,大型水利工程如三峡大坝、葛洲坝水电站、丹江口水利枢纽等,在抗洪防旱、

① 张艳国.简论长江航运文化[J].江西社会科学,2010(1):189.

农业灌溉、水力发电等方面发挥着重要作用，更进一步完善了航运交通网。

②以通为本。长江航运是历史悠久的传统交通运输方式，也是不断发展、具有巨大潜力的现代交通运输方式。长江自古以来就对中国有着重要的意义。经济方面，长江是“黄金水道”；国防方面，长江是水上军事交通要道。为了对长江航道进行更细化的管理，中华人民共和国交通运输部（后文简称交通运输部）根据政企分开、港航分管的原则，在原长江航运管理局的基础上于1984年组建了长江航务管理局。当前，我国步入新发展阶段，新经济形态的转变、绿色发展新理念的深入使得长江航运市场的发展和航运地位更受重视，这在2020年交通运输部印发的《内河航运发展纲要》中就有所体现。作为中国第一大河，长江在内河航道体系中具有重要的战略地位，横贯东西、连接南北、通达海港的国家高等级航道的建设离不开长江交通运输功能的发展。

图5-10　三峡风光①

③以江为魂。长江航运中显示出的团结品质、奋进气概、务实精神和高效作风为长江航运人所崇尚和弘扬，并指导着长江航运人的建设工作。为保障长江航运的发展，新时期的长江航运人在建设长江的过程中，坚持以习近平新时代中国特色社会主义思想为指导，紧紧围绕统筹推进“五位一体”总体布局和协调推进“四个全面”战略布局，贯彻落实新发展理念，以交通强国建设为统领，以高质量发展为导向，坚持生态优先、绿色发展，坚持衔接协调、融合发展，坚持整体推进、协同发展，坚持创新驱动、科学发展，科学开发和保护内河航运

① 图片来源：https://www.ewebweb.com/lvyou/26311.html.

资源，着力补齐发展短板，加强与其他运输方式衔接，加快提升效率效益，充分发挥比较优势，有力促进运输结构优化，实现内河航运现代化，更好服务交通强国建设和国家重大战略实施。

图 5-11　密西西比河航道①

“Mississippi”源自印第安语，意为“大河”。密西西比河流域曾长期是印第安部落的定居之地，因此印第安人对密西西比河非常敬畏，称之为“众水之父”。1540 年，为寻找黄金而来的西班牙殖民者首度踏足此地。随后法国将该区域纳入自己的殖民版图。直到西进运动中，托马斯·杰斐逊将美国版图扩大，密西西比河才完全归美国所有，成为美国的内河。来自四面八方的人们以奋发进取的精神建设着密西西比河，使它逐步发展为美国内河航运大动脉，形成了独特的密西西比河航运文化。密西西比河的航运制度文化也体现着“美国精神”，与美国的发展历史密切相关。

第一，进取。美国在不到一个世纪的时间里，完成了在北美大陆的疆域扩张，而密西西比河水域又将国土从南至北连成一片，密西西比河随着美国的发展而发展，这片大陆的新居民在开发新疆域的同时，也不断发展完善密西西比河流域治理体系。他们从东部迁徙到西部，创造了一种新生活。他们抢着造汽船、修铁路、开运河，不断地尝试和冒险，密西西比河上汽船的出现和汽船竞

① 图片来源：https://imagepphcloud.thepaper.cn/pph/image/97/321/130.jpg.

赛表现了他们的进取精神。

第二，务实。对于密西西比河存在的问题，相关部门积极采取措施建立了一套适应流域特色的制度体系，形成了“点轴开发，统一管理，城市经济与流域经济互促发展”的密西西比模式，并为包括我国在内的其他国家提供了可靠的流域治理和发展经验。在流域管理方面，美国成立密西西比河流域委员会，这个机构在经济上完全自主，下设水利、电力、航运和工业发展、财务、环境保护、工程建设、农业和化学发展、森林和野生植物、渔业、旅游等10多个部门，是一个具有官方权力与法律效力，但按照民间企业管理的机构。该机构遵循流域经济一体化发展的理念，对密西西比河流域进行统一规划、灵活管理，以提高流域经济发展质量。

(2) 文化特征

长江航运的制度文化与中国交通文化和长江文化密不可分，具体体现如下。

第一，紧密联动。长江航运是一种生产实践活动，这种实践的成功，取决于多个部门甚至是行业的有效合作。为保障长江航运活动的有序进行，相关部门需要加强航道等基础设施建设养护，寻求符合高质量发展、服务民生需求等重点领域的资金支持，还需要加强与自然资源、生态环境、水利、农业农村等部门的协调，争取用地、用林、环境评估、水资源综合利用等政策支持。

第二，依托流域。长江水系的发达及辐射、收敛功能的强大，赋予了流经地区特定的区位性和地域性，即通常所说的长江流域。有着“黄金水道”之称的长江经济带就是典型的流域经济。长江跨越中国11个省、自治区、直辖市，流域面积达到180万平方千米，孕育了巴蜀文化、荆楚文化、吴越文化等流域文化。这些文化相互激荡，赋予中华文化以新的生机与活力，推动了中华文化的延续与进步。在区域性文化交流、比较、竞争和整合的进程中，长江起到了不可替代的作用，这种作用必须扎根流域、依托流域并与地方文化相交融、共促进。

第三，与时俱进。长江航运制度文化内涵在承续历史形态的同时，又是与时俱进、自我创新的。从其当代发展特征来看，在社会主义过渡时期，它体现了劳动者争做国家主人，公而忘私，忘我劳动，甘当“无名英雄”的时代特征；在社会主义建设的探索时期，它体现了劳动者艰苦奋斗，忠于职守，倡导“三老四严”①的时代特征；在改革开放和社会主义现代化建设时期，它洋溢着改革创

---

① “三老四严”是一种作风与精神：“对待革命事业，要当老实人，说老实话，办老实事；对待工作，要有严格的要求、严密的组织、严肃的态度、严明的纪律。”

新、开发开放、团结进取、文明服务的时代特征。

因政府系统开发和综合治理的时间较早，美国密西西比河航运模式已较为成熟，包括以下三个方面的内容：一是建立河道畅通、标准统一的航运网，从干流深入支流，以此为轴线，形成通畅的水上交通体系。二是充分发挥城市的极点作用，通过水上交通体系，使极点之间的经济交流更加频繁、产业融合不断加强，逐渐形成资源共享体系，促进港口城市的兴起，助力城市经济发展，如美国超过 10 万人口规模的城市大约有 150 个，其中有 131 个就建于密西西比河流域。三是发展服务业，城市经济的发展可带动服务业的兴起和繁荣。城市经济的持续发展可为服务业奠定良好的基础，使各产业相互促进、共同发展。

因此密西西比河在航运中形成的制度文化具有以下特征：横跨美国七个州的田纳西河流域管理局在成立之初，罗斯福总统就指出，管理局的成立并不是只管理流域发电，而是为了提升全流域的可持续发展水平。田纳西河流域管理局设定了多目标、多用途的管理目标，拓展了流域规划内涵。密西西比河的治理，以防洪为主，但也充分重视航运、渔业、灌溉、旅游等，发挥了河流的综合价值。值得一提的是，密西西比河的航运信息化体系并不急于采用最新的信息技术，而充分利用现有设施，加强当前信息的充分利用，满足航运的需求，实现高效管理。最近几年，流域管理局还在土地资源管理、生物资源多元化、流域文化资源开发方面吸引了众多投资，实现了流域的综合发展。

(3) 构成要素

制度文化是由三个层面构成的：一是由传统、习惯、经验与知识积累形成的制度文化的基本层面；二是由理性设计和建构的制度文化的高级层面；三是包括机构、组织、设备等的实施机制层面。其中，制度文化的基本层面是一个自生自发的规范层面，反映着价值观念、道德伦理、风俗习惯等文化因素。制度文化的高级层面则是理性设计和建构的制度层面，反映着国家与社会的正式规章制度。制度文化各个层面的相互统一与协调一致，是实现制度文化功能的关键。

航运法律是保障发展战略能够得到实施的重要手段，对于建立和维护内河航运市场安全、有序、高效、可持续发展的秩序起着不可替代的作用。航运法律适应内河航运市场经济运行的内在需要，且在内河航运市场秩序建立过程中，以及航运市场经济活动中，均发挥着保障、引导、服务和规制的作用。①因此，为规范内河航运市场主体的行为及相应的水上业务活动，防止和遏制内河航运经济活动中出现偏离正常秩序的行为，构建完备的航运法律体系便成

---

① 李珠.论“长江经济带”战略实施的航运法律保障[J].海大法律评论，2020(1)：307.

为航运制度文化建设的重要环节。也正是航运法律构成了有序的航运制度文化，从而催生了蓬勃发展的航运文化。

随着新经济形态的转变、绿色发展新理念的深入，尤其是党的十八大把生态文明建设纳入中国特色社会主义事业“五位一体”总体布局，生态文明建设的战略地位更加明确，加之交通运输部近年来多次发布关于推进长江航运高质量发展的意见，使得人们对长江航运市场的发展和航运地位的重要性有了重新认识。相关部门也出台了一系列内河航运法律法规、政策措施，以推进“长江经济带”战略实施，打造高效、安全、便捷、绿色、低碳的综合立体交通走廊，建设畅通安全的黄金水道，促进内河航运基础设施建设、航运贸易、航运投资、流域经济合作等。

密西西比河流域因系统开发时间早，已建立了一套完备的法律制度体系，值得中国借鉴与学习。例如：为了使密西西比河流域开发计划的制定和工程项目的实施有相应的法律法令规范，20 世纪 60 年代美国先后制定了《洪水保险法》《水资源规划法》《洪水灾害防御法》《灾害救济法》《洪水及减灾研究计划》等一系列全国性法规。通过实施综合的管理和开发政策，统筹规划长期治理，既有利于对密西西比河进行统一的管理和调度，又有利于制定目标的落实和实现。

图 5-12　人工裁弯——密西西比河下游防洪的重要措施①

① 图片来源：https://pics3.baidu.com/feed/ac345982b2b7d0a222b1268be193770e4b369a2a.jpeg?token=52fecd2d1263ba634240b7f75d47f0f2.

5.3.2 中外船工文化对比

船工文化是船员、水手或纤夫在长期航行过程中所形成的独特的文化。大河船工文化的一个集中表现形式就是“大河之歌”——音乐。密西西比河流域的开发与黑人的不幸和苦难是联系在一起的，在这里流传着一首著名的黑人歌曲《老人河》，向人们讲述了从 18 世纪开始，在长达百年的时间里一个种族对另一个种族所进行的奴役活动。布鲁斯发源于 19 世纪末 20 世纪初的密西西比河的三角洲地带，是被贩卖到美国的黑人在苦难的底层生活中创造出的一种音乐风格，早期表现为人们劳作时的劳动号子，后来逐步发展为摇滚以及节奏布鲁斯，对西方流行音乐产生了深远的影响。

中国劳动号子是我们祖先在最基本的劳动实践中创作的音乐，是我国最早的民间歌曲。《辞海》中有关劳动号子的解释是：在漫长的手工业时代，各种劳动号子都以自己特有的节奏、音调、句法协调集体的劳动动作，并起着消除疲劳、鼓舞意志的作用。长江号子是三峡地区的船工们拉纤、摇橹、推桡时唱的歌谣，它是一种重要的劳动歌谣形式。有人说，长江号子不仅是一首韵味无穷、美妙无比的诗，更是一首雄壮威武、气势磅礴的交响曲。布鲁斯和中国号子都在早期人民的劳作过程中发源，但在音乐起源、音乐表现形式、音乐发展方面又有异同。

（1）音乐起源

从起源上来看，布鲁斯音乐兴起于 19 世纪末 20 世纪初。密西西比河冲积平原上种植园的兴起和密西西比河航运的开通，加速了黑奴贸易。大量黑奴被贩卖到美国，被迫从事繁重的劳动。在被贩卖到北美后，由于非洲部落之间语言不通，音乐便成了黑人们的主要交流形式。黑人之间在表达不同情感时会发出不同的声音，这种相互之间的交流方式，是布鲁斯音乐诞生的雏形，也是布鲁斯音乐出现的最重要的原因。当时的黑人在美洲处境艰难，几乎没有人身自由，只能通过秘密膜拜非洲传统宗教的方式抒发自身情感。他们大多是通过劳动时集体合唱无伴奏的歌曲来表达自己的感情，比如圣歌、赞美歌、劳动歌曲、叫喊和颂歌。随着黑人解放运动的胜利，大批黑人流浪到美国北部。在此期间，美国黑人音乐逐渐摆脱了借鉴白人音乐的形式，形成一种特殊的音乐，即现在被称为布鲁斯的音乐形式。布鲁斯经历了乡村布鲁斯和城市布鲁斯两个阶段，而后逐渐走向世界。布鲁斯音乐也在不断发展中，融合了诸如古典音乐等元素，不断丰富着其音乐内容。

中国的劳动号子是民歌中最早产生的艺术种类之一。早在原始时代，劳动号子就已产生。秦国丞相吕不韦主编的类似古代百科全书的传世巨著《吕氏春秋》中记述，“昔葛天氏之乐，三人操牛尾，投足以歌八阕：一曰载民，二曰玄鸟，三曰遂草木，四曰奋五谷，五曰敬天常，六曰达帝功，七曰依地德，八曰总万物之极”。西汉时期的《淮南子·道应训》一文谈到“邪许”时写道：“今夫举大木者，前呼‘邪许’，后亦应之，此举重劝力之歌也。”长江号子起源于船工们拉纤、摇橹和推桡等劳动生产之中，是长江地区船工劳动生活的一部分。船工们常常在繁重的劳动中借此来鼓舞干劲、集中力量、抒发感情、消除疲劳。按流域来看，长江的船工号子可以分为川江号子、湘江号子、沅水号子、酉水号子等。从作用来看，由于内河航行环境的不同，船上的劳动强度也不同，造成了各流域号子作用的区别。有的号子实用性强，如《冲滩号子》，适应了水流湍急地段紧密协作、操作紧张的高强度工作的需要，高昂激越、粗壮沉着；有的号子抒情性更强、实用性较弱，如《下滩号子》，多为平滩地区的船工所创造，用来描述船上、江边的生产生活和风土人情，或反映船工的凄惨命运，或歌咏真挚的感情和爱恋，旋律优美，舒缓轻盈。布鲁斯和号子都产生于劳动中，与劳动人民有着密不可分的关系。

图 5-13　纤夫号子①

① 图片来源：https://ss1.bdstatic.com/70cFvXSh_Q1YnxGkpoWK1HF6hhy/it/u=750422566,1716431613&fm=26&gp=0.jpg.

（2）音乐表现形式

从音乐表现形式上看，布鲁斯音乐的突出特点是使用“应答轮唱”的形式，乐句起初会给人们一种紧张、哭诉、无助的感觉；接下来的乐句便像是在安慰、纾解受苦的人，好像受苦的人向上帝哭诉，而后得到上帝的安慰与响应。因此，布鲁斯声乐高亢、嘹亮，拖长音，语气中带有上升或下降的滑音，如“混水”马迪·沃特斯的《散发我的魅力》（*Got My Mojo Working*）。随着布鲁斯自身的发展，这种表现形式发展为用器乐演奏旋律回答声乐的应答轮唱。

中国的船工号子则表现为一领众和、领和交替的表现形式。其中领唱者往往就是集体劳动的指挥者，领唱部分常常是唱词的主要陈述部分，其音乐比较灵活、自由，曲调和唱词常有即兴变化，旋律常上扬，或比较高亢嘹亮，有呼唤、号召的特点。和唱的部分大多是衬词或重复领唱中的片段唱词，音乐较固定，变化少，节奏性强，常使用同一乐汇或重复同一节奏。另外，在多数情况下，领句唱完之后，和句再接唱，但也有和句在领句结束以前就进入的。劳动号子虽然也有曲调，但主要还是强调节奏以便人们在统一的有规则的节奏中进行劳动。紧张的劳动、沉重的体力负荷，赋予劳动号子的歌唱以吆喝呐喊的特点，这一点和布鲁斯音乐十分相似。随着生产力的进步、社会的发展，劳动歌不仅是一种单纯的呼喊号令，还记录了劳动的过程，表现出与劳动者的思想感情相关的生活情态和风俗特征，这点也跟布鲁斯音乐相似。

（3）音乐发展

从音乐发展上看，早期的布鲁斯也叫乡村布鲁斯，主要反映劳动生活，而伴随着美国工业化和城市化的进程，布鲁斯走进了城市，发展为城市布鲁斯。虽然在1929年经济危机之后的三十年里，布鲁斯经历了一个相对低潮的时期，但随着政治的稳定和经济的复苏，布鲁斯音乐再次兴盛起来。布鲁斯音乐也在不断发展中，融合了诸如古典音乐等元素，不断丰富着其音乐内容。不管是早期的乡村布鲁斯（代表歌手盲人雷蒙·杰斐逊）、城市布鲁斯（代表歌手穆迪·沃特），还是后来的布基伍基（代表歌手吉米·杨西）、节奏布鲁斯（代表歌手路易斯·乔丹），以及摇滚布鲁斯（代表歌手齐柏林飞艇乐队）、当代布鲁斯（代表歌手布莱恩·麦克耐特）等，布鲁斯在自身不断发展的同时，还给其他音乐的产生与发展带来了灵感和动力。

中国的船工号子也产生于集体劳动，形成了复杂的种类和样式。但随着大机器取代了集体劳动，号子这种音乐形式逐渐地消逝。这种与劳动密切相连的艺术形式失去了继续生长的土壤，并逐步退出人民的生活。但近年来政府对非物质文化遗产加强了保护，劳动号子这一艺术形式再次出现在大众面前，让众人重见它的风采与魅力，比如第六届中国诗歌节闭幕式上的长江号子演出。要使中国的船工号子如布鲁斯音乐一样传承发展，将其变为有影响力的民族文化，需要当代社会和人民的共同努力。

船工号子作为一种民间音乐形态，历代传承主要基于河工们的口传心授，而现如今很多优秀的号头或号手已相继离世，在世的也年岁已高，创作与传唱长江船工号子的主体人群正日益减少，船工号子面临着后继乏人的困境。船工号子赖以生存的社会文化场域已基本不复存在，其原有文化生态无法恢复，那么我们在面对船工号子保护与传承的问题时，就要明确认识到社会发展的现实，积极探索对船工号子保护与传承的合理性路径。这不仅仅是政府、传承人或文艺工作者的职责，更是当地乃至全社会的共同责任。要积极挖掘船工号子的音乐艺术，探索合适的发展路径，让其在科学的发展与创新中得到传承与延续。

5.3.3 中外港口文化对比

长江既滋养了辐射全国的内埠码头，也孕育出了沟通中外的海运港口。长江的港口文化主要由码头文化发展而来，而密西西比河沿岸的文化从一开始就是以港口文化为主。如果说"千帆竞发，百舸争流"是码头文化繁荣的写照，那么"大风起兮云飞扬""直挂云帆济沧海"则是港口文化豪迈的风景线。

港口与城市之间相辅相成、共生共荣，港口文化是港口所在地城市文化的重要组成部分。港口不仅催生了一座座现代化的城市，也演绎着城市经济与文化的繁荣与精彩。就广义的范畴而言，港口文化应该包括港口企业文化、海洋文化和大港口文化三个层面。其中，港口企业文化是企业精神文化（企业经营宗旨、理念、核心价值观等）、制度文化（员工办事规程、行为准则、道德规范等）和物质文化（港徽、港旗、企业标识等）的总和；海洋文化是人类对海洋的认识、利用和缘于海洋而形成的精神、行为、物质和社会的文明生活；大港口文化是港口自身的地理环境及其功能所产生的精神价值和行为方式。港口及其相关活动或者相关产业活动，是港口文化形成的前提与源泉。

在18世纪航运大开发时期，密西西比河沿岸几乎所有城市和城镇都与水上运输相联系，一大批港口城市兴起，如密西西比河干流上的圣保罗、明尼阿波利斯、圣路易斯、孟菲斯和新奥尔良。直到今天，其中的一些港口城市仍然发挥着重要的作用：圣路易斯是美国最大和最繁华的内河港口之一；新奥尔良则是美国重要的国际港口。在美国现代交通运输业飞速发展的情况下，内河航运非但没有被削弱，运量反而逐年增长。例如，密西西比河的最大散货和粮食出口港——南路易斯安那港 2004 年吞吐量达到 2.487 亿吨,同比增长 4%。其中,新奥尔良港的散货港功能在持续增强,不仅钢材进口量成倍增长,其杂货吞吐量 2004 年的增幅也达到 27%。

在近代的百余年中,所有的中国港口一直是帝国主义列强搜刮民脂民膏的据点,这一时期港口文化主要表现为几代码头工人强烈的抗争精神和求翻身的愿望。近代历史上中国共开放口岸 104 个,也有称 110 个,后者将胶州湾、旅顺口、威海卫、大连湾、香港、澳门六处包括在内。古代中国航海业一度很发达,如曾出现海上的丝绸之路,唐代时宁波港和扬州港已经是对外交流非常重要的门户和通道,明代有过郑和航海的创举,但是我们的文化环境没有很好地阐述它,造成了中华文化对港口文化既亲近又陌生的状态。而近代之后的港口文化越来越包容、开放,形成了对传统文化的补充。中国近代思想家、政治活动家、学者、政治评论家梁启超先生将我国的港口文化精神素质概括为"进取、冒险、自由、活泼"八个字。

(1) 水手组织

在中国封建社会,劳力者被视为社会最底层,往往受到贪官、盗匪等势力的压迫,这种状况同样出现在江面上。船员将上游的货物运送到下游,再将船只拖回上游,其间可能会横跨几个行政区域或数个盗匪势力范围,贪官、盗匪势力会对他们进行侵犯袭扰。《江阴县志》记载,明朝初年,就有水匪江盗抢劫来往船只财物。面对跑船过程中的各种势力及风险,古代江上的跑船人自发成立了一些自卫组织,以求在行船时保证人员及船上货物的安全。进入近代,长江上各类组织势力愈发复杂,私人货船主们为求安全,往往会"拜码头",加入各类组织帮会,抱团取暖。这些江上组织有些有着"青帮"或"哥老会"等更大帮会组织作为靠山,从而保证了货船不受各类势力侵扰。在现代,水手组织改变了旧中国时代的面貌,走上现代化的道路。2001 年,原中国海员工会与中国公路运输工会和中国建设建材工会的一部分合并成立中国海员建设工会。中国海员建设工会全国委员会是中华全国总工会领导下的全国性产业工会组织,是全国交通、建设系统各级工会组织的领导机关。其会员涵盖全国远洋运输、内河水运、港口、航道、海事、海上救助打捞、海员俱乐部、公路建设、公路管理与养护、公路汽车运输、汽车维修、建筑施工、市政、城市供水、城市排水和污水处理、燃气、热力、公交、地铁、园林、环卫等行业的职工。

在密西西比河流域也有保障船员利益的组织,称为海员工会。美国海员工会成立于 1937 年,开始只是在咖啡馆或者酒吧里召开会议,后来发展到各个流域乃至世界各地。成立海员工会不仅是为了维护船员的利益,以求在船员和管理者之间达到平衡，也是为了便于招募海员。因此，各个港口的咖啡厅和酒吧成为招募船员的场所，许多怀揣着领航员梦的青年男子都会到港口附近的咖啡厅和酒吧碰碰运气，船员的队伍也由此壮大。其实早在19世纪时，密西西比河流域就已经有舵手自发形成舵手福利会，用来保障资深舵手的权益。协会规定会员应彼此通报新河道的信息；若水手受伤，协会可承担部分医疗费用；失业或退休的会员可领取救济金；受雇的会员掌舵手可向船长要求最低月薪；协会承担会员的丧葬费；等等。这种福利会所的成立和航运的飞速发展密不可分。

19世纪时，密西西比河上掌舵手的地位达到最高峰。由于越来越多的年轻男子成为掌舵手或实习掌舵手，他们的工资越来越低。许多贪图利益的船长或船主为了减少开支，以低价雇佣新舵手，却忽视了密西西比河航道的千变万化带来的航行风险。虽然舵手福利会成立初期受到了船长和雇主的抵制，但频繁的意外使人们明白了经验丰富的舵手的优势。随着舵手福利会规模的扩大，入会的标准越来越严格，甚至垄断了当时的汽船业。协会在各个河岸附近的大市镇都有一艘码头船，代替码头让船靠岸，货物都存在码头船里运走，等待汽船的旅客也暂时在这里休息。在每艘码头船上，协会的干事会放置一个很坚固的箱子用以保存最新的航运信息，再用专供美国邮政用的钥匙锁住，以保证只有会员可以共享信息。随着时代的发展，船员工会的形式和制度越

图5-14 密西西比河新奥尔良港[①]

① 图片来源：https://ss0.bdstatic.com/70cFuHSh_Q1YnxGkpoWK1HF6hhy/it/u=592922612,1364093630&fm=26&gp=0.jpg.

来越明确，成立了海员中心，增设各种海员福利设施，对海员的生活也提供了很大的帮助。

（2）恋地情结

长江的跑船人在下水之前，大多是在江边生活的农民与渔民，依照血缘宗族关系建立起来的村落是他们生活的地方。成为船民之前，他们是固定在土地和村落上的群体，身上突出体现着费孝通所说的“乡土性”。所谓乡土性是指农民在漫长“凝固的土”和“封闭的乡”岁月沉淀下形成的特定的行为方式、思维习惯和价值观念的总和[①]。这种乡土性最显著地体现为他们对家和村落的眷恋。家庭是跑船人珍视的概念，在岸上生活时，家庭就是他们获取关爱、获得成长支撑的地方。成为船员后，水上的风险以及各自逐利的各类群体让他们处于深深的不安与不信任中，只有在家人面前他们才能放下包袱，敞开心扉，感受温暖。在清明节等重要节日，船员会尽可能返回家乡祭祖；在船上长期不能返家时，他们也会随身携带信物来寄托思念。

与中国的农耕文明不同，美国的文明起源于海洋，是典型的海洋文明，因此美国人的性格中带有非常浓厚的冒险精神。从马克·吐温的三部小说中我们可以看出美国人对航海的热情和对水手这一职业的向往，许多密西西比州男孩都想成为船长或领航员。他们认为只有在船上才能显示出自己的勇敢和智慧，因此无论是水手、船员、船长、领航员，都把自己全部的热情倾注在航行上。马克·吐温在《密西西比河上的生活》中就曾不遗余力地描写他在成为领航员的道路上付出过的努力，他能够记住所有的河道和礁石，即使它们是永远在变化的。他们对船的爱已经远远超过了陆地，在假期上岸期间，水手的生活基本都围绕着寻欢作乐展开，很少有中国船员那种对于家的渴望，他们中的一部分人甚至厌恶陆地，不愿在陆地上停留，这就形成了美国船员独特的“恋船情结”：他们把船只当作自己的家，满怀着对船的依恋，例如《哈克贝利·费恩历险记》中的哈克和吉姆。

（3）饮食文化

长江跑船人作为长期生活在家乡外的一类人群，虽然平日只能靠存粮糊口，但闲暇时也有机会尝遍流域沿岸各地的特色美食。长江流域可分为四个主要饮食文化区域，也就是源头的滇藏饮食文化区、长江上游的巴蜀饮食文化区、长江中游的荆楚饮食文化区和长江下游的吴越饮食文化区，具体又可细分

---

① 熊凤水．流变的乡土性：移植·消解·重构——一个外出务工型村庄的调查[D]．武汉：华中师范大学，2011：13．

为藏菜、滇菜、川菜、鄂菜、湘菜、赣菜、徽菜、苏菜、沪菜等，诸多菜系带来了丰富的饮食体验。

第一，长江源头地区日照充足，空气清新，是长江流域的重要畜牧区。藏餐的主要原料有糌粑、酥油、牛羊肉、青稞酒、茶叶和不同品种的奶制品，茶叶、糌粑、酥油和牛羊肉被称为西藏饮食“四宝”，特色饮品是酸奶、酥油茶以及青稞酒。滇菜选料广，风味多，以烹制山珍、水鲜见长。

第二，上游地区川菜以善用麻辣著称。作为我国八大菜系（浙菜、苏菜、湘菜、川菜、闽菜、粤菜、徽菜、鲁菜）之一，川菜融会了东南西北特点，博采众家之长，取材广泛，调味多变，菜式多样，醇浓并重，以善用麻辣调味著称，并以别具一格的烹调方法和浓郁的地方风味闻名。四川省会成都市曾被联合国教科文组织授予“世界美食之都”的荣誉称号。

第三，中游有鄂菜、湘菜、赣菜。鄂菜时称“楚菜”，由武汉、荆沙、黄州和襄郧四大风味流派组成，以水产为本，鱼馔为主，汁浓芡亮，注重本色。武昌鱼是湖北名菜之一，因产于武昌梁子湖而得名。湘菜是我国八大菜系之一。湖南自古就有“湖广熟，天下足”的谚语，物产丰富。湘菜以湘江流域、洞庭湖区和湘西山区三种地方风味为主。赣菜作为中国美食文化中的一朵奇葩，有着数千年饮食文化的积淀，由南昌、九江、赣南三大流派互相渗透交汇而成。与川菜的麻辣、湘菜的辛辣、鄂菜的酸辣不同，赣菜的辣是香辣、鲜辣，辣味适中，南北皆宜。

第四，下游地区有苏菜，主要由南京、扬州、苏州、淮安、徐州、连云港六种地方菜组成。擅长炖、焖、蒸、炒，重视调汤，保持原汁，风味清鲜，与浙菜同为南食的两大支柱。其菜系复杂，有淮扬菜、苏锡菜、徐海菜之分。

近代以来，由于西方文化的东渐，长江地区的饮食也呈现出东西结合的态势，越来越多的西方食物出现在中国人的餐桌上。

密西西比河沿岸的港口城市，地势以冲积平原为主，粮食作物丰富，又因为密西西比河是美国的粮道，沿岸有着丰富的粮食储备，因而这里的饮食价格与其他地区相比是十分便宜的。密西西比河沿岸的饮食文化有以下特点：首先，他们的饮食习惯同样为一日三餐，但不追求精细、奢华，而注重便捷、随意，趋于大众化。早餐通常包括烤面包、麦片、果汁等食物，再丰盛一点则包括煎饼、香肠及多种不同做法的鸡蛋等。午餐是一日三餐中最简单的一餐，通常以汉堡包、三明治、蔬菜、饮料等食物为主。而当地人普遍将晚餐作为正餐，食物较为丰富，包括浓汤、果汁、牛排、炸鸡、猪排、火腿、炸虾、黄油、米饭、蔬菜等。其次，当地人口味较为清淡，喜好吃生、冷、甜食，如嫩牛肉、凉拌菜等，菜肴的味道通常是咸中带些甜。主食主要包括鱼、肉、蔬菜等，副食有面包、米饭、面条等，甜食有冰激凌、煎饼、蛋糕等。当地人喜爱吃鱼，许多人在闲暇时光会自己去钓鱼，他们在食用前习惯先将鱼骨剔掉，达到方便食用的目的。最后，所采用的烹饪方式以炸、煎、烤、炒为主，没有清蒸、红烧等烹饪方式。当地人烹饪时不加调料，而是将味精、酱油、辣椒粉、胡椒粉等调料放置于餐桌上供进食者自取。

06

第六章

长江桥梁文化

长江天堑，古来险隔，地势险要，难以逾越。一条长江成了南北天然分界线，人们望江兴叹，只能依靠船只和浮桥来辅助渡江。

中华人民共和国的成立为跨越长江天险提供了条件。中国在长江上建造了诸多恢宏传奇的桥梁，为世界创造了一个又一个伟大的工程奇迹。从万里长江第一桥的武汉长江大桥到世界首座主跨千米级的沪苏通长江大桥，长江大桥见证了中国百年桥梁梦。

江河湖海，山川峻岭，虽然有长江的重重障碍，但一座座飞架天堑的桥梁促进了南北交融，实现了国家昌盛。长江上的桥梁是中国智慧的结晶和中国力量的象征，中国长江桥梁建设的蓬勃发展，不断推动着南北交融和国家兴旺。

6.1 长江桥梁发展史

奔涌不息的江水既是自然的馈赠，又是天然的障碍。在长江上架设桥梁，天堑变通途，是中华儿女心之所向。古时候先民就利用自己的智慧在长江上修筑渡口，摆渡过江。如今，一座座雄伟的大桥横跨长江，伴随着日夜奔流的江水，沟通了中华南北大地，昭示着中华民族顽强不息的奋斗精神。

6.1.1 长江上游桥梁

长江上游是指长江源头至湖北宜昌这一江段。长江上游顺流而下依次经过青海、西藏、四川、云南、重庆、湖北等 6 个省区市，总长约 4 500 千米，流域面积达 100 万平方千米。该河段落差大，峡谷深，水流湍急，主要支流有雅砻江、岷江、沱江、嘉陵江、乌江等。

(1) 长江上游的古桥

长江上游有不少古桥，其中有代表性的是以下三座：①万里长江第一古桥金龙桥。金龙桥又名梓里江桥、梓里桥，位于云南省丽江市古城区，由东向西，连接永胜和鹤丽，建于清代光绪六年(1880)正月，由提督蒋宗汉捐资建造，已有 100 多年的历史，是长江上现存最古老的桥梁。②藏、汉、羌族人民的联系纽带安澜索桥。该桥位于四川省都江堰市的岷江上，全长 240 多米，连接岷江南北，横跨都江堰水利工程，是古代四川西部与阿坝之间的商业要道。③古朴秀美的成都二江寺古桥。位于成都天府新区的锦江之上，修建于清代，是成都现存最古老、规模最大的石拱桥，古桥由红砂条石与青砖砌成，彰显了我国古代传统的建筑技术和工艺水平，具有很高的文物价值。

川渝地区的其他古桥也是跨越河流、连通地方交通的重要工具。这些古桥不仅促进了地区经济和社会的发展，还蕴含着深刻的文化内涵。①綦江孝感桥的"孝"。据《重庆府志》，孝感桥于治南 60 里。绍兴年间，有妇随姑过溪，姑堕水，妇即抢救，两人被溪水冲至滩下，不能自拔。危难时刻，有人将姑妇二人扶出水面，终免溺亡。乡民以"孝感桥"命名。[①] ②綦江万寿桥的"寿"。据《重庆府志》，万寿桥位于府治南 40 里的鱼梁河上，河水湍急，万寿桥屡修屡毁。明崇祯十二年，有一僧人断手发誓建桥，凿穿石脊，挖空 6 洞，历经 3 年，桥终于建成，从此再也没有被冲毁，因此得名万寿桥。[②] ③泸州特凌桥的"特"。该桥位于州治东北 30 里，治平中有一女子因母病返家探望，因河水阻拦不能渡河而伤心哭泣，忽然有一长木横于河上，孝女遂踏木渡河，至河岸后，长木忽不见，可谓奇特。④洗墨桥的"墨"。该桥位于重庆涪州西 5 里，相传宋代大书法家黄庭坚曾至此游览并题咏，有《夏可洲碑记》。[③]

(2) 长江上游的现代桥梁

山城重庆，长江流韵。桥梁是跨越山水的重要工具，截至 2022 年，重庆市境内跨越长江的桥梁共有 42 座。因此，重庆成为长江上游名副其实的桥梁博物馆。重庆长江大桥是长江上游第一座特大型城市公路桥，也是重庆市西南部的城市主干道的重要构成部分。[④] 原旧桥线路全长 1 120 米，复线桥线路全长 1 103.5 米，复线桥利用钢结构和预应力混凝土结构各自的优点，开创性地把组合结构概念和钢混凝土连接技术融合起来，使连续刚构桥跨越能力增强，结构更趋合理。每当夜幕降临，华灯初上，重庆长江大桥的影子与霓虹灯的缤纷光彩相互交融，倒映在江面之上，随着波浪一同起舞，成为市民漫步江边观赏的佳景。

重庆朝天门大桥于 2009 年 4 月 29 日建成，是当时世界上跨度最大的拱桥，是重庆市境内连接江北区与南岸区的过江通道，是重庆主城区向外辐射的东西向快速干道[⑤]。该桥包括主桥和南、北两侧引桥，全长 1 741 米，其中主桥长 932 米，为中承式连续钢桁系杆拱桥。朝天门大桥形似长虹，飞跨江面，伴随

---

① 茅以升科技教育基金会. 茅以升桥话(第 2 版)[M]. 许宏儒，等，编纂. 张泰昌，配图. 成都：西南交通大学出版社，2006：15.

② 茅以升科技教育基金会. 茅以升桥话(第 2 版)[M]. 许宏儒，等，编纂. 张泰昌，配图. 成都：西南交通大学出版社，2006：15.

③ 茅以升科技教育基金会. 茅以升桥话(第 2 版)[M]. 许宏儒，等，编纂. 张泰昌，配图. 成都：西南交通大学出版社，2006：16.

④ 詹述权，卿正国，郭成模. 重庆长江大桥施工简介[J]. 桥梁建设，1981(3)：1-35.

⑤ 李军，王福敏，姚建军，等. 重庆朝天门长江大桥关键结构力学分析[C]. 中国公路学会桥梁和结构工程分会全国桥梁学术会议，2007.

着日夜不息的车流，迎接重庆的每一抹朝霞与晚霞。

重庆巫山长江大桥于2004年4月28日建成通车，位于长江三峡段的巫峡入口处，被称为“渝东门户桥”“渝东第一桥”。它是一座钢管中承式钢管拱桥和公路桥，大桥净宽19米，双向四车道，主跨492米。大桥引道全长7 400米，为山岭重丘二级路。它对拓宽巫山旅游景观、顺畅渝东交通、带动巫山经济发展等有着重要意义。巫山长江大桥红白相间的桥身，掩映在江边郁郁葱葱的山景之中，自然美景与匠心巧作相映成趣。

图6-1　重庆巫山长江大桥①

宜宾长江大桥于2008年4月7日正式通车。该桥坐落于岷江、金沙江两江汇合口下游，地理位置之重要不言而喻。北桥塔塔高172米，南桥塔塔高159米。宜宾长江大桥是连接宜宾江北与南岸开发区的重要通道，它不仅是省道宜泸公路上的特大型桥梁，也是宜宾市内环线跨越长江的通道，对该市经济发展具有重要意义。此外，观斗山隧道连通后大桥将内宜高速的部分车流进行了分流，大大缓解了市区交通拥堵，实现了南北直通。

以下是川渝地区其他一些桥梁的参数。

表6-1　川渝地区其他桥梁的参数

桥梁名称	桥梁长度(米)	桥梁类型	修建年份
四川泸州长江大桥	1 252.5	公路大桥	1982

① 图片来源：http://www.china-qiao.com/ql04/cqql318.htm.

续表

桥梁名称	桥梁长度(米)	桥梁类型	修建年份
泸州泰安长江大桥	1 573.0	公路大桥	2008
宜宾金沙江铁路大桥	1 053.5	铁路大桥	1993
四川宜宾长江大桥	941.4	公路大桥	2008
重庆鹅公岩长江大桥	1 419.0	公路大桥	2000
重庆涪陵长江大桥	631.0	公路大桥	1997
重庆江津长江大桥	1 360.1	公路大桥	1997

6.1.2 长江中游桥梁

长江中上游分界点是湖北宜昌，长江中下游分界点为江西湖口。该流域的主要地理特征是河道弯曲、河流众多。长江中游段长 927 千米，占长江总长度的 14.7%，流域面积 67.9 万平方千米，占长江流域面积的 37.6%。该区域涵盖了武汉、长沙、南昌、宜昌、九江、黄石等重要城市。

(1) 长江中游的古桥

湖北的江夏古桥群非常有名。江夏区位于长江中游南岸，境内湖泊众多。除中部、东南部外，多面环水：西北临长江，西南有金水河，东临梁子湖，北有汤逊湖等许多水系，南有鲁湖、斧头湖、白泥湖等湖泊。明清时期江夏经济相对发达，催生了民间集资建桥的传统。①南桥位于江夏区山坡街大屋饶村，是武汉市现存最古老的一座桥。这座石拱桥的桥拱呈半圆形，影映水中，虚实相连，如一轮明月。此桥经过历代维修，保存完好，直至今日仍为南桥港两边村民的往来提供便利。②狮子山三眼桥是清代三孔石拱桥。该桥全用青条石砌建，间夹有少量的红砂石。桥全长 36 米，东西两端侧面各建有“八”字形的挡水墙，并且在桥墩两边各建有挡水墙柱，起到分水进孔作用，可减缓水流对桥墩的直接冲击，同时也可保护和稳固桥墩。[①]

江西的古桥也毫不逊色：①通仙桥，位于九江市湖口县柘矶港。相传明嘉靖中，因接迎景王，府治各官俱捐俸金，委胡国臣督建[②]。②张公桥，位于余江区，是鹰潭市最大的石拱桥，桥墩用青石和麻石砌成，每座桥墩的三角形尖顶上面有一只石雕蜈蚣，栩栩如生，仿佛在同洪水搏斗一般。

---

① 江夏现存武汉最老南桥 37 座古桥隐秘江夏[N]. 长江日报，2013-05-30.

② 茅以升科技教育基金会. 茅以升桥话(第 2 版)[M]. 许宏儒，等，编纂. 张泰昌，配图. 成都：西南交通大学出版社，2006：47.

（2）长江中游的现代桥梁

长江流出三峡过宜昌后，在其右岸有清江汇入，再经过一段丘陵区，便进入了荆江河段，南岸是洞庭湖平原，北岸是江汉平原。相较于上游段，长江中游段江面更加宽阔，所修建的长江大桥跨度也更大。截至2019年9月21日，湖北省境内的长江大桥有38座（包含在建）：武汉长江大桥（公路铁路两用）、武汉长江二桥、武汉白沙洲长江大桥、武汉天兴洲长江大桥（公路铁路两用）、黄石长江大桥、夷陵长江大桥、西陵长江大桥等。

武汉长江大桥被称为“万里长江第一桥”，它是中华人民共和国成立后修建的第一座公铁两用的长江大桥，也是武汉市重要的历史标志性建筑之一。武汉长江大桥是连接中国南北交通的大动脉，它于1957年10月15日通车运营，标志着完整的京广线的形成；大桥主桥全长1 156米，为钢桁架形式，引桥桥身则是采用拱的形式，钢架在形式上和材质上都形成了鲜明对比，上层桥面为双向四车道城市主干道，下层为双线铁轨。①

武汉长江大桥的建设设想由来已久。清光绪三十二年（1906），时任鄂督张之洞对巡抚专设的机构司道上书提议，希望能在长江中建一铁桥，由武昌接汉口；该提议在数月后，经日本工程师测算，修造费用巨大，当时鄂省财政不足以承担建造费用，便决定暂缓建桥。② 清光绪三十三年（1907），建桥一事再次被张之洞提出，依旧由日本工程师进行勘察工作，但此次勘察明确了选址，并且进行了大桥的初步设计，获得张之洞首肯。可惜不久后，张之洞被调离武汉，此次由日方工程人员开展的武汉初次选址设计工作也戛然而止。清宣统三年（1911）9月初，时任清廷邮传部大臣盛宣怀曾与德国银行签订协议，贷款100万美元，用于在武汉建设跨江大铁桥，这是清末关于修建武汉长江大桥动议的最后一次记载。因辛亥革命爆发，清朝成为历史，建桥设想也随之搁置。③

民国二年（1913），在詹天佑的支持下，国立北京大学（现北京大学）工科德国籍教授乔治·米勒带领夏昌炽、李文骥等13名土木系学生到武汉来对长江大桥桥址进行初步勘测和设计实习。虽然此次规划未获得实行，但选址被证明为十分适宜，与此后几次规划选址基本相同。民国二十四年（1935），鉴于粤汉铁路即将全线建成通车，平汉、粤汉两路有必要在武汉连通，当时有关部门曾考虑仿照1933年建成的南京铁路轮渡，但由于武汉的长江水位涨落幅度比

---

① H. M. 戈洛铎夫. 武汉长江大桥结构与施工[M]. 上海：科技卫生出版社，1958.

② 刘文祥. 清末民初的武汉长江大桥建设计划[J]. 档案记忆，2018(4)：7-10.

③ 刘文祥. 清末民初的武汉长江大桥建设计划[J]. 档案记忆，2018(4)：7-10.

南京大一倍，两岸引桥工程较困难，该方案被迫搁置。①

1949 年 9 月，桥梁专家李文骥、茅以升等人向中央人民政府递交了《筹建武汉纪念桥建议书》，建议建造武汉长江大桥，作为新民主主义革命成功的纪念建筑。同月 21 日至 30 日，毛泽东在北平主持召开第一届政治协商会议，会议通过了建造武汉长江大桥的议案。1950 年初，中华人民共和国中央人民政府指示中华人民共和国铁道部(后文简称铁道部)筹备武汉长江大桥的建设事项，并成立“武汉大桥测量钻探队”，进行大桥的筹备工作。

1954 年 1 月，中华人民共和国中央人民政府政务院召开第 203 次政务会议，会议通过《关于修建武汉长江大桥的决议》。② 1955 年 9 月 1 日，武汉长江大桥作为国家“一五”计划重点工程动工建设。1957 年 3 月 16 日，武汉长江大桥完成桥墩建设工程；5 月 4 日，武汉长江大桥钢梁顺利合龙，并举行了庆祝大会；7 月 1 日，武汉长江大桥完成最后一根钢梁安装，并完成合龙工程③；9 月 25 日，武汉长江大桥工程竣工；10 月 15 日，武汉长江大桥正式通车。④ 1956 年夏天，毛泽东来到武汉，第一次横渡长江，面对初现轮廓的武汉长江大桥，即兴写下《水调歌头·游泳》，诗中“一桥飞架南北，天堑变通途”表达了对武汉长江大桥的由衷赞美。

武汉长江大桥在中国桥梁史上以及近现代历史文化中都具有重要的意义，是一座历史的丰碑。1957 年，铁道部大桥工程局与武汉大桥工程局联合发行了一套纪念章，庆贺武汉长江大桥的建成。中国人民邮政也曾在二十世纪六七十年代间，发行过一些以武汉长江大桥为主图或背景的邮票。2008 年，武汉长江大桥成为湖北省重点文物保护单位。2016 年 9 月，武汉长江大桥入选“首批中国 20 世纪建筑遗产”名录。

九江长江大桥是京九铁路大动脉的“咽喉”，是中国桥梁建设史上的里程碑。它坐落于江西省九江市与湖北省黄冈市之间，是一座铁路、公路两用的钢桁梁大桥。该大桥的始建时间是 1973 年 12 月 26 日，其中公路桥于 1993 年 1 月 16 日建成，铁路桥于 1995 年 6 月 1 日建成通车。公路桥的总长为 4 460 米，铁路桥的总长为 7 675 米，宽度为 32 米，为双向两车道。九江长江大桥建设难度大，缺少同类项目的借鉴，一切都得摸着石头过河。施工中，作业点下方有大量火车和轮船通行，存在安全风险高、技术难度大等特点。该桥获得 1996 年

---

① 梅兴无.万里长江第一桥——武汉长江大桥建设始末[J].档案春秋，2019(2)：8-13.
② 梅兴无.万里长江第一桥——武汉长江大桥建设始末[J].档案春秋，2019(2)：8-13.
③ 梅兴无.万里长江第一桥——武汉长江大桥建设始末[J].档案春秋，2019(2)：8-13.
④ 万林.武汉长江大桥建设中的片段回忆[J].武汉文史资料，2007(10)：4-8.

度中国建筑工程鲁班奖、1997年铁道部科技进步特等奖、1998年度建桥新技术国家科技进步一等奖。

图6-2　武汉长江大桥①

6.1.3　长江下游桥梁

自江西、湖北、安徽三省交界处的湖口至入海的吴淞口之间的长江段称长江下游。长江下游江阔水深、航运便利。此段江水流经江西、安徽、江苏和上海4个省市，长844千米，占长江总长度的13.3%。流域面积12.3万平方千米，占长江总流域面积的6.8%。

(1) 长江下游的古桥

据记载，我国安徽地区的重要古桥包括：①大新桥，位于安庆府内(今安徽省安庆市)，石门、漳港两湖之水由此入江，湖水清浊如泾渭分明。明代万历年间，乡绅司马汪道亨重修石桥，是时商贾云集，河舫茶肆林立，酒旗飘扬，孤帆夕下，有前俯大江、后望澄湖之胜景。②大野螺桥，位于安庆府南岭(今安庆市南岭村)外，为自皖入京第一桥，桥有南北孔道，八省轮蹄竞过此桥，见证过一派兴盛景象。③放生桥，位于安庆府宿松县(今安庆市宿松县)城南郭外，相传宋苏东坡任舒州团练副使期间，见一渔人于龙湖获一金色鲤鱼，头顶生角，至

① 图片来源：http://fradser.tuchong.com/albums/0/4298334.

市井出售，东坡以厚金买下，并将其放生。[①]

南京和常州地区也有许多古桥：①镇淮桥，位于江宁县城南聚宝门（今南京中华门）之内，建于晋代，又名朱雀桥，按《晋起居注》，泊舟为航，都水使者王逊建。谢安于桥上修重楼，并设置两铜雀，故又以朱雀观为名。②饮虹桥，位于江宁府古凤台坊（今南京集庆路与长乐路交汇处），又名新桥，原名万岁桥。按《建康实录》，南临淮有新桥，本名万岁桥，后更名饮虹桥，今俗呼为新桥。③春雨桥，位于江宁府溧阳县东（今常州市溧阳市），旧曰春市桥，俗呼中桥，宋嘉定年间，陆子遹重建时逢久旱遇雨，故名春雨桥，该桥至清康熙甲寅年坏，知县王锡琯倡导，邑人重建。④上水关桥，在溧阳县北（今常州市溧阳市），昔有春晖堂在桥上，明弘治十年符观建，清康熙八年建太白酒楼于桥上。[②]

苏州城区小桥流水环绕，古桥众多：①石岩桥，位于苏州府城内织里桥西，为唐刺史白居易建，名白头桥，有石刻三字为记，宋朝天圣中，知州孙冕重修，人称孙老桥，元朝总管重建，更名石岩桥。②柳毅桥，位于苏州府城内至德桥之东，因名士柳毅曾在此居住，故名柳毅桥。③乘鱼桥，位于苏州府城内，据载此地为琴高乘鲤升仙之地，元朝政和元年，僧人达本重建桥序，引此为证。④渡僧桥，位于苏州府外阊门之西，三国孙吴时建，宋朝咸淳年间重建，明朝崇祯九年募捐重修。该桥兴修前，以舟渡，一次有僧人呼渡，舟子未应。僧人折岸边杨柳浮水而渡，众皆惊异，遂募捐修桥，不日而成。[③]

长江在上海市的吴淞口入海，松江地区的古桥主要有：①吴淞江桥，位于松江府上海县城外，俗呼关桥，明朝成化、弘治、隆庆年间，知县刘琬、郭旌、张岭相继修建该桥，因桥下波面广阔，潮水奔涌屡修屡毁。②望云桥，位于松江府华亭娄县城内，原名县桥，相传因桥落成时天空现瑞云，故名。③学士桥，位于松江府上海县浦口，陆文裕建，因桥体壮丽，被誉为浦口大观第一桥。④宋家桥，位于松江府上海县城外，黄浦吴淞会合处，因湖水凶悍湍急，加之土人欲独揽舟渡之利，暗中破坏，桥木屡毁，宋家桥建成，商民称便。[④]

---

① 茅以升科技教育基金会. 茅以升桥话（第 2 版）[M]. 许宏儒，等，编纂. 张泰昌，配图. 成都：西南交通大学出版社，2006：3.

② 茅以升科技教育基金会. 茅以升桥话（第 2 版）[M]. 许宏儒，等，编纂. 张泰昌，配图. 成都：西南交通大学出版社，2006：19.

③ 茅以升科技教育基金会. 茅以升桥话（第 2 版）[M]. 许宏儒，等，编纂. 张泰昌，配图. 成都：西南交通大学出版社，2006：22.

④ 茅以升科技教育基金会. 茅以升桥话（第 2 版）[M]. 许宏儒，等，编纂. 张泰昌，配图. 成都：西南交通大学出版社，2006：24.

(2) 长江下游的现代桥梁

纵观古桥历史，可见人民群众在历史的长河中，为修桥和用桥贡献了巨大的智慧和力量。长江下游地区河道宽阔，地质复杂，修建跨江桥梁难度非常之大。而放眼今朝，一座座雄伟气派的桥梁横跨江面，无不展现着中国人民的工匠精神。

①自力更生、独立建造的南京长江大桥

南京长江大桥的建成，是我国桥梁历史上浓墨重彩的一笔。它的建成标志着中国人民可以依靠自己的双手和智慧，建造大型的现代化桥梁，也体现了社会主义制度的优越性。南京长江大桥是长江上第一座由中国自行设计和建造的双层式铁路、公路两用桥梁，上层为公路桥，长 4 589 米，车行道宽 15 米；下层为双轨复线铁路桥，宽 14 米，全长 6 772 米，连接津浦铁路与沪宁铁路干线。大桥由正桥和引桥组成，正桥 9 墩 10 跨，长 1 576 米，最大跨度 160 米。通航净空宽度 120 米，桥下通航净空高度为设计最高通航水位以上 24 米，可通过 5 000 吨级海轮。

南京长江大桥的建设历程颇为曲折。早在 20 世纪初，长江就是一个“天堑”般的存在，长江在南京段隔断了津浦铁路与沪宁铁路干线，使得长江两岸无法流畅通行，过江客货主要依靠轮船摆渡，极大地降低了运输效率。1936 年和 1946 年，国民政府又先后两次考虑建桥，但因战争影响而作罢。中华人民共和国成立以后，1956 年，在努力建设武汉长江大桥之时，国家又作出了在南京建设长江大桥、贯通京沪铁路线的决定。1960 年 1 月，大桥工程局委托中国建筑学会发动建筑设计单位和院校为桥头建筑征求设计方案；3 月，从全国 17 个单位提出的 58 个方案中选出 3 个送审，其中南京工学院(今东南大学)钟训正提出的红旗方案被采纳；6 月，大桥的技术设计文件报送铁道部鉴定，并报送国务院；9 月，报国家计划委员会审批。最终，南京长江大桥于 1968 年 9 月实现铁路段通车，同年 12 月实现公路通车。

南京长江大桥的建设过程中遇到了复杂的地质情况、洪汛灾害、经济困难、严峻的国际形势等一系列问题。在基础工程方面，南京段长江水深 30～40 米，不包括江水之下更厚的泥沙覆盖层，江底岩层情况又十分复杂。我国的建桥工人和科学技术人员根据不同的水文地质情况，分别采用了几种类型的管柱基础和沉井基础。[①] 大桥工程对我国架桥设备、材料的制造、生产，也起到了促进作用。在南京长江大桥建设工程中，为了下沉更大的管柱基础，科研人员

① 《桥梁史话》编写组. 桥梁史话[M]. 上海：上海科学技术出版社，1979：274.

又设计制成了震动力为二百五十吨的打桩机。[①] 除此之外，在各级领导干部、建桥工人和科技人员的共同努力之下，工程最终克服了水流湍急、沉井摆动等问题。在当时特殊的国际形势之下，我国始终坚持独立自主、自力更生的方针，圆满完成了南京长江大桥的建设任务。

图 6-3 南京长江大桥[②]

南京长江大桥标志着我国的桥梁建设达到世界先进水平，它的建成开创了中国“自力更生”建设大型桥梁的新纪元，被看作是“自力更生的典范”和“社会主义建设的伟大成就”，被称为“争气桥”。1978 年，南京长江大桥获得全国铁路科技大会优秀科技成果奖和全国科学大会奖。1985 年，国家科学技术进步奖评审委员会评审决定，铁道部大桥工程局承建的南京长江大桥所运用的新技术和规模达到世界先进水平，授予其国家科学技术进步奖特等奖。1969 年 5 月 1 日，中国人民邮政发行《南京长江大桥胜利建成》邮票，一套四枚，发行量 800 万套。2018 年 12 月 16 日，为了迎接和纪念南京长江大桥修缮后恢复通车和建成通车 50 周年暨改革开放 40 周年，中国邮政发行《南京长江大桥通车 50 周年》纪念邮资明信片一套，编号 JP244，全套一枚，并在南京长江大桥举办首发仪式。

南京长江大桥还有重要的文化意义。南京长江大桥纪念馆于 2019 年 2 月 2 日开馆，是南京市第一座为展示大桥历史背景及文物资料而专门修建的纪念馆，由大桥南桥头堡改造而成，在尽可能保留堡内原有物品的同时，增加了大量展品。整个纪念馆主要由“历史意义”“伟大精神”“记忆对话”“科艺价值”“再

① 《桥梁史话》编写组. 桥梁史话[M]. 上海：上海科学技术出版社，1979：275.

② 图片来源：https://item.btime.com/m_95bbe21398f56b0b0? from=gjl

励辉煌”等五个部分组成，向世界展示了中国智慧和中国精神。

②皖江第一桥铜陵长江大桥

皖江第一桥铜陵长江大桥是皖江上第一座跨江公路大桥，它既是中国安徽省铜陵市境内连接枞阳县东西两岸的过江通道，也是国家“八五”计划的重点工程。铜陵长江大桥于1995年12月26日通车运营，结束了安徽省过江无桥的历史。该桥由主桥、东西两岸引桥、两座桥塔、斜拉索、桥墩及其各立交匝道组成，全长2 592米，其中主桥长1 152米，桥面为双向四车道，设计速度为100千米/小时。[①] 铜陵长江大桥的建成加速了当地经济发展，为中国桥梁事业的发展和技术进步提供了更广阔的基础和条件。[②]

③跨江“咽喉”工程江阴长江大桥

江阴长江公路大桥，是中国“九五”期间重点建设项目，是中国“两纵两横”公路主骨架中同江至三亚国道主干线及北京至上海国道主干线的跨江“咽喉”工程，也是江苏省连接靖江市与江阴市的过江通道。江阴长江公路大桥于1994年11月22日动工兴建，并举行开工仪式；于1999年4月21日完成合龙工程，大桥全线贯通；于1999年9月28日通车运营。[③] 江阴长江公路大桥线路全长3 071米，主桥全长1 385米，桥面为双向六车道高速公路。

江阴长江公路大桥在建设前期和施工过程中，共组织了37项科研工作，其中多个项目经江苏省科技厅组织科技成果鉴定，达到了当时中国国内领先、国际先进水平。研究团队紧密结合桥位环境和桥梁结构特点，采用试验和理论分析相结合的多种研究方法和手段，解决了江阴大桥在施工和运营状态中的抗风、抗震安全问题。同时，项目人员还通过特大跨径悬索桥施工控制研究，建立了一套科学、有效的悬索桥施工与控制技术，为中国今后同类桥梁工程建设积累了成功经验。江阴长江公路大桥是中国第一座跨度超千米的特大桥，设计合理，管理科学，工程质量优良，代表中国20世纪90年代造桥最高水平，将作为21世纪我国桥梁工程建设新的里程碑，跻身世界桥梁前列。

④世界首座主跨千米级的沪苏通长江公铁大桥

沪苏通长江公铁大桥，是江苏省境内连接苏州市和南通市的通道，位于苏通长江公路大桥上游、江阴长江公路大桥下游，是通锡高速公路、沪苏通铁路、

---

① 杨高中，李毅谦，杨征宇，等. 铜陵长江公路大桥主桥设计[C]//中国公路学会2001学术交流论文集，2001.

② 林祥威. 预应力混凝土斜拉桥是富有生命力的[J]. 公路，1991(4)：12-15.

③ 谢博识，饶建辉. 跨越千米 圆梦江阴——江阴长江公路大桥通车20周年回顾与展望[J]. 中国公路，2019(11)：16-23.

通苏嘉甬高速铁路共同的过江通道，跨越长江江苏段。

沪苏通长江大桥的建设难点在于主塔高、跨度大、体积大。沪苏通长江公铁大桥主塔高 325 米，为建成时世界上最高公铁两用斜拉桥主塔；沪苏通长江公铁大桥靠近长江入海口，江面宽达 6 千米。大桥附近有十余个码头和港口，江面每日通行船舶超过 3 万艘，航运繁忙，要求大桥的主跨必须超千米；沪苏通长江公铁大桥沉井基础体积大，主塔墩沉井平面相当于 12 个篮球场大小，沉井高 110.5 米，为建成时世界上最大体积沉井基础。①

沪苏通长江公铁大桥于 2014 年 3 月 1 日动工建设，于 2020 年 7 月 1 日建成通车。大桥南起苏州市张家港市，北至南通市通州区，全长 11.072 千米，设计速度 100 千米/小时；下层为双向四线铁路，设计速度 200 千米/小时（沪苏通铁路）、250 千米/小时（通苏嘉甬高速铁路）。②

沪苏通长江公铁大桥工程规模大，施工难度大，创造了多个世界桥梁和中国桥梁建设之最。作为公铁两用过江通道，沪苏通长江公铁大桥建成通车后，对提升区域铁路、公路路网水平，优化运输组织方案，完善交通运输结构具有重要意义，将有效促进长三角城市群跨江融合、协同发展，助推长三角区域一体化发展。③

中华人民共和国成立之后，中国人民坚持独立自主，与土斗、与风斗、与水斗，努力将曾经的“天堑”都化为通途。一座座现代化桥梁横跨长江，滔滔江水与钢筋铁骨的雄伟大桥，形成了一幅幅自然与人力完美融合的画卷。高山与大河，分隔大地，既孕育了一代又一代人民，又成为地区之间联系与发展的天然障碍。先民们用自己勤劳的双手与智慧，逢山开路，遇水搭桥，努力克服自然的障碍。寒来暑往，物换星移，那一座座桥梁仍默默地立于河流之上，为人们提供交通便利。

6.2　长江桥梁文化概览

中国著名的桥梁建设专家茅以升先生曾经撰文写道：桥梁是一国文化的

① 中国国家铁路集团有限公司. 领跑世界的超级工程——沪苏通长江公铁大桥[R]. 2020-07-01.

② 江苏省交通运输厅. 沪通长江大桥[R]. 2019-06-14.

③ 中国国家铁路集团有限公司. 领跑世界的超级工程——沪苏通长江公铁大桥[R]. 2020-07-01.

特征之一，是代表文化的一种物质建设。在中国这片河流众多的土地上，桥梁从古至今一直是人们不可缺少的交通枢纽。从中国历史上的第一座桥到历史性工程港珠澳大桥的建成与投入使用，我国的桥梁建设从未停滞，桥梁文化从未停止发展。

作为中国境内最长的河流，长江沿岸自古都是人类的聚居地之一，而早期的聚居文化也与长江有着密不可分的关系：在长江的上中下游分别形成了巴蜀文化、楚文化、吴越文化，而桥梁是当时沟通两岸的重要方式。早在 2 000 年前，宜昌就有了一座跨江浮桥。学界普遍认为这是“万里长江第一桥”。清康熙时期为了连通川藏地区而在大渡河上修建的第一座桥梁——泸定桥，也是国内现存的最古老的铁索桥之一，它是中国工农红军长征之路的重要里程碑，具有重大的历史意义。

1949 年以来，为了加快工业的发展，加强地域之间的连接成了建设要务。在我国河流众多的特殊地理环境下，由于早期隧道施工技术较为欠缺，桥梁成为连接河流两岸经济文化的主要方式之一。国家从未停止桥梁建设：从 1957 年中国第一座长江大桥——武汉长江大桥建成通车，到中国自行设计和建造的双层式铁路、公路两用桥梁——南京长江大桥的建设完成，再到 21 世纪全球瞩目的港珠澳大桥的建成，桥梁文化早已扎根于人民心中。

长江大桥，广义上指的是长江干流上的所有桥梁，本部分主要研究南京长江大桥和武汉长江大桥，分别从图腾文化、民族精神、工匠文化三个方面进行探究，详细阐述长江大桥的文化特征。

6.2.1 图腾文化

（1）桥梁护栏图案

桥梁的浮雕艺术体现了桥梁的文化。浮雕作品作为一种艺术符号，是特定历史时代政治、经济和文化特色的载体。它记录的是一件件真实的历史故事，其内容和形式可以唤起人们心中对于时代的记忆。南京长江大桥的桥栏浮雕正是兼具政治性、民族性的符号，在体现特定时期艺术特色变迁的同时，也折射出与其相应的政治背景。①

南京长江大桥公路桥两侧的护栏由不计其数的五角星和镶嵌在栏杆上的 202 块铸铁浮雕所组成，分为镂空向日葵浮雕、工农兵浮雕和风景主题浮雕等三种类型。其中，镂空向日葵浮雕为 100 块，工农兵浮雕为 6 块，风景主题浮雕

① 胡毓佳. 工匠精神——南京长江大桥浮雕装饰艺术设计研究[D]. 南京：东南大学，2018：25.

为 96 块。在这 96 块风景主题的浮雕中有 20 块是不重复的，分别描绘了祖国的壮丽风景和中华人民共和国成立以后至大桥修建前取得的伟大建设成就，其中包括北京火车站、大寨大队、鞍山钢铁公司、大庆油田、抚顺煤矿、内蒙古大草原、沙漠驼铃、上海万吨级轮船、新安江水电站、海岛女民兵、海南岛椰林风光、青藏铁路、成昆铁路等。

在设计这些浮雕时，国家专门成立相关工作组进行探讨，最终决定从全国各地征集并挑选出最能反映中华人民共和国成立以来建设成就的方案。经过四个月的设计和改良，在设计师、学生、工匠师傅等社会各界人士的努力下，初步工作终于完成。浮雕设计的背后，展现的是爱国人士对祖国发展的热情和向往，是大国工匠对中国制造的一丝不苟、刻苦钻研。他们的爱国精神和工匠精神，正是我国桥梁文化发展延续的基础。

南京长江大桥的浮雕有着明显的时代特征。图 6-4 中的工农兵浮雕由麦穗、齿轮和五角星组成，麦穗代表农民阶级，齿轮象征工人阶级，而中心的五角星则代表中国共产党。该浮雕象征着农民和工人阶级紧密团结，在中国共产党的领导下，奋发向前，共同建设社会主义中国。浮雕左右对称，结构严整，时代元素丰富。

图 6-4　工农兵浮雕[①]

描绘中华人民共和国成立以后至大桥修建前伟大建设成就的浮雕包括北京火车站、鞍山钢铁公司、大庆油田、抚顺煤矿等。其中，具有人文特色的北京

① 图片来源：http://blog.sina.com.cn/s/blog_3e503b630102yh7r.html.

火车站浮雕真实地描绘了其雄伟壮阔的外观，其采用中国传统的建筑样式，并加入新的结构。中央部分是由两座钟楼守卫着中心带有扁壳屋顶的大厅，毛泽东亲笔题写的“北京站”三个字屹立在两座钟楼之间，建筑整体采用了对称式的结构，具有独特的庄严感。浮雕下方的旗帜，体现了社会主义建设初期国家想发展、人民想富裕的时代特征。北京火车站从 1959 年 1 月 20 日开工，到 1959 年 9 月 14 日竣工，仅花了 7 个多月时间，其建设速度之快、规模之大、科技含量之高，堪称中国铁路建设史上的一个奇迹，是中华人民共和国成立十周年首都著名十大建筑之一。[①] 其鲜明特色和背后独特的政治意义使其跻身于中华人民共和国伟大的建筑成就之列。具有工业时代特色的鞍山钢铁公司浮雕深刻地展现了国家工业的发展历程。在“一五”计划背景下，国家集中力量发展重工业，在东北建立了钢铁厂、汽车制造厂、飞机厂等一系列重工业企业。铁向来是发展重工业的基础原料，而鞍山钢铁是当时中国最大的钢铁生产基地，也是首次研发出符合南京长江大桥安全用钢要求的公司，其重要性可见一斑。它代表着中华人民共和国成立之初国家建立工业强国的美好愿景。南京长江大桥将中华人民共和国的伟大成就雕刻于护栏之上，成为中华人民共和国伟大建设的记录和见证。

图 6-5　北京火车站浮雕[②]

① 周俊良，沈艳. 南京长江大桥浮雕的时代特征[J]. 艺术探索，2008(5)：10-12，151.

② 图片来源：胡毓佳. 工匠精神——南京长江大桥浮雕装饰艺术设计研究[D]. 南京：东南大学，2018：71.

图 6-6　草原牧马浮雕①

描绘新中国风景的浮雕包括东北森林、长城内外、草原牧马等。东北森林象征着东北木材对中华人民共和国成立初期发展生产的重要贡献，蕴含了人们对大自然的敬畏和感恩之心。长城是世界七大奇迹之一，在军事方面，它从古至今都发挥着重要的军事要塞作用，历史上曾多次成功抵御边疆地区游牧民族的进犯。在文化方面，长城是中华文化的重要标志，也是古代文人雅士创作的重要灵感之源：边塞诗作为唐诗重要题材之一，展现了边疆战士为国出生入死的爱国情怀和希望战争结束、早日回乡的迫切心情。如李白的“长风几万里，吹度玉门关”，王昌龄的“秦时明月汉时关，万里长征人未还”，王维的“劝君更尽一杯酒，西出阳关无故人”等名句，千载传诵不绝。唐以后的宋、元、明、清以及近现代，均有不少诗人、词人、名人，路经或登临长城，有感于长城的修筑、作用，以及长城两侧的壮美河山等，挥毫洒墨留下了名篇佳作，迄今仍广为流传。长城是中华民族团结一心、共抗外敌、百折不挠的精神象征，它是激励人们团结奋斗、共同发展的精神支柱。草原牧马浮雕则描绘了一幅骑兵高举红旗在草原上飞驰的壮阔场面，一方面象征着内蒙古草原为人民的生产生活提供的丰富资源，另一方面也象征着人民在中国共产党的领导下追求幸福生活的愿望。

在 20 世纪 50 年代，南京长江大桥浮雕作品的主题完美地体现了自然、人

---

① 图片来源：崔咏莹.南京长江大桥政治性景观设计符号研究[D].武汉：武汉理工大学，2018：72.

文、建设中的无数亮点。概括、夸张、变形作为装饰浮雕常用的手法，在南京长江大桥护栏上也有所体现：护栏浮雕运用概括手法，歌颂了祖国不同地域的工农业建设和自然风光。如鞍山钢铁公司浮雕运用概括手法，将火车与鞍山钢铁公司融合在一起，凝聚了最具代表性的建设成就，使作品更具感染力。浮雕运用夸张手法突出显示红旗、太阳的形象；还运用了变形手法，将题材形象中本不明显的部分或形态以特殊形式表露出来，主要用于浮雕作品展示、景深的扩充、画面交错关系的拓展，以加强作品的艺术观赏性。在大部分大桥浮雕作品中，太阳的形象所占构图的比例被放大了很多，无疑彰显了革命斗士伟大光明的形象。

相比之下，武汉长江大桥的护栏雕塑更加富有民族风俗特色。其图案可分为花果图、花鸟图、民俗图、动植物图。包括“喜鹊登梅”“菱形祥云”“孔雀开屏”“万寿图”等，大多取自民间传说，多为吉祥图案，寓意国家富强、人民生活幸福安康。与南京长江大桥不同，其护栏浮雕大多为镂空式，一方面体现了我国古老的镂空雕塑艺术，另一方面使雕刻的物体形象更具有立体感，有着虚实结合的朦胧美。总体而言，南京长江大桥浮雕侧重于描绘政治元素，更多地展现了新中国的建设成就和以人民为中心的理念，几乎在每一处浮雕上都体现了党和人民对建设工业强国的美好愿景，具有鲜明的时代色彩。而武汉长江大桥则注重民俗文化的呈现，将传统剪纸造型与铸铁浮雕相结合。两座桥的浮雕一刚一柔，共同展现了中华人民共和国成立初期的桥梁文化特色。

（2）桥头堡图案

桥头堡作为一座桥桥头的装饰物，有其特定的文化象征意义。南京长江大桥作为南京人民，甚至是全国人民的精神象征，深刻地体现了其建设者和亿万中国人民的文化和精神内涵。桥头堡作为南京长江大桥的“脸面”，其建设的重要性也就不言而喻。

南京长江大桥桥头堡于1958年开始设计，经过两次技术协作会议后，初步确定了形状。政府为了展现南京长江大桥独特的地位和文化特征，又在全国17家建筑设计单位中征集了58个桥头堡设计方案，并由周恩来总理亲自选定了最终方案。

南京长江大桥桥头堡最具特色的图案便是大堡顶部的红旗和小堡的工农兵学商雕塑。其中，红旗可谓是桥头堡的点睛之笔。从字面意义上看“红旗”指红色的旗子，在桥头堡中，红旗作为无产阶级革命胜利的象征，代表着历史的前进路上无产阶级革命先辈们伟大的形象①。为了营造红旗凌空舒展的动态，

---

① 钱振文. 雕塑，大桥上的政治符号[J]. 中国公路，2013(14)：136-137.

红旗上边缘设计为竖直面的曲线，下边缘用水平面的曲线，使得红旗的形体饱满且充满力量感。[①] 小堡上有工农兵学商混凝土雕塑，代表人民群众，体现了中国共产党以人为本的执政理念。雕塑中每个形象均眼神坚定，展现出人民群众自强不息，在建设社会主义道路上不怕苦、不怕累的精神。

图 6-7　工农兵学商雕塑[②]

在国内外众多桥梁中，武汉长江大桥的桥头堡与南京长江大桥的桥头堡图案设计内涵最为相似，两者都承载着厚重的历史文化，有着划时代的意义。武汉长江大桥与南京长江大桥的桥头堡设计都采用了从全国范围内征集设计方案，并最终由国家决定的方式。与南京长江大桥桥头堡不同的是，武汉长江大桥的桥头堡采用了传统中式建筑的方案，在上方建造了四方八角凉亭，借鉴了清代黄鹤楼“攒尖顶亭式”的建筑风格，体现了对传统文化、人文精神的表达。而南京长江大桥桥头堡图案重在反映时代背景，侧重于表达南京长江大桥是我国自主建设、有跨时代意义的大桥，符合当时积极建设社会主义的时代潮流。

图腾文化作为历史文化传播的有效载体，与桥梁景观相辅相成，共同承载着时代的记忆。长江大桥上的图案，更多的是一种政治符号、一种文化符号。在城市建设同质化的今天，不同地区的图腾文化仍能展现出一座城市的特点。从浮雕的设计到桥头堡的建造，处处都能体现出大桥所蕴含的独具特色的历史和政治文化。即便是在当下，人们也可以通过大桥上的图案体会那个时代的历史文化和人民自强不息的伟大奋斗精神。

---

① 崔咏莹. 南京长江大桥政治性景观设计符号研究[D]. 武汉：武汉理工大学，2018：56.

② 图片来源：https://www.sohu.com/picture/239321218.

图 6-8　武汉长江大桥桥头堡[①]

6.2.2　民族精神

(1) 艰苦奋斗精神

南京长江大桥的建设构想可追溯到 20 世纪 30 年代。孙中山先生曾在《建国方略》中规划过南京至浦口的过江隧道,因诸多不便,此设想未能实现。1937 年,国民党政府计划在时为首都的南京建造跨江大桥,重金聘请美国桥梁专家华特尔等对南京至浦口江面进行实地勘察。面对复杂的地质和水文情况,美国专家们断言,"在南京修桥,比登天还难"。日寇占领南京期间,也曾出于军事目的企图建造长江大桥。中华人民共和国成立后,为了开创社会主义现代化建设新局面,1958 年 9 月,国务院正式决定兴建南京长江大桥。"早在 1956 年有关部门即已着手桥址的选择,进行地质勘探和测量工作。1958 年时已完成了初步设计草案的编制,同时勘测设计的还有宜都和芜湖两座长江大桥。"[②] 1958 年 10 月和 12 月,两次有关南京长江大桥的技术协作会议在武汉先后召开。"会议认为,大桥正桥长度应超过 1 500 米,两桥引桥比较长,为了衬托大桥的雄姿并衔接引桥,桥头建筑以复式桥台为宜,桥头建筑应体现出社会主义建设的特征及全国人民的精神风貌,并具有永久性纪念意义。"[③]

在党中央和国务院的关心支持下,大桥的一切筹建工作进展非常顺利。

---

① 图片来源:https://www.sohu.com/a/168084064_178326.

② 铁道部大桥工程局.南京长江大桥技术总结[M].铁道部大桥工程局,1983.

③ 南京市政协文史资料委员会,等.跨越天堑:南京长江大桥建设纪实[M].南京:东南大学出版社,1996:154.

不过，大桥建设进程还是出现了诸多曲折。1960 年 1 月主体工程正式动工时，国家遇到了三年严重的经济困难，大桥建设资金削减，建筑材料供应紧张。在这种形势下，苏联"老大哥"的援助犹如及时雨。然而，1959 年中苏关系开始恶化，苏联单方面撕毁合同，撤走桥梁专家，并且中断了钢梁供应，致使大桥工程几乎停工。在最艰难的时刻，中共中央决定独立自主建造南京长江大桥。大桥的建设者们发扬"自力更生，艰苦奋斗"精神，经历了无数次的生死考验。在成败关键之时，周总理仍坚决支持南京长江大桥的建设工作："不能停工，继续架设钢梁使铁路通车。"①

南京长江大桥由于跨度比武汉长江大桥大，对钢梁的钢材要求更高，需要采用低合金钢"16 锰"。因为国内没有生产技术，所有"16 锰"均向苏联订购。后来因为国际环境突变，苏联不再向中国出售"16 锰"，这就意味着南京长江大桥必须由中国人民独立完成。建设势在必行，解决钢铁问题迫在眉睫。周恩来给当时的冶金工业部下了死命令，必须要自主研发出"16 锰"，这项重任最终落在了鞍山钢铁厂身上。尽管没有先进的设备，鞍山钢铁厂的工人们在反复试验后，终于成功制造出"16 锰"，周恩来亲自将其命名为"志气钢"。与此同时，山海关桥梁厂也最终克服了焊接低合金钢的困难，制成了大型钢梁，这意味着我国大型钢梁依靠国外供应的局面从此变为历史。

老一辈中有不少人至今都保留着 1968 年 12 月 30 日的《人民日报》，因为这一天对于中国人来说，有两件特大喜事：南京长江大桥全面通车和氢弹试验成功。一座自主设计修建的大桥，一枚自主研发的氢弹，这是何等的骄傲！大桥就此成了南京市的地标性建筑。当时的人们最希望去的地方，首先是北京天安门，其次就是南京长江大桥。天安门见证了新中国的成立，而南京长江大桥则凝聚了人民群众万众一心搞建设的伟大精神。

南京长江大桥是一个特定时代的伟大奇迹和历史象征。50 多年来，南京长江大桥飞架南北，连通了长江天堑。随着改革开放的深入和科技的进步，我国桥梁建设的能力和水平已经居于世界前列。万里长江上，一个个天堑被不断攻克，一座座桥梁相继建成。然而，很难找出另外一座像南京长江大桥一样，如此深刻地成为国家记忆一部分的桥梁。

（2）爱国主义精神

南京长江大桥是激励中国人继续奋进的精神动力。1969 年，纪录片《南京长江大桥》上映。在片中，桥梁不再仅是冷冰冰的钢铁结构物，而是一种话语

---

① 沈艳，周俊良. 试论南京长江大桥的政治元素[J]. 美与时代（下半月），2008(9)：33-35.

结构和思想结构的综合体。在正气凛然的革命叙事语调中,影片再现了大桥建设过程,是20世纪最受欢迎的爱国主义教育影片之一。①

南京长江大桥被看作当时中国政治文化的重要表征。大桥凝聚了当时中国社会的政治文化心理和广大人民群众的革命感情。建筑讲述的不仅是空间本身,还有空间中发生的事件。从审美的角度看,南京长江大桥集中展现了当时的政治美学想象。

2018年12月29日,封闭维修了近27个月的南京长江大桥公路桥重新通车。在通车前3天的"公众开放日"里,数万市民涌上大桥,争睹大桥新颜。大桥南桥头堡改造而成的南京长江大桥纪念馆的众多珍贵史料,向人们展示着"大桥记忆"。

在中华人民共和国成立70周年之际,中宣部新命名39个全国爱国主义教育示范基地,南京长江大桥入选。此次命名后,根据中宣部要求,未来南京长江大桥将进一步发挥爱国主义教育示范基地的宣传教育功能,讲好中国故事。南京长江大桥入选全国爱国主义教育示范基地,体现了全社会对于南京长江大桥承载的精神价值和情感记忆的高度认可。这种精神和记忆既是集体的也是个人的,既是历史的也是超越历史的,因此构成了国家价值认同的一部分。作为爱国主义教育示范基地,南京长江大桥纪念馆更要在当代讲好大桥故事,将自力更生、拼搏奉献、做得大事的中华民族精神向一代代人传递下去。

6.2.3 工匠文化

(1) 传统工匠文化

中华工匠文化体系指中华工匠文化的整体性特征及其世界性价值存在体,是整个中华文化体系的重要组成部分,也是中华文化体系重大特征性构成要素。中国迄今为止发现的最早的一个手工业作坊区,位于夏代故都的二里头遗址内。这些作坊从事铜器浇铸、陶鼎制作、漆器加工等,被考古工作者戏称为"历史上的高科技产业基地",在这一区域里从事专业手工劳动的人,就被称为"工匠"。

"工匠"是中华工匠文化体系研究与建构的核心概念和主题。"工匠"亦称为"匠人""匠""工""人匠""百工"等,是一个意指非常广泛的概念。将"工匠"一般意义上称为"手工艺人"、"手工业者"或现代意义的"工人",有其合理性,但也有一定的局限性。"工"具有精致、高超、专注的性质,常常用作形容词,与"匠"构成偏正结构的复合词,即工艺精致、技术高超的匠人。从社会学角度看,"工

① 吕青,任发德.跨江的丰碑[J].中国公路,2013(14):130-133.

匠”是一个社会群体、一种经济共同体，是通过对身体器官及相关工具的利用，使自然世界发生物质性结构变化的劳动者或物化形态的创造者。从社会经济结构上看，“工匠”既是一个共同体，也是一个层级性社会群体。从社会层级结构来看，工匠大致可以分为管理型工匠、智慧型工匠、技术型工匠、一般型工匠等四类。这四类并无实质性差别，都属于“匠”的范畴，只是“匠”性的高下程度有差异，体现了具体社会行为组织的要求。就整个造物活动过程而言，“工匠”是一种具有复杂性的结构体，具有“造物主”的性质，承载着造物活动的全过程，从而创造并建构了一个不同于第一自然的“第二自然”，即人造（人工）世界。

“孜孜不倦”是工匠文化的重要组成部分。工匠文化之所以能够超越普通的劳动制作，一个重要的原因就是“孜孜不倦”的工匠精神。工匠精神是工匠文化的灵魂。工匠精神首先是一种工匠本位的精神，是内在于工匠的性质、领域或世界之中的，是通过工作态度、人生追求、器物世界等传达出来的。“孜孜不倦”是一种人生价值信仰、生存方式和工作态度。

具体而言，“孜孜不倦”的工匠精神主要包括两点：求真务实与精益求精。其中，前者是后者的基础，而后者是对前者的超越，是更高的追求。同时，这两点主要在三个层面践行着工匠精神的真意：工作目标、行为准则与审美境界。首先要根据各自的工作领域合理选择工作目标，求真务实。工作目标选定之后，要根据工作目标的性质、特征，发挥各方面的有效机制，积极探索高效优质地完成目标的行为准则和合理合法的技术手段。在审美境界追求层面，则是在确保工作目标高效优质完成的基础上追求工作与人生、工作与服务、工作与幸福所达到的一种完美统一的生活状态。这就是“工匠精神”的哲学意蕴。由此可见，“孜孜不倦”的两个层面是相辅相成的，是人的一种本真的存在方式，预示着物质性生命体和精神性生命意蕴的统一。工匠精神是工匠文化的特征，也是工匠文化的核心价值所在。

桥梁上的各种装饰、雕镂，往往能够反映特定时代人类精湛的建筑工艺水平与审美艺术水准。从中国古代的河北赵州桥、北京卢沟桥，到现代的南京长江大桥、重庆嘉陵江大桥，再到上海杨浦大桥、杭州湾跨海大桥、香港青马大桥、港珠澳大桥等，这些著名桥梁已经成为所在城市的标志性建筑，见证中华民族的进步。

中国传统建筑美学强调建筑与环境的统一，认为桥梁既是环境的产物，又是环境的一部分。中国桥梁在重视整体造型美的同时，也注重桥梁的装饰美。桥梁的美观主要体现在功能美及与环境的协调上，所以桥梁上有很多千姿百态的雕塑或大小不同、高低不等、形状各异的附属性建筑物。它们不仅起到了装饰的作用，还见证了中华民族改造自然、创造自然的历史过程，寄托了中华民族的美好愿望。

南京长江大桥即体现了精益求精的工匠精神。大桥两边的栏杆上嵌着202块铸铁浮雕，其中包括100块向日葵镂空浮雕，96块风景浮雕，6块工农兵浮雕，人行道旁还有150对白玉兰花形的路灯。96块风景浮雕中有20块不重复的浮雕，描绘了祖国的山河风貌，歌颂了中国的巨大成就。它们和桥梁巧妙结合，高低错落，纵横有序，使桥的总体布局更为完善、合理。同时，对于站在南京长江大桥桥头堡下的观者来说，巨大雕像所体现的精益求精的精神是足以撼动人心的。

（2）新时代工匠精神

新时代工匠精神主要包含以下特征。

①敬业。敬业是从业者基于对职业的敬畏和热爱而产生的一种全身心投入的认认真真、尽职尽责的职业精神状态。中华民族历来有“敬业乐群”“忠于职守”的传统，敬业是中国人的传统美德，也是当今社会主义核心价值观的基本要求之一。早在春秋时期，孔子就主张人在一生中始终要“执事敬”“事思敬”“修己以敬”。“执事敬”，是指行事要严肃认真不怠慢；“事思敬”，是指临事要专心致志不懈怠；“修己以敬”，是指要加强自身修养，保持恭敬谦逊的态度。

②精益。精益就是精益求精，是从业者对每件产品、每道工序都凝神聚力、精益求精、追求极致的职业品质。所谓精益求精，是指已经做得很好了，还要求做得更好，“即使做一颗螺丝钉也要做到最好”。正如老子所说，“天下大事，必作于细”。能基业长青的工匠，无不是精益求精才获得成功的。

③专注。专注就是内心笃定而着眼于细节的耐心、执着、坚持的精神，这是一切“大国工匠”所必须具备的精神特质。从中外实践经验来看，工匠精神都意味着一种执着，即几十年如一日的坚持与韧性。“术业有专攻”，一旦选定行业，就一门心思扎根下去，心无旁骛，在一个细分产品上不断积累优势，在各自领域成为“领头羊”。在中国早就有“艺痴者技必良”的说法，如《庄子》中记载的解牛游刃有余的庖丁、《核舟记》中记载的奇巧人王叔远等。

④创新。“工匠精神”强调执着、坚持、专注甚至是陶醉、痴迷，但绝不等同于因循守旧、拘泥一格的“匠气”，“工匠精神”还包括追求突破、追求革新的创新内蕴。古往今来，热衷于创新和发明的工匠们一直是世界科技进步的重要推动力量。中华人民共和国成立初期，我国涌现出一大批优秀的工匠，如倪志福、郝建秀等，他们为社会主义建设事业作出了突出贡献。改革开放以来，“汉字激光照排系统之父”王选、“中国第一、全球第二的充电电池制造商”王传福、从事高铁研制生产的铁路工人和从事特高压、智能电网研究运行的电力工人

等都是“工匠精神”的优秀传承者，他们让中国创新重新影响了世界。

⑤协作奋进。协作奋进精神也深刻地体现在了现代工匠文化中。武汉长江大桥地处长江中游，位于长江与汉水交汇处南岸嘴附近，是我国万里长江第一桥，也是我国第一座复线铁路、公路两用桥。大桥的建设取得了卓越的成就，在建筑选址、环境设计、人文景观的处理，以及建筑与材料结构的和谐统一等方面，都凝聚着建设者们的智慧与创造。在中苏两国专家的共同协作下，大桥建筑既继承了中国传统建筑艺术的精华，又融汇了西方现代建筑艺术的新观念、新技术，成为既有鲜活民族特色，又具强烈时代特征的建筑文化丰碑，在中国桥梁建筑史上占有重要的地位。时至今日，大桥的文化特质愈来愈引起人们的重视，巍然壮丽的大桥不只是需要人们保护的优秀历史建筑，它实际上更代表着一种文化，应当作为时代的见证和文化艺术的载体被永久珍藏。

(3) 敢为人先精神

1955 年 9 月 1 日，武汉长江大桥正式动工建设。大桥建设采用了苏联工程师发明的新方法——管柱钻孔法，但在施工中由于打桩机的原因，第一根管柱下沉到岩盘整整用了 7 天 7 夜。专家们同心协力，边试制、边试用、边改进，终于试制出威力强大的振动打桩机，10 分钟内可使管柱下沉 4.78 米，从根本上解决了管柱下沉到岩盘的难题。1956 年 5 月 31 日，毛泽东视察长江大桥建设工地，在听取管柱钻孔法施工情况的汇报后，他高兴地说：“管柱钻孔法是苏联工程师发明的，可他们不敢用，我们用了，证明是成功的。长江大桥的建设，就是世界水平嘛！”并嘱咐我国工程技术人员要在建设中培养出上百个建桥工程师，将来在长江上修上 20 座、30 座桥。于是，“建成学会”成为建桥的一个重要方针，“坚持执行建成学会方针”的标语牌醒目地悬挂在工地上，成了建桥大军的共同理念和行动。

6.3 中外桥梁文化对比

6.3.1 桥梁建造艺术对比

(1) 建造美学

如果说长江孕育了华夏文明，那么泰晤士河则催生了英伦风情。河流与文明相遇往往迸发出新的火花，文明随河流一同生长、绵延，进而衍生出桥梁以缓解地缘生态与文明发展之间的冲突。因此，桥梁诞生之初便不仅仅是一种建筑，更是历史的载体和文化的传承者。

17世纪以前，桥梁建造主要采用石材或木材。中国古桥更是兼具实用性与艺术性。始建于隋朝的赵州桥，以粗砂为根基，两端宽中间窄，纵向并列砌置，节省石料，利于泄洪，栏板望柱雕刻精美，是世界上现存年代久远、跨度最大、保存最完整的单孔坦弧敞肩石拱桥。正如英国科学家李约瑟所言："中国文化的特色在不小程度上是合理与浪漫的巧妙结合，这一点在建筑工程上也产生了效果。中国的桥梁没有一座是不美观的，而且不少是非常美观的。"建筑技术和建筑美学在中国桥梁中得到了完美的结合，对世界桥梁事业作出了贡献。①

图6-9　赵州桥②

中国现代桥梁建造史亦是中华民族艰苦卓绝的奋斗史。从尝试建设到追赶世界、领先世界，一代代建桥人始终不忘初心，以建桥报国、自主创新、引领中国建桥发展为己任，走过了一段跨越天堑、超越自我的光辉历程。近代桥梁和古代桥梁最突出的区别在于建筑结构和建筑材料，近代桥梁采用的是外国引进技术，以铁、钢、钢筋混凝土等新式材料为基础。1880年，中国第一条自建标准轨运货铁路唐胥铁路通车，在这条铁路上也修建了我国第一座铁路桥梁，此后公路桥梁也开始出现，中国的桥梁建设正式开始工业化。中国桥梁文化是奋斗文化，也是爱国文化。

英国的母亲河泰晤士河全程共有各种桥梁214座，河下隧道20多道。流

---

① 丁媛.中国古代桥梁文化专题研究[D].武汉：华中师范大学，2013：51.

② 图片来源：https://bkimg.cdn.bcebos.com/pic/7acb0a46f21fbe091ec3374064600c338644adc1? x—bce—process=image/watermark，image_d2F0ZXIvYmFpa2U5Mg==，g_7，xp_5，yp_5/format，f_auto.

经大伦敦地区的河段上有 33 座桥，而在伦敦市中心的河段上，架有 16 座桥。这 16 座桥中，有一座铁路桥和一座步行桥。步行桥又名曰“千年步行桥”，是纪念 21 世纪到来修建的建筑，2000 年由女王剪彩启用。泰晤士河上最具代表性的伦敦桥与伦敦塔桥默默地见证了百年来王室的盛衰荣辱、奇闻趣事，而其自身也成为其中必不可少的一部分。①

图 6-10　中世纪的石制伦敦桥

图 6-11　伦敦塔桥

（2）建造风格

中国古代的桥梁建造风格因时代而异，其风格发展大体可分为以下四个阶段：西周、春秋阶段为古桥创始阶段。受当时落后的生产力水平的限制，大

① 卢桢. 伦敦桥怎么老塌呢？[J]. 世界文化，2017(2)：45-47.

多数桥梁建在河道较窄、水流较缓的河流上。桥梁形式也以梁桥和浮桥为主。秦、汉时期是古代桥梁的创建发展阶段。此阶段大量采用砖块与石块的结合，出现了砖石的拱券架构，增添了石柱、石梁、石桥面等新构件。唐宋时期为古代桥梁发展的鼎盛时期。隋唐时期国力强盛，社会安定，科学技术发达，经济中心南迁，东南水网地区的桥梁获得充分发展。北宋的虹桥、南宋的石梁桥都在世界桥梁史上享有盛誉。元、明、清时期是桥梁发展的饱和期，该时期主要是修缮古桥、整理施工文献。同时，也建造完成了一些重要桥梁，如江西的万年桥、贵州的盘江桥等。

西方桥梁的建造风格主要体现在其人性化的设计理念和创新性的设计风格方面。伦敦塔桥的独特建造风格使其跻身于世界最美的桥梁之列。它分上下两层。上层支撑着两岸的塔，且为固定的人行桥，行人登桥可欣赏泰晤士河景色。下层为活动桥，桥面可以开启，平时桥面通行车辆。每当巨轮通过时，随着高塔内机器的转动，中间的桥面便一分为二，慢慢向上掀起，此时行人可选择从上层通过。船只通行之后，又徐徐落下。人们都称赞伦敦塔桥是英国首都的一大胜景。当钢桁拱桥开启时，河面可通行万吨级船只。游人可登桥观看附近古城塔群景色，也可参观设在主塔内部的博物馆和展览厅。整个建造风格透着现代工业气息。

6.3.2 桥梁民俗文化对比

（1）桥梁传说

中国桥梁民间故事，多以桥梁传说为主，桥梁神话和生活故事不仅数量较桥梁传说少，影响范围也比较小，究其原因可能与桥梁的独特性质有关。首先，神话以叙述神的活动为中心内容，主要表现的是人类对自然的认识以及人与自然的斗争，而成熟桥梁产生的时间较晚，此时原始时期已经过去，桥梁对于人类而言虽知其建造不易，却也不再具有神秘感。其次，桥梁建造工程较为庞大，每一座成熟桥梁的架起都伴随着当地群众巨大的付出，因此在面对耗费如此心血成就的工程时，群众更倾向于将其美化，为其编织更具神圣性的故事。这种故事体现的是对具有超自然力的人物的崇拜，是一种对实有人物神化或半神化的崇拜形式。

古桥人物传说中的主人公多是神人或仙人，故事内容也多为某座桥由他们建造，他们在某座桥上施恩于民之类。八仙是古桥传说中最为典型的人物。八仙原是道教尊崇的八位神仙，后来逐渐演变为民间崇拜的吉祥神。中国古桥的八仙传说众多并极具浪漫主义色彩，赵州桥传说就是其中之一。相传古代赵州城的洨水水势汹涌，两岸行人来往不便，工匠祖师爷鲁班得知后，就在洨水之上建造了一座大石桥。石桥建造完成，人们纷纷赶来观看，八仙之一的张果老也骑着毛驴来凑热闹，还在驴背上的褡裢两边各放置太阳和月亮用以检测石桥是否结实。随后五代后周柴荣也推着载有五岳名山的独轮车来试桥。二人一同来到桥头，邀请鲁班一起过桥。谁知二人刚上桥，桥便摇晃起来。鲁班见势不妙，跳至桥底，用手托住桥东侧，才使二人顺利过桥。因为用力过大，鲁班在桥东侧拱券上留下了手掌印。赵州桥是纵向并列法砌筑的石拱桥，重车不可靠桥边行驶，否则会对桥身造成损害，而桥面上的“仙迹”均在桥东侧三分之一的宽度内，正好是行车外缘界限。至于拱券处的手掌印则位于石桥受力最大处，是桥梁加固最适宜的支撑位置。①

英国的桥梁传说则受英国宗教影响，具有较浓重的宗教色彩，桥梁传说常常与魔鬼等相联系。例如，在英格兰萨默塞特的埃克斯穆尔国家公园内，有一座被称作“塔尔石阶”的石板桥，人们一般认为它建于3 000多年前。全桥长55米，宽约1.5米，用每块重1～2吨的石板铺在低矮的八字形石头桥墩上，没有用任何砂浆黏结，整体造型简单朴素。传说此桥由魔鬼建造，是魔鬼用来晒太阳的。如果有人敢走过这座桥，就会被魔鬼杀死。于是，当地人放猫过桥来试探虚实，谁料猫刚过了桥，便化作了一缕青烟。于是牧师挺身而出，去桥上见魔鬼，魔鬼恐吓牧师，但牧师同样还以颜色。最终魔鬼让步，同意让人们过桥。②

（2）桥梁典故

中国古桥往往有着丰富的典故，而且同传统习俗串联在一起。苏州的宝带桥有着悠久的历史。相传隋炀帝开凿大运河，开启江浙漕运之路，但是，位于苏州城南的澹台湖造成了三四百米的缺口，纤夫至此无法前行。当时的苏州刺史王仲舒为保证漕运畅通，决定营造桥梁，便利通行。他带头捐献了一条御赐的玉质宝带。在他的影响下，当地乡绅纷纷慷慨解囊，支持造桥。建好的宝带桥，五十三孔联拱，形成了苏州的一处著名景点“宝带串月”。苏州当地有过中秋时去宝带桥赏月的习俗。位于福州闽安古镇的迴龙桥，始建于唐朝，是福州现存最古老的石桥之一。它目睹了浩荡商船从闽安码头出发，将丝绸、瓷器、茶叶等物品运往南洋。福建漳州的江东桥始建于南宋，是一座多孔梁式石桥。桥梁专家茅以升曾在《中国石拱桥》一文中感叹道：“福建漳州的江东桥，修

---

① 丁媛.中国古代桥梁文化专题研究[D].武汉：华中师范大学，2013：28.

② 戴定国.邮票展示英国桥梁史[J].上海集邮，2015(6)：23-26.

建于八百年前，有的石梁一块就有二百来吨重，究竟是怎样安装上去的，至今还不完全知道。”

在欧洲名城布拉格，碧波荡漾的伏尔塔瓦河水穿城而过。在这条河上，有18座大桥，将两岸的哥特式、巴洛克式和文艺复兴式的建筑连成一体。其中，查理四世于1357年建造的查理大桥是在该河流上的第一座桥梁。查理大桥连接了布拉格城堡、小城和老城。桥梁全长516米，宽9.5米，采用波希米亚砂岩。据说为了让石块更加紧密地联结在一起，工匠们在灰浆中加入了鸡蛋。

查理大桥将哥特艺术与巴洛克雕塑艺术进行了完美匹配，成为一座集历史典故、雕塑艺术和人文风情于一体的蜚声世界的桥梁。17、18世纪巴洛克艺术大师们在石桥栏杆边上雕刻有30座精美雕塑，人们漫步其间时仿佛置身于欧洲的巴洛克塑像美术馆，它们静静地矗立在桥边。桥的一端连接着始建于9世纪的布拉格城堡，城堡一直是国王的宫殿，也是捷克的要塞，集中了各个历史时期的艺术精华，是历代国王进行加冕仪式的必经之路。站在城堡高处远眺，可以看见雄伟的圣维特教堂、金碧辉煌的王宫古堡。

查理大桥是步行桥，也是游客留影地。查理大桥上总是人来人往，热闹非凡。民间艺人们在桥上展示自己的艺术天赋，展现着独具风格的艺术魅力。浪漫的布拉格风情荡漾在古老的查理大桥上。游客们踩着久经时光磨砺的石板路，就可以去布拉格老城广场。

与布拉格不同的是，伦敦地区的桥梁在提供便捷交通的同时，也为当地贸易提供了条件。泰晤士河是对外贸易出口以及伦敦粮食供应的主要河流，河流上的桥梁极大地促进了商业运输的发展。中世纪由于生产力的限制，水路运输在整个商业运输中的占比也较高，主要商业城市基本都分布在河道网边缘。随着桥梁建造技术的提高，伦敦地区的桥梁日益增多，并承担起贸易发展的任务。在英国的八大集市中，有六个分布在沃什湾的河道网上，比如北安普顿集市坐落在宁河上，圣伊文斯集市在乌斯河流域，斯坦福集市位于韦兰河流域，伯里-圣爱德蒙兹集市位于拉克河流域，波士顿集市和林恩集市设立在沃什湾的出海口上。这些集市围绕着河流、桥梁而日益兴盛。

6.3.3 桥梁工业文化对比

(1) 工业生活

中国桥梁工业文化建立在中国近代以来桥梁建筑技术的进步基础上。始建于1894年的山海关桥梁厂是中国建厂最早、规模最大的桥梁钢结构和铁路道岔生产制造企业，现为中铁山桥集团有限公司，截至2019年已打造有35座跨长江、20座跨黄河、13座跨海湾的桥梁，被誉为“中国钢桥的摇篮，铁路道岔的故乡”。作为工业遗产核心物项的牛头刨床等五台老设备，均完整地保存在厂区历史文化广场上，成为中国桥梁工业文化的亮丽名片。目前，在全球定位系统、地理信息系统等现代空间信息技术的帮助下，桥梁建造者为桥梁设计和建造提供了准确的数据，为土方量和工程量的准确计算提供支持。中国工程师已掌握各类桥梁设计方法，并不断创新和发展结构体系与关键结构。同时，在四大桥梁类型（梁桥、拱桥、斜拉桥和悬索桥）的基础上，研发了适用于当地条件的技术。同样，桥梁的设计理论也在逐步完善，决策方法也变得更加可靠，因为它从基于经验的判断方式转变为基于概率和经验相结合的判断方式。先进的桥梁设计理论与方法极大地提升了中国桥梁技术的国际认可度。

英国在18世纪工业革命后，经济发展迎来了新机遇。① 机器取代了部分人工，工厂代替了传统的个人或小群体生产，不同工种的工人开始出现。泰晤士河上也建起了不少新桥。这些革新大大提高了生产效率，同时也改变了社会的格局。② 工业文化从各个方面重塑了当时的世界和人们的生活，其中也包括桥梁的建设。首先，工业发展使得生活中各方面都出现了不同程度的群体化。生活商品大规模量产，以统一的规格、样式与人们见面。桥梁的设计、建造都由专门的设计公司来承担。其次，工厂制度的出现，不仅使得产品统一化，同时也实现了产品的标准化，政治、经济等方面也出现了类似的标准化。桥梁构建进入工厂化生产阶段。再次，集中化。工厂工人、城市、国家的同步化，使得社会活动相对集中化，进而降低时间成本。③ 群体化、集中化的生活方式也对交通造成了不小的压力，因而现代造桥过程往往集中在相对较短的时间内完成，以满足现代交通的需求。

（2）工业遗产

国际上对工业遗产的概念存在诸多理解。其中，以2003年通过的《下塔吉尔宪章》中的解释较为权威。该宪章提出，工业遗产是指工业文明的遗存，它们具有历史的、科技的、社会的、建筑的或科学的价值。作为遗产保护委员会创始人之一，考森斯（Neil Cossons）认为，工业遗产见证了对过去和现在产生影

---

① 赵艺. 数字出版时代传统图书编辑的转型[J]. 理论与现代化，2015(2)：96-98.

② 王正林. 工业文化纵论[M]. 合肥：安徽人民出版社，2006.

③ 于珊，张博龙. 英国第一次工业革命时期工业文化的形成与发展[J]. 文化创新比较研究，2017，1(15)：50-51.

响的历史过程与活动，所以天生就具有作为人们理解过去的途径的价值。工业遗产的保护不仅可以使工业文化价值得到再次发掘和提升，还可以改善生态环境，实现经济社会等多方面的综合效应。

工业遗产中蕴含着巨大的文化价值，工业遗产作为钢铁见证，承载着英国桥梁工业文明的辉煌，展现着工业革命以来技术发展的历程。英国的桥梁工业遗产资源丰富且通常区位优越，与运河、铁路等交通枢纽相邻。英国众多桥梁多位于城市中心地段，具有得天独厚的景观资源，周围基础设施良好。很多桥梁经过改造，成为文化、商业、休闲和居住景观的一部分，具有巨大的文化重建和综合开发潜力。例如，位于爱丁堡市的福斯大桥横跨福斯峡湾，是联合国教科文组织世界遗产。这座桥是苏格兰文化和传统的象征。

桥梁工业遗产还具有社会、科技、经济、艺术等多元价值，在维持人类文化的多样性、保护和继承人类社会的文化基因上具有重要意义。从 20 世纪 70 年代起，英国开展了对桥梁工业遗产的保护与利用工作，采取了积极的手段进行干预、保护与调整，将桥梁作为工业发展进程的见证，挖掘桥梁工业遗产的潜在价值。英国政府以资源共享、优势互补为原则，对桥梁和相关领域的国家和行业重点实验室资源进行优化调整，并将先进的桥梁技术成果转化成实际的桥梁建设。

我国与发达国家相比工业化起步较晚，工业遗产相对有限，工业遗产对发展亦未造成过多负担，不过在探索实践中，也孕育了具有中国特色的工业文化和工业精神。各地也在积极尝试探索构建文化与工业协同发展的新方式。例如，位于武汉市汉阳四新片区中铁大桥局桥梁科技大厦内的桥梁博物馆，以“天堑变通途——古今中外话桥梁”为主题，室内展馆建筑面积近 3 000 平方米，馆外还设有桥梁主题公园。馆内藏有珍贵文物、档案 1 000 余件，构成一部鲜活的中国桥梁建设发展史，展现了我国经济建设的发展和综合国力的提升。展览主题决定了桥梁博物馆的社会性。为了系统地收集中国桥梁建设历程中的重要档案，中铁大桥局在充分利用自身档案室资源的基础上，主动向社会媒体、武汉市档案馆、相关施工设计和业主单位、相关收藏机构、老专家老桥工等单位及个人征集实物，整合多方力量，共同完成中国桥梁建设的档案开发和利用。

图 6-12　武汉桥梁博物馆①

图 6-13　武汉桥梁博物馆内部②

同时，博物馆还通过仿制文物、邀请专家创作艺术品等形式，最大限度地满足展陈需要。桥梁博物馆以各类实物档案为载体，创新性地进行实景打造，创造出体验感十足的物理沉浸空间。例如，把精美雕花的木质拱桥“镶嵌”在

① 图片来源：https://www.sohu.com/a/308767502_726512.

② 图片来源：http://www.wenlvnews.com/p/229253.html.

馆顶，为桥梁博物馆增添了神秘感和空间感；将武汉长江大桥钢梁架设场景“搬”至馆内，以霸气厚重的钢梁构建参观走廊，让观众“身临其境”；将重达80千克的武汉长江大桥沉井施工潜水服立于馆内，让观众深刻感受到当时桥梁建设者的付出与不易；将南京长江大桥维修时换下的玉兰花灯柱立于馆内，既有历史韵味，又具艺术气息。

结语

长江流域是中华民族的摇篮之一,长江文化已融入各民族的血脉,是中华文明的母体,也成为中华民族的象征。长江文化以其古老性、历史性和发展性,成为中华文化不可或缺的一部分。因此,对于长江文化的传承和弘扬也需要国家和全社会的大力支持。

总的来说,保护长江文化,按照习近平总书记重要讲话精神的要求,按照《中华人民共和国长江保护法》和《关于进一步加强非物质文化遗产保护工作的意见》的要求,坚持在保护中传承,在传承中保护,在弘扬中发展,从而真正实现长江文化的创造性转化和创新性发展。保护好、传承好、弘扬好长江文化,让长江文化历久弥新,坚持延续千年文化命脉,赋予家国情怀,提升时代价值。

一要加大资金投入,深度挖掘长江文化。加大人力、财力和物力投入,花大力气保护长江沿线的各类非物质文化遗产和传统民俗习俗,建立长江历史文化研究院,不断加强对长江文化内涵与价值的理解。

二要讲好长江文化故事,为下一代继承和弘扬长江文化奠定基础。牢固树立和贯彻新发展理念,坚持以人民为中心,以文化为导向,在保护和传承的基础上,加强长江水域管理。

三要加强学科建设,培养专业人才。加快设立长江文化保护机构,注重人才队伍建设,避免把仿古、"抄"古作为传承文化的方式,培养更多保护和传承长江文化的人才,这也直接关系到长江文化的高质量发展。

另外,长江流域的工业化、城市化,应更加注重平衡人文发展和自然生态承载力之间的关系,优化产业结构,不断推动长江文化与山水文化及城乡协调发展相融合,与生态文明建设相融合,实现区域协调发展。当前加强长江文化的研究意义重大,应当抓住这个历史性机遇,从多方面重视和保护长江文化。

长江文化作为优秀传统文化,其意义和价值是不言而喻的。长江文化与其他作为中华民族代表性符号的文化一样,都蕴含着深厚的爱国情怀和艰苦奋斗精神。爱国和奋斗是中华文化精神的内核,支撑着一代又一代的中华儿女投身民富国强的伟大实践。如果说长城文化体现了中华民族坚韧刚毅、勇敢睿智的品质,凝聚着中华儿女不屈不挠、开拓创新的精神,那么长江文化则展现了中华民族厚德载物的品格,融汇着中华儿女的不懈追求。

长江文化蕴含着绿色发展的生态理念,就其本质而言是水文化、绿色文化、生态文化。习近平总书记历来重视长江流域的生态保护,党的十八大以来,总书记曾多次考察长江流域的生态保护和发展情况,并指出黄河、长江都是中华民族的母亲河,保护母亲河是事关中华民族伟大复兴和永续发展的千秋大计。在推动长江经济带发展座谈会上,总书记提出长江拥有独特的生态系统,是我国重要的生态宝库。当前和今后相当长一个时期，要把修复长江生态环境摆在压倒性位置，共抓大保护，不搞大开发。“共抓大保护，不搞大开发”，这短短十个字内涵极其丰富，是习近平总书记将新发展理念运用于长江文化保护传承弘扬的重要体现，也是习近平总书记关于长江经济带建设思想的高度凝练，为新时代长江经济带的综合治理和可持续发展确立了战略性的指导思想，具有重大的时代意义。

长江文化是具有世界意义和全球价值的文化。中国是四大文明古国之一，中华优秀传统文化为世界文明的延续作出了不可磨灭的贡献，而作为中华优秀传统文化的重要组成部分，长江文化更是展现了中华文化的独特价值。在新时代的今天，我们呼吁各国人民同心协力，构建人类命运共同体，尊重世界文明多样性，以文明交流超越文明隔阂，以文明互鉴超越文明冲突，以文明共存超越文明优越。中华文化，特别是长江文化的作用将充分展现，在构建人类命运共同体的伟大实践中展现其独特的魅力。

“文化是一个国家、一个民族的灵魂。文化兴国运兴，文化强民族强。没有高度的文化自信，没有文化的繁荣兴盛，就没有中华民族伟大复兴。”长江文化积淀着中华民族最深层的精神追求，代表着中华民族独特的精神标识。强大的精神力量来源于强大的文化，实现中华民族伟大复兴一定要有强大精神力量的支撑和引领，对传统文化和长江文化的研究，可以回答“我们从哪里来”的问题，从而增强我们的文化自信，繁荣发展文化。中国特色社会主义文化是激励全党全国各族人民奋勇前进的强大精神力量，我们要更加自觉地增强道路自信、理论自信、制度自信、文化自信，而文化自信是更基本、更深沉、更持久的力量。这些精辟论述深刻而丰富的思想内涵，归结到一点，就是要坚定文化自信，弘扬长江文化，为建设社会主义文化强国不懈奋斗。

后记

从远古时代起，长江便见证了人类文明的星火。在漫长的发展过程中，长江文化不断演进变化，为中华文明提供了丰富的历史遗迹和宝贵的文化遗产。长江文化是中华水文化的重要象征，是中华民族在认识和利用长江的过程中所形成的物质和精神成果的总和。长江文化深深植根于中华文明的沃土中，成为中华文化不可或缺的组成部分，丰富了中华儿女的精神世界。

本书对长江文化进行全面总结，梳理了长江流域各类型文化的特征及内涵。研究团队依托长江保护与高质量发展研究基地开展调研活动，提出以长江流域内的干支流为骨架，整合和优化流域内的各种文化资源，将长江文化进行分类阐释。研究团队还赴江都水利枢纽、中国大运河博物馆学习调研，就长江文化、运河文化及南水北调东线工程对生态人文的影响等核心问题展开调研，围绕水文化的保护与传承，开展国情水情学习教育，提升了团队师生对水文化的研究热情，提高了水生态保护的使命感和责任感，为本书的编写打下了坚实基础。

本书由长江保护与绿色发展研究院、江苏长江保护与高质量发展研究基地组织编写。感谢在本书的具体编写过程中付出辛勤劳动的各位专家学者，包括张海榕、黄齐东、王淑芳、徐舒蘅、路涵妮、姜萌、魏莹莹、王悦、谢欣然、孙振宇、李思雨、汤越、侯贝妮、经晓雨、朱绮雯、孙海群、言志扬、刘汉中、焦雪、连鑫、孙翊君、范飘扬、吴佩遥、谭惠余、鹿涛、许可欣、徐超超、鲍蕾、王安琪、罗钦蔚、徐悦旸、郗宁、高慧敏、刘斯晶、张依遥、殷婵、朱雅芸、顾丽双等。他们深入研究相关地区水文化发展的整体脉络，系统梳理了历史演变、现状特征及未来趋势，为本书的顺利编写奠定了坚实基础。在实地调研与资料分析过程中，编者广泛查阅了历史文献，走访了当地专家、学者及相关利益方，获取了大量一手资料，确保研究的深入性与准确性。编者间密切协作，充分发挥各自的专业优势，在数据收集、理论分析、案例研究等方面各展所长。

长江文化承载着中华民族深厚的历史记忆与独特的文化基因，见证了文明的演进与时代的变迁。编者期望能激发更多人关注长江文化的价值，推动其在全球化背景下的传播与交流。愿本书能够为进一步认识、保护和弘扬长江文化贡献一份力量，让这一承载中华文明瑰宝的文化长河在新时代焕发新的生机。